DEUTSCH ALS FREMDSPRACHE

CW00671692

Themen aktuell

Zertifikatsband

Arbeitsbuch

von

Heiko Bock
und Jutta Müller

Hueber Verlag

Quellenverzeichnis:

Seite 10: *Foto oben:* © dpa; Foto unten: MHV-Archiv (EyeWire)

Seite 19–20: Texte nach Porträts von Martina Sabra, erschienen in *AID Ausländer in Deutschland* 2/2001, 17. Jg., 30.6.2001; *Foto Seite 19:* © Martina Sabra; *Foto Seite 20:* MHV-Archiv (Eyewire)

Seite 25: *Zeichnung:* Joachim Schuster

Seite 26: *Foto:* mit freundlicher Genehmigung von Jean Luc Kaiser, Brest

Seite 30: *Text aus:* Spiegel spezial 12/1998 „Gedränge im Menschenzoo“ Interview von Norbert F. Pötzl mit Professor Philip Tobias, University of the Witwatersrand, Johannesburg © Spiegel Verlag, Hamburg

Seite 36: *Zeichnung:* Joachim Schuster

Seite 68: *Foto:* MHV-Archiv (Dieter Reichler)

Seite 69: *Foto oben:* MHV-Archiv (Jens Funke); Foto unten: MHV-Archiv (PhotoDisc)

Seite 75: *Foto oben:* © Oberammergau Tourismus; Foto unten: MHV-Archiv (Gerd Pfeiffer)

Seite 180: *Fotos:* MHV-Archiv (MEV)

Wir haben uns bemüht, alle Inhaber von Bild- und Textrechten ausfindig zu machen. Sollten Rechteinhaber hier nicht aufgeführt sein, so wäre der Verlag für entsprechende Hinweise dankbar.

Das Werk und seine Teile sind urheberrechtlich geschützt.
Jede Verwertung in anderen als den gesetzlich zugelassenen
Fällen bedarf deshalb der vorherigen schriftlichen
Einwilligung des Verlags.

Hinweis zu § 52 a UrhG: Weder das Werk noch seine Teile dürfen ohne
eine solche Einwilligung überspielt, gespeichert und in ein Netzwerk
eingespielt werden. Dies gilt auch für Intranets von Firmen und von Schulen
und sonstigen Bildungseinrichtungen.

6. 5. 4. | Die letzten Ziffern
2013 12 11 10 09 | bezeichnen Zahl und Jahr des Druckes.
Alle Drucke dieser Auflage können, da unverändert,
nebeneinander benutzt werden.
1. Auflage
© 2004 Hueber Verlag, 85737 Ismaning, Deutschland
Verlagsredaktion: Andreas Tomaszewski, Hueber Verlag, Ismaning
Satz: VerlagsService Dr. Helmut Neuberger
& Karl Schaumann GmbH, Heimstetten
Herstellung: Doris Hagen
Zeichnungen: martin guhl www.cartoonexpress.ch
Druck und Bindung: Ludwig Auer GmbH, Donauwörth
Printed in Germany
ISBN 978-3-19-011692-8

Inhalt

Vorwort

In diesem Arbeitsbuch zu „Themen aktuell 3“ werden die wichtigen Redemittel jeder Lektion einzeln herausgehoben und ihre Bildung und ihr Gebrauch geübt. Alle Übungen sind einzelnen Lernschritten im Kursbuch zugeordnet.

Jeder Lektion ist eine Übersicht über den Kernwortschatz, die Redemittel und die wichtigsten Grammatikstrukturen vorangestellt, die in der betreffenden Lektion gelernt oder wiederholt werden. In die Wortschatzliste sind auch Wörter aufgenommen, die schon in „Themen aktuell 2“ (THA 2) eingeführt wurden und in diesem Band wiederholt werden. Bei den Redemitteln handelt es sich um eine Auswahl der wichtigsten Ausdrücke für die mündliche Prüfung und für die sogenannten Szenarien. Die Übersichten sind einerseits eine Orientierungshilfe für die Kursleiterin oder den Kursleiter, andererseits eine Möglichkeit der Selbstkontrolle für die Lernenden: Nach Durchnahme der Lektion sollte ihnen kein Eintrag in der Wortliste und der Zusammenstellung der Grammatikstrukturen mehr unbekannt sein. Die Autoren empfehlen nicht, diese Liste als solche auswendig zu lernen – das Durcharbeiten der Übungen, auch mehrfach, setzt einen effizienteren Lernprozess in Gang.

Zu den meisten Übungen gibt es im Schlüssel eine Lösung. Dies ermöglicht es den Lernenden, selbstständig zu arbeiten und sich selbst zu korrigieren. Zusammen mit dem Kursbuch und evtl. einem ein- oder zweisprachigen Wörterbuch kann dieses Arbeitsbuch dazu dienen, versäumte Stunden selbstständig nachzuholen.

Die Übungen dieses Arbeitsbuchs können im Kurs vor allem nach Erklärungsphasen in Stillarbeit eingesetzt werden. Je nach den Lernbedingungen der Kursteilnehmer können die Übungen aber auch weitgehend in häuslicher Einzelarbeit gemacht werden. (Über die Möglichkeit, die Lösungen aus dem Schlüssel abzuschreiben, sollte man sich nicht allzu viele Gedanken machen. Oft ist der Lernerfolg dabei fast ebenso groß. Manche Lernende lassen sich von dem Argument überzeugen, dass das Abschreiben meistens wesentlich mühsamer ist als ein selbstständiges Lösen der Aufgabe.)

Nicht alle Übungen lassen sich im Arbeitsbuch selbst lösen; für manche Übungen wird also eigenes Schreibpapier benötigt.

Verfasser und Verlag

Kernwortschatz

Verben

ärgern 13
auffallen *THA 2*, 93
aufhören 10
aufregen 13
ausruhen *THA 2*, 43
bedeuten 12
begrüßen *THA 2*, 101
bemühen 13
beschweren 10
bewegen *THA 2*, 34
fordern *THA 2*, 101
fürchten 10
gehören 7
glauben 13
grüßen 8
hängen *THA 2*, 62
hoffen *THA 2*, 63
interessieren 15
kämpfen *THA 2*, 29
kümmern 10
küssen 8
passen 12
singen *THA 2*, 36
stellen 13
töten *THA 2*, 64
träumen 12
umarmen 8
unterhalten *THA 2*, 61
verlangen *THA 2*, 123
verlieben *THA 2*, 42
verstehen *THA 2*, 82
vertrauen 13
vorstellen 7
warnen *THA 2*, 55
weinen *THA 2*, 43
wünschen *THA 2*, 51
zuwinken 8
zweifeln 13

Nomen

r Automechaniker, - *THA 2*, 30
e Ausbildung, -en *THA 2*, 21
s Ereignis, -se *THA 2*, 99
r Fahrer, - *THA 2*, 50
e Gefahr, -en *THA 2*, 38
s Gepäck *THA 2*, 86
e Geschwister (Plural) 11
s Gesicht, -er *THA 2*, 10
e Großeltern (Plural) *THA 2*, 67
r Handwerker, - *THA 2*, 114
e Kultur, -en *THA 2*, 36
e Kunst, ¨-e *THA 2*, 39
r Lehrer, - 8
s Lied, -er *THA 2*, 40
r Lohn, ¨-e *THA 2*, 57
e Menge, -n *THA 2*, 81
s Mitglied, -er *THA 2*, 102
r Onkel, - *THA 2*, 71
e Ordnung, -en *THA 2*, 44
r Plan, ¨-e *THA 2*, 93
s Recht, -e *THA 2*, 44
e Regel, -n *THA 2*, 91
e Regierung, -en *THA 2*, 97
e Reparatur, -en *THA 2*, 47
r Sommer, - 121
r Taxifahrer, - *THA 2*, 24
e Umarmung, -en 8
r Unfall, ¨-e *THA 2*, 47
r Verein, -e *THA 2*, 98
r Vertrag, ¨-e *THA 2*, 104
r/e Verwandte, -n 14
e Verzeihung *THA 2*, 51
s Wetter *THA 2*, 36

Adjektive

bestimmt 9
kritisch *THA 2*, 70
notwendig *THA 2*, 34
traurig *THA 2*, 7, 41
verletzt *THA 2*, 98
weit *THA 2*, 122
westlich *THA 2*, 105

Adverbien

einmal 12

Funktionswörter

darauf 13
sich 8
worauf 13

LEKTION 1

Redemittel

Mündliche Prüfung Teil 1: Kontaktaufnahme

Mein Name ist 10
Ich bin 10
Ich bin ... von Beruf 15
Ich arbeite als ... 15
Ich habe eine Stelle bei ... 15
Ich habe gute ...kenntnisse 15
Ich interessiere mich für ... 15
Ich besuche die ...schule in ... 15
Ich bin sehr sportlich/ruhig/fröhlich ... 15

Szenario: „sich beschweren"

Ich fürchte, du/Sie ... 10
Darf ich dich/Sie bitten, ... zu ... 10
Ich muss dich/Sie leider darauf aufmerksam machen, dass ... 10
Du kannst / Sie können doch nicht einfach ... 10
Was fällt dir/Ihnen ein, heute ... 10
Hör / Hören Sie bitte sofort mit ... auf. 10
Entschuldige / Entschuldigen Sie, dass ich ... 10
Es tut mir sehr leid, dass ... 10
Ich höre sofort auf. 10
Aber ich muss leider noch ... 10
Es dauert aber nur noch ... 10
Das geht dich/Sie überhaupt nichts an. 10
Kümmere dich / Kümmern Sie sich um deine/Ihre Sachen. 10

Kerngrammatik

Reflexivpronomen / reziproker Gebrauch (§ 10 a)

Fragen Sie sich gegenseitig.
In vielen westlichen Ländern schüttelt man sich zur Begrüßung die Hand.
Sie haben sich nur kurz zugewinkt.

Reziprokpronomen (§ 11)

Stellen Sie einander kurz vor.
Fragen Sie einander.

Präpositionalergänzungen (§ 17, § 18)

Ich lege Wert auf Gesundheit.
Können Sie auf Luxus verzichten?
Der Sinn des Lebens besteht in persönlicher Zufriedenheit.
Glück bedeutet für mich, meine Freunde um mich zu haben.
Er träumt von einem zweiten Kind.

„da(r)" / „wo(r)" + Präposition (§ 15)

Worauf kannst du verzichten?
Auf Luxus. / Darauf, dass du mir solche Fragen stellst.

Worum bemühen Sie sich?
Um einen guten Studienabschluss. / Darum, dass ich einen guten Abschluss mache.

Wovon träumen Sie?
Von einem großen Auto. / Davon, dass es allen Menschen gut geht.

1. Sprechhilfen: grüßen, sich vorstellen, Kontakte aufnehmen

Nach Übung 2 im Kursbuch

a) Lernen Sie die Redemittel, die Sie noch nicht kennen oder vergessen haben.

Guten Tag! Guten Morgen! Guten Abend!	(Herr .../Frau ...) Gerd/Susanne)

Tag!
Morgen!
'n Abend!
Hallo!
Grüß Gott!
Servus!
Herzlich willkommen!
Ich begrüße Sie herzlich!

Ich heiße Mein Name ist	Andreas. Maria Dorn. Dorn.

Ich bin	Andreas. Maria Dorn. Frau Dorn.

Ich bin der Freund von ...

Das (hier) ist	Herr/Frau ... . (die) Maria. meine Frau. mein Freund.

Kennen Sie Kennst du	Maria (schon)?

Wie geht es Wie geht's	Ihnen/dir/euch? Ihrem Mann/deiner Frau? (dem) Gerd/(der) Susi? zu Hause/deiner Familie?

Wie geht's?
Was macht dein Mann/Susanne/die Familie?

(Danke), es geht.
Nicht gut.
Nicht so gut.
Gar nicht gut.
Schlecht.
Na ja, es geht.
So, so.
Es geht so.

Darf ich vorstellen? Das ist ... .

Ich möchte	Sie	mit meinem Mann bekannt machen.
Darf ich	dich	mit Herrn Sommer bekannt machen?

Ich möchte	Ihnen	meinen Mann	vorstellen.
Darf ich	dir	Herrn Sommer	vorstellen?
		meinen Freund	

Angenehm!
Freut mich.
(Es) freut mich, Sie/dich kennenzulernen.
Schön, dass ich Sie/dich kennenlerne.

b) Ergänzen Sie passende Redemittel (Schauen Sie nicht in a nach!).

sich selbst vorstellen	eine Person begrüßen	eine andere Person vorstellen	nach dem Befinden fragen

Nach Übung 3 im Kursbuch

2. Reflexive und reziproke Verben

a) Vergleichen Sie.

A (reflexiv)
Lutz sieht sich an.

B (reziprok)
Lutz und Doris sehen sich an.

C (transitiv)
Lutz sieht Doris an.

b) Bilden Sie Sätze mit diesen Verben.

anziehen ~~streiten~~ küssen freuen verlieben aufregen zuwinken
ausruhen einigen vorstellen umarmen ärgern setzen treffen
langweilen lieben beschweren anmelden entschuldigen umziehen
beeilen begrüßen ~~beeilen~~

A	B	C
—	*Lutz und Doris streiten sich.*	—
Lutz beeilt sich.	—	—
—	*Lutz und Doris umarmen sich.*	*Lutz umarmt Doris.*

Nach Übung 3 im Kursbuch

3. Wie haben die Leute gegrüßt?

a) ● Wie haben die Leute gegrüßt?
■ ________________ haben ________________ verbeugt.
b) ● Wie hast du gegrüßt?
■ ________________ habe ________________ verbeugt.
c) ● Wie hat Frau Lorenz gegrüßt?
■ ________________ hat ________________ verbeugt.
d) ● Wie hat Herr Berger gegrüßt?
■ ________________ hat ________________ verbeugt.
e) ● Wie haben Sie gegrüßt?
■ ________________ habe ________________ verbeugt.
f) ● Wie habt ihr gegrüßt?
■ ________________ haben ________________ verbeugt.
g) ● Habt ________________ ________________ verbeugt?
■ Nein, wir haben uns die Hand gegeben.
h) ● Hat man __________ verbeugt?
■ Nein, man hat __________ die Hand gegeben.

i) Ergänzen Sie.

ich	du	Sie	er/sie/es/man	wir	ihr	sie
verbeuge *mich*	verbeugst ___	verbeugen ___	verbeugt ___	verbeugen ___	verbeugt ___	verbeugen ___

4. Wünsche, Wünsche. Ergänzen Sie.

Nach Übung 3 im Kursbuch

a) Ich wünsche __________ Gesundheit.
b) Herr Konrad wünscht __________ einen neuen Job.
c) Frau Conradi wünscht __________ mehr Ruhe.
d) Norbert und Bettina wünschen __________ ein Kind.
e) ● Was wünschst du __________?
■ Mehr Glück.
f) ● Was wünscht ihr __________?
■ Mehr Zeit für unsere Kinder.
g) ● Was wünschen Sie __________?
■ Mehr Glück und Erfolg.

h) Ergänzen Sie.

ich	du	Sie	er/sie/es/man	wir	ihr	sie
wünsche *mir*	wünschst ___	wünschen ___	wünscht ___	wünschen ___	wünscht ___	wünschen ___

5. Possessivartikel. Ergänzen und vergleichen Sie.

Nach Übung 4 im Kursbuch

a) Sie grüßt *ihren/ihre* Chef/Chefin mit einer Verbeugung.
Er grüßt __________
Wir grüßen __________
Man grüßt __________
b) Sie legt __________ Hände vor __________ Brust zusammen.
Er legt __________ __________
Wir legen __________ __________
Man legt __________ __________
c) Sie bewegt __________ Hand von __________ Herzen an die Stirn.
Er bewegt __________ __________
Wir bewegen __________ __________
Man bewegt __________ __________

d) Ergänzen Sie.

ich	du	Sie	er/sie/es/man	wir	ihr	sie
mein	___	___	___	___	___	___

Nach Übung 5 im Kursbuch

6. Beschreiben Sie die Begrüßung.

a) Begrüßung bei den Ureinwohnern in Neuseeland

- sehr nah gegenüberstehen
- sich in die Augen schauen
- den Kopf leicht nach vorne beugen
- sich mit den Nasenspitzen und der Stirn berühren

Man steht sich sehr nah gegenüber und ...

b) Normale Begrüßung in Japan

- nicht zu nahe gegenüberstellen
- mit geradem Oberkörper
- Arme herabhängen lassen
- mit 45 Grad sich verbeugen

Man stellt

Nach Übung 5 im Kursbuch

7. „Alle", „jeder", „man". Ergänzen und vergleichen Sie.

Mit *alle* (Plural) und *jeder* (Singular) werden alle Personen, Dinge, Tiere einer bestimmten Menge bezeichnet, mit *man* die Personen einer unbestimmten Gruppe.

a) Mein Chef schüttelt *allen (Angestellten)* / *jedem (Angestellten)* / *einem* morgens die Hand.

b) Meine Kollegin grüßt ______ / ______ / ______ mit einer Umarmung.

c) In unserer Firma grüßen ______ mit Handschlag.
grüßt ______
grüßt ______

d) Ergänzen Sie.

Nominativ	*alle*	*jeder*	*man*
Dativ			
Akkusativ			

8. Was können Sie auch sagen?

Nach Übung 10 im Kursbuch

meinetwegen	das ist meine Sache	stimmt
das geht Sie nichts an	schrecklich	untersagt
grässlich	(es) tut mir (wirklich) (sehr) leid	könnte
Verzeihung	das reicht (jetzt)	von mir aus
das geht zu weit	es ist nicht in Ordnung	könnten Sie bitte
nicht gestattet	es ist (einfach) unmöglich	alles richtig
dürfte	wünsche	fordere

a) *Entschuldigen Sie,* ______ dass ich so viel Krach mache, aber ...
______
______

b) *Es geht (einfach) nicht,* ______ am Sonntag so viel Krach zu machen.
______ dass Sie am Sonntag so viel Krach machen.
______

c) *Das ist genug!* ______ Lassen Sie das!
______ Lassen Sie das sein/bleiben!
______ Hören Sie damit auf!

d) *Würden Sie bitte* ______ mit dem Krach aufhören?
______ aufhören, Krach zu machen?

e) Dieser Krach ist *furchtbar.* ______
______
______

f) *Ich verlange,* ______ dass Sie sofort mit dem Krach aufhören.
______
______

g) *Es ist nicht erlaubt,* ______ sonntags so viel Krach zu machen.
______
______

h) *Ja, ja, schon gut.* ______ Ich höre auf.
______
______

i) *Sie haben recht.* ______ Aber *darf* ______ ich bitte noch eine Stunde weiterarbeiten?
______ ______
______ ______

j) *Das interessiert mich nicht!* Ich mache, was ich will.
______
______

Nach Übung 10 im Kursbuch

9. Was können Sie für A–F auch sagen (höflich und unhöflich)?

A ■ Entschuldigen Sie bitte, dass ich Sie störe.
B ● Ja, bitte?
C ■ Könnten/können/würden Sie bitte mit dem Krach aufhören.
● Warum?
D ■ Es ist nicht erlaubt, sonntags Krach zu machen.
E ● (Oh) Entschuldigung/Verzeihung. Das wollte ich nicht.
F ■ Bitte (bitte)!

1 [C] Ich möchte Sie bitten, mit dem Krach aufzuhören.
2 [ ] Ich möchte meine Ruhe haben. Hören Sie mit dem Krach auf!
3 [ ] Ich bitte Sie, mit dem Krach aufzuhören.
4 [ ] Hören Sie endlich mit dem Krach auf.
5 [ ] Hallo.
6 [ ] Hallo, Sie (da).
7 [D] Es ist nicht erlaubt, sonntags Krach zu machen.
8 [A] Entschuldigen Sie (bitte), dass ich Sie störe.
9 [ ] Dürfte/darf ich Sie bitten, mit dem Krach aufzuhören?
10 [ ] Bitte?
11 [ ] Würden/könnten/können Sie (bitte) so freundlich sein, mit dem Krach aufzuhören?
12 [ ] Was ist?
13 [ ] Hören Sie bitte (sofort) mit dem Krach auf!
14 [ ] Ich fordere Sie auf, mit dem Krach aufzuhören.
15 [ ] Entschuldigung, dass ich Sie störe.
16 [ ] Verzeihung, dass ich Sie störe.
17 [ ] Sie sollen (sofort) mit dem Krach aufhören.
18 [ ] Das ist mir egal. Ich mache, was ich will.
19 [ ] Wäre es (bitte) möglich, mit dem Krach aufzuhören?
20 [ ] Ich verlange, dass Sie sofort mit dem Krach aufhören.
21 [ ] Ist in Ordnung.
22 [ ] Sie wohnen hier nicht alleine.
23 [ ] Könnten Sie mir (bitte) den Gefallen tun, mit dem Krach aufzuhören.
24 [ ] Sie da!
25 [ ] Ist schon gut.
26 [ ] Dieser Krach reicht mir jetzt. Hören Sie sofort auf!
27 [ ] Sie dürfen sonntags keinen Krach machen.
28 [ ] Sie (da), hören Sie.
29 [ ] (Oh) (es) tut mir leid. Ich habe das nicht absichtlich getan.
30 [B] Ja, (bitte)?
31 [ ] Jetzt reicht es. Seien Sie endlich ruhig!
32 [ ] He, Sie da!
33 [ ] Was gibt's?
34 [ ] Ja, ja, ist schon gut. Ich höre gleich auf.
35 [ ] Wären Sie (bitte) so nett, mit dem Krach aufzuhören?

36 [ ] Verzeihen Sie (bitte), dass ich Sie anspreche.

37 [ ] Tun Sie mir einen Gefallen und hören Sie mit dem Krach auf.

38 [F] Bitte (bitte)!

39 [ ] Verdammt noch mal! Hören Sie endlich mit dem Krach auf.

40 [E] (Oh) Entschuldigung/Verzeihung. Das wollte ich nicht.

41 [ ] Was wollen Sie?

42 [ ] Ich muss Sie bitten, mit dem Krach aufzuhören.

43 [ ] (Oh) entschuldigen Sie (bitte). Ich wollte Sie nicht stören.

44 [ ] Sie stören mich und die anderen Leute im Haus.

45 [C] Könnten/können/würden Sie bitte mit dem Krach aufhören?

46 [ ] Seien/wären Sie (bitte) so freundlich, mit dem Krach aufzuhören.

47 [ ] Sie (da), hallo.

48 [ ] Regen Sie sich nicht auf. Ich bin gleich fertig.

49 [ ] Lassen Sie mich in Ruhe. Das ist meine Sache.

50 [ ] (Das) macht nichts.

10. Welche der Sätze 1 bis 50 aus Übung 9 sind höflich, welche weniger höflich? Notieren Sie die Satznummern.

Nach Übung 10 im Kursbuch

a) höflich: *1, ...* ________

b) weniger höflich: *2, ...* ________

11. Die Geschichte von Vornamen. Schreiben Sie.

Nach Übung 14 im Kursbuch

a) Maximilian
- Männername
- lateinisch (*maximus = der Größte*)
- bekannt durch den heiligen Maximilian, Bischof in Slowenien, von den Römern getötet
- auch Kaiser, Könige und Fürsten aus Bayern trugen den Namen, in Österreich und Bayern sehr beliebt
- Kurzform Max oder Maxl

Maximilian ist ein Männername. Er kommt aus dem Lateinischen und geht zurück auf das Wort maximus. Es bedeutet der Größte. Der Name wurde bekannt durch den heiligen Maximilian, der im 3. Jahrhundert ein Bischof in Slowenien war und von den Römern getötet wurde. Weil auch bayerische und österreichische Kaiser, Könige und Fürsten den Namen Maximilian trugen, wurde er vor allem in Bayern und Österreich sehr beliebt. Eine Kurzform ist Max oder Maxl.

b) Maria
- Fraucnname
- hebräisch (*mirjam = rebellisch*)
- Name der Mutter Christi
- bis ins 15. Jahrhundert nicht verwendet, Respekt vor der heiligen Person
- früher und heute sehr beliebt
- in der ganzen Welt, verschiedene Formen

c) Sophie
- Frauenname
- andere Form von Sophia
- griechisch (*sophia = Weisheit*)
- hagia sophia (= *heilige Weisheit*) im Altertum ein anderer Name für Christus und für die ganze Kirche
- Name der berühmten Kirche Hagia Sophia in Konstantinopel (heute Istanbul), gebaut im 6. Jahrhundert, heute eine Moschee
- im 19. Jahrhundert sehr häufig, danach weniger, heute wieder sehr beliebt

Nach Übung 15 im Kursbuch

12. Ergänzen Sie die richtige Präposition und den richtigen Artikel (wenn nötig).

über	mit	~~an~~	zu	mit	für	über	mit	mit	nach	als	mit	von	mit

Ich kann mich *an den*(a) Mann erinnern. Er gehörte ________(b) Stammgästen im Brauhaus. Dort traf er sich häufig ________(c) Freund, um ________(d) ihm Schach zu spielen. Manchmal hat er sich ________(e) Gästen unterhalten. Er hat sich ________(f) Politik interessiert und häufig ________(g) Regierung geschimpft. Manchmal hat er sich sogar ________(h) Gästen gestritten. Einmal hat er ________(i) mir gesprochen und mich ________(j) Italiener mit dem Namen Alberto gefragt, der im Café ________(k) Kellner gearbeitet hatte. Ich konnte ihm die Frage nicht beantworten. Mir ist aufgefallen, dass er auf dem Handy sehr viel ________(l) Frau telefoniert hat. Sie haben immer ________(m) Autos gesprochen. Mehr weiß ich ________(n) Mann nicht.

13. Verben und Präpositionen

Nach Übung 15 im Kursbuch

A) Ergänzen Sie die Präpositionen.

a) denken / sich erinnern ______ den Vater / sein Gesicht / ihren Geburtstag / die Regel

b) antworten ______ die Frage / den Brief / dein Argument / Ihre E-Mail

c) suchen ______ einer Lösung / meiner Brille / der Zeitung / meinem Handy

d) hoffen ______ Glück / gutes Wetter / deine Hilfe / einen Sieg

e) bestehen ______ Metall / Holz / 80 Einzelteilen

f) kämpfen / streiken ______ den Frieden / Gerechtigkeit / mehr Lohn / ein besseres Leben

g) aufpassen ______ die Kinder / den Verkehr / dein Gepäck / deine Gesundheit

h) aufhören ______ dem Krach / der Arbeit / dem Sport / dem Hobby

i) sprechen / sich unterhalten ______ das Problem / deinen Plan / Petra / den Film

j) sich freuen ______ das Geschenk / den Urlaub / die neue Wohnung / dein Fax

k) sich streiten / diskutieren ______ den richtigen Weg / den Termin / den Namen / den Vertrag

l) sich streiten / sprechen / sich unterhalten / diskutieren ______ meinem Freund / den Kollegen / der Nachbarin / Georg

m) warten ______ den Bus / den Handwerker / die Post / meine Schwester

n) fragen ______ dem Weg / seiner Adresse / ihrem Alter / dem Preis

o) sich fürchten / Angst haben / warnen ______ der Krankheit / den Gefahren / dem Sturm / Taschendieben

p) sich verlassen ______ sein Wort / dein Versprechen / Ihre Hilfe / den Kollegen

B) Mit welchem Kasus stehen die Präpositionen in A?

	an +	auf +	aus +	mit +	nach +	über +	vor +	für +
Akkusativ	☐	☐	☐	☐	☐	☐	☐	☐
Dativ	☐	☐	☐	☐	☐	☐	☐	☐

Nach Übung **16** im Kursbuch

14. Was passt? „Da(r)" + Präposition (für Sachen, Ereignisse) oder Präposition + Pronomen (für Menschen, Tiere)?

a) Er liebt Luxus. *Darauf* ________ legt er sehr viel Wert.
b) Er liebt Vera sehr. *Auf sie* ________ wartet er gerne.
c) Ulrike ist 16 Jahre alt geworden. Ihre Eltern haben ihr ein Motorrad gekauft. ________ hatte sie schon immer geträumt.
d) Ulrike ist sehr attraktiv. ________ träumen fast alle Jungen in unserer Klasse.
e) Wir müssen noch ein Geburtstagsgeschenk für Timo kaufen. Kümmerst du dich ________, bitte?
f) Die Fahrerin wurde bei dem Unfall verletzt. Nach zehn Minuten kam ein Arzt und kümmerte sich ________.
g) Ich habe dir sehr gerne geholfen. ________ musst du dich nicht bedanken.
h) Anja habe ich seit vielen Jahren nicht gesehen, aber ich kann mich gut ________ erinnern.
i) Anja war eine gute Schülerin in unserer Klasse, ich nicht. Sie hat mir oft geholfen. ________ kann ich mich deshalb sehr gut erinnern.
j) Jan hat einen großen, aber sehr lieben Hund. ________ muss man sich nicht fürchten.
k) Man hat uns verboten, unsere Tochter Pepsi zu nennen. ________ haben wir uns sehr geärgert.
l) Sarah ist nicht sehr beliebt. Aber zu mir ist sie immer sehr nett. ________ habe ich mich noch nie geärgert.
m) Mein Wohnungsnachbar ist nachts oft sehr laut. Ich habe mich ________ bei der Hausverwaltung beschwert.
n) Tim ist meistens unpünktlich. Wenn ich mich ________ verabredet habe, kommt er meistens zu spät.

Nach Übung **16** im Kursbuch

15. Sagen Sie es anders.

Achtung! „Da(r)" + Präposition ist in den Sätzen unten immer möglich, aber nur bei einigen Verben notwendig.

a) Anna glaubt *an* ________ ihren beruflichen Erfolg.
(dass, haben) *Anna glaubt (daran), dass sie beruflichen Erfolg haben wird.*
(zu, haben) *Anna glaubt (daran), beruflichen Erfolg zu haben.*

b) Wir hoffen am Wochenende ________ besseres Wetter.
(dass, haben) ________
(zu, haben) ________

c) Die Studenten protestieren ________ die Änderung der Prüfungsordnung.
(dass, ändern) ________

d) Julia und Daniel streiten sich ________ den richtigen Weg.
(was, sein) ________

e) Wir beginnen morgen ________ der Reparatur des Autos.
(zu, reparieren) ________

f) Ich habe ihn ________ den Termin erinnert.
(zu, denken) ________

g) Lukas hat mich ________ der Uhrzeit gefragt.
(wie spät, sein) ________________________________

h) Daniel hat ________ seine Erlebnisse in Moskau erzählt.
(was, erleben) ________________________________

i) Sophie hat sich ________ den Anruf von Niklas gefreut.
(dass, anrufen) ________________________________

j) Laura hat ________ dem Rauchen aufgehört.
(zu, rauchen) ________________________________

k) Ich verlasse mich ________ eure Hilfe.
(dass, helfen) ________________________________

Nach Übung **18** im Kursbuch

16. Was ist typisch für Sie? Antworten Sie spontan, ohne lange zu überlegen. Verwenden Sie die richtigen Präpositionen.

a) glaube *an* *das Gute im Menschen*
b) hoffe ______ ________________
c) interessiere mich ______ ________________
d) kämpfe ______ ________________
e) freue mich ______ ________________
f) weine ______ ________________
g) ärgere mich ______ ________________
h) träume ______ ________________
i) rege mich auf ______ ________________
j) ekle mich ______ ________________
k) fürchte mich ______ ________________
l) suche ______ ________________
m) habe immer Lust ______ ________________
n) lege großen Wert ______ ________________
o) vertraue ______ ________________
p) bemühe mich sehr ______ ________________
q) zweifle ______ ________________
r) beschäftige mich gerne ______ ________________
s) erinnere mich gerne ______ ________________
t) gebe gerne Geld aus ______ ________________
u) höre nächste Woche auf ______ ________________

Nach Übung 21 im Kursbuch

17. Wortschatz für Übung 22 im Kursbuch S. 15. Ergänzen Sie passende Wörter.

A) Person

sein	nennen	haben	kommen	wohnen	leben

a) Ich ______________ Andreas, Claudia.
b) ______________ in Ludwigsburg, in Luzern.
c) ______________ Lehrer, Kaufmann (von Beruf).
d) ______________ 26, 19 (Jahre alt).
e) ______________ aus der Türkei, aus Kanada.
f) ______________ Irakerin, Algerier.
g) ______________ drei Geschwister.
h) ______________ aus Indonesien, China.
i) ______________ in der Schweiz, in Finnland.
j) ______________ verheiratet, nicht verheiratet, ledig, geschieden.
k) ______________ Katholik, Protestant, Christ, Muslim, Buddhist, Jude.
l) Meine Freunde ______________ mich Miki.

B) Familie

Opa	Bruder	Tante	Oma	Mutter	Sohn	Schwiegermutter	Vater	Geschwister
Kinder	Schwiegervater	Schwester	Großeltern	Tochter	Verwandten	Onkel		

a) weiblich: meine *Frau,* ______________
b) männlich: mein *Mann,* ______________
c) Plural: meine *Eltern,* ______________

C) Beruf

Post	Transportbranche	Universität	keine Arbeit	Büro	Computergeschäft	Stelle
ohne Arbeit	Firma Deister	Handwerksbetrieb	Elektronikindustrie	keinen Job	Arbeit	
arbeitslos	Unilever	Job	Stadtverwaltung	Siemens	Medienbranche	nicht berufstätig
Sprachschule	keine Stelle	Theater	Papierfabrik	Metallfabrik	Elektrofirma	ohne Job

a) Ich arbeite in *einer Metallfabrik,* ______________
b) Ich habe einen Job bei *einer Metallfabrik,* ______________
c) Ich habe eine Stelle an *einer Universität,* ______________
d) Ich bin *arbeitslos,* ______________
e) Ich habe *keinen Job,* ______________
f) Ich suche *eine* ______ */eine* ______ */einen* ______ *als Ingenieur.*

D) Interessen

malen	Oper	tanzen	Musik	Autos	Fußball spielen	Politik	fotografieren
	reisen	kochen	Malerei			Tanz
Fußball	Computerspiele	Radsport	Rad fahren	schwimmen	Musik hören	

a) Ich *tanze,* ______ gern.
b) Ich *fahre,* ______ gern *Rad,* ______
c) Mein Hobby ist *Tanzen,* ______
d) Ich interessiere mich für *Radsport,* ______

E) Ausbildung, Schule

Medizin	Koch	Bäcker	Kellner	Englisch	Pilot	Automechaniker	fotografieren
Maschinenbau	Kochen	Architektur	Kunst	Augenoptiker	Deutsch	
Elektrotechnik	Reiseführer	Lehrer	Schwimmen	Programmieren		
Taxifahrer	Geschichte	Schauspieler	Servicetechniker	Betriebswirtschaft	Fotograf	

a) Ich studiere *Medizin, Englisch* ______
b) Ich mache eine Ausbildung als *Augenoptiker,* ______
c) Ich möchte *Augenoptiker,* ______ werden.
d) Ich lerne *Englisch, Kochen* ______

18. Schreiben Sie zwei Texte über Personen.

Nach Übung 23 im Kursbuch

Die folgenden beiden Texte sind von einer Homepage über Muslime in Deutschland. Schreiben Sie die Texte neu.

a) Inaam Wali

aa)
- *Inaam, Irak, Sängerin*
- *Erfolg haben*
- *Musik populär*
- *für die Regierung interessant*
- *Iraker lieben Musik*
- *Propaganda machen*
- *nicht wollen*

Inaam war im Irak Sängerin. Sie hatte dort Erfolg. Ihre Musik war populär. Natürlich war das für die Regierung interessant. Iraker lieben Musik. Sie sollte für sie Propaganda machen. Das wollte sie nicht.

ab)
- *1962, Südirak geboren*
- *nach Schule, Bagdad, auf Musikschule gehen*
- *Musik Zentrum ihres Lebens*

Sie wurde 1962 im ...

ac)
- *Irak, nur wenige Sängerinnen*
- *Eltern auch Künstler*
- *haben Inaam verstanden, ihr geholfen*

Im Irak gab es ...

Die irakische Sängerin Inaam Wali

ad)
- *in Musikschule, Mitglied einer kleinen Gruppe von Sängerinnen und Sängern*
- *gegen das Regime*
- *schreiben, singen, heimlich, kritische Lieder*
- *immer Angst, verraten*
- *an einem Tag. Mitglied der Gruppe, verhaftet.*
- *deshalb, nach Deutschland fliehen*

Sie ging …

ae)
- *die ersten Monate in Deutschland, sich nicht gerne erinnern*
- *im Flüchtlingsheim wohnen*
- *Zustände katastrophal*
- *Enge, Schmutz, viele Männer, Angst haben*
- *Glück haben, zwar nicht als Flüchtling anerkannt, aber trotzdem bleiben dürfen*

Sie erinnert sich …

af)
- *Hamburg Phonetik und Musikwissenschaft studieren*
- *Lebensunterhalt, Wochenende, in einem Schnellrestaurant verdienen*
- *Hamburg gerne leben*
- *mit anderen Musikern Konzerte organisieren, gut besucht*
- *wenige Wochen, ihre erste CD erschienen, arabische Musik, für westliche Ohren zu traurig und zu fremd klingen*
- *in Liedern deshalb westliche Jazz- und Pop-Elemente verwenden*
- *Leute mögen das*

Heute studiert …

b) Raschid Benhamza

Raschid Benhamza aus Algerien

ba)
- *in Algerien geboren, kleines Dorf*
- *sieben Geschwister*
- *Vater früh gestorben, Raschid drei Jahre*
- *Heimatdorf mit 13 Jahren verlassen, nach Algier ziehen*
- *zur Schule gehen, Abitur machen*

bb)
- *nach Abitur nach Paris, Informatikstudium selbst finanzieren*
- *kurz nach Diplomprüfung, seine Frau kennenlernen, eine Deutsche*
- *heute verheiratet, in Köln leben, zwei Kinder*

bc)
- *heute Spezialist für Bürokommunikation und Computer*
- *zwanzig Jahre in Deutschland leben*
- *immer noch sehr engen Kontakt mit Algerien*
- *in einem deutsch-algerischen Verein, sich für kulturelle und soziale Projekte in seinem Heimatland engagieren*

bd)
- *als Kind drei Sprachen: Berberisch, Französisch und Arabisch*
- *außerdem Deutsch und Englisch heute*
- *Leben in verschiedenen Sprachen und Kulturen, normal, lieben*

c) Schreiben Sie einen kleinen Text über sich selbst.

Kernwortschatz

Verben

abschließen *THA 2*, 86
abwaschen 26
anbauen 23
anbieten *THA 2*, 29
aufpassen 23
ausbauen *THA 2*, 51
beginnen *THA 2*, 29
danken *THA 2*, 51
einbauen *THA 2*, 51
einrichten *THA 2*, 112
entstehen *THA 2*, 81
erlauben *THA 2*, 120
ernähren 23
führen *THA 2*, 105
gefallen 22
gründen *THA 2*, 103
hassen *THA 2*, 61
hoffen *THA 2*, 63
kosten *THA 2*, 48
leiden 23
lernen 23
öffnen *THA 2*, 54
organisieren 23
planen *THA 2*, 89
produzieren *THA 2*, 81
prüfen *THA 2*, 32
schließen *THA 2*, 104
stellen 26
trocknen 26
unterscheiden 23
widersprechen 23
zumachen *THA 2*, 86
zunehmen 23

Nomen

r Anfang, ¨-e *THA 2*, 63
s Angebot, -e *THA 2*, 33
e Arbeitsstelle, -n *THA 2*, 90
e Atmosphäre, -n *THA 2*, 31
r Ausflug, ¨-e *THA 2*, 76
e Aussage, -n *THA 2*, 113
e Auswahl 28
e Badewanne, -n *THA 2*, 126
s Badezimmer, - 27
r Bau *THA 2*, 104
e Couch, -s 26
e Dose, -n *THA 2*, 81
r Eingang, ¨-e *THA 2*, 44
s Einkaufszentrum, -zentren 25
r Einwohner, - *THA 2*, 97
e Erde 23
e Fabrik, -en *THA 2*, 54
s Gästehaus, ¨-er 27
s Gebirge, - *THA 2*, 78
e Gemeinschaft, -en *THA 2*, 112
s Gerät, -e *THA 2*, 57
s Glas, ¨-er *THA 2*, 81
e Größe, -n 22
e Haustür, -en *THA 2*, 126
e Heimat *THA 2*, 91
e Holztür, -en 29
e Jugend *THA 2*, 39
s Kaufhaus, ¨-er *THA 2*, 45
s Kinderzimmer, - 26
e Klasse, -n *THA 2*, 22
e Kleinstadt, ¨-e 21
s Königreich, -e 22
r Kunststoff, -e *THA 2*, 81
e Lage, -n *THA 2*, 112
e Landschaft, -en *THA 2*, 36
e Markthalle, -n 25
e Mehrheit, -en *THA 2*, 101
e Meinung, -en *THA 2*, 13
r Nachtclub, -s 25
r Nachteil, -e *THA 2*, 28
s Parkhaus, ¨-er 25
e Qualität, -en *THA 2*, 45
r Raucher, - *THA 2*, 98
s Regal, -e *THA 2*, 114
e Reihe, -n 29
e Reparatur, -en *THA 2*, 47
r Schreibtisch, -e 26
e Schrift, -en 23
e Schulbildung 23
r Selbstmord, -e 23
r Smog, -s *THA 2*, 84
s Sofa, -s *THA 2*, 69
r Stadtteil, -e *THA 2*, 99
s Stadtzentrum, -zentren *THA 2*, 99
r Stein, -e *THA 2*, 38
s Stockwerk, -e 20
r Stoff, -e *THA 2*, 81
s Telefonbuch, ¨-er *THA 2*, 89
r Verstand *THA 2*, 94
s Volk, ¨-er *THA 2*, 102
r Vorort, -e *THA 2*, 112
r Vorteil, -e *THA 2*, 28
e Waschmaschine, -n 26
r Weg, -e *THA 2*, 38
e Wiese, -n 19
s Wohnzimmer, - 26
r Zeitpunkt, -e 22

LEKTION 2

Adjektive

flach 20
hoch *THA 2*, 75
hübsch *THA 2*, 7
langweilig *THA 2*, 8
menschlich 23
negativ *THA 2*, 30
notwendig *THA 2*, 34
offen *THA 2*, 16
politisch *THA 2*, 36
richtig 30
rund *THA 2*, 10
schwach *THA 2*, 48
spitz 20
unglaublich *THA 2*, 36
vergangen 23
weit *THA 2*, 122

Adverbien

außen 29
einmal 12
normalerweise *THA 2*, 88
nun *THA 2*, 34
offenbar *THA 2*, 116

Funktionswörter

je ..., desto 24

Ausdrücke

nicht so gut 24
(etwas) mehr als 24
die meisten 24
kaum jemand 24
ein kleiner Teil 24

Redemittel

Szenario: „Meinungen äußern" (Diskussion)

Wo würden Sie gerne wohnen? 19
Ich würde gerne in ... wohnen. 19
Warum würdest du gerne dort wohnen? 19
Weil ich dann ... hätte. 19
Dann müsste ich ... 19
Ich wäre dann ... 19

Kerngrammatik

Konjunktiv II: Irrealis (§ 25, § 27)

Wenn ich viel Geld hätte, würde ich gerne in einem Schloss wohnen.
Wenn ich in einem Leuchtturm wohnen würde, könnte ich den Blick aufs Meer genießen.

Adjektivdeklination (*THA 2*, § 5)

Jede Wohnung hat einen schmalen Balkon.
Mir gefällt besonders das attraktive Freizeitangebot in der Großstadt.

Komposita: Nomen (§ 1)

der Punkt + die Zeit	der Zeitpunkt *(Nomen + Nomen)*
das Leben + der Standard	der Lebensstandard *(Nomen + -(e)s / -(e)n + Nomen)*
groß + die Stadt	die Großstadt *(Adjektiv/Adverb + Nomen)*

Nomen mit Genitivergänzung (§ 19)

Etwa die Hälfte der Deutschen wohnt lieber auf dem Land.
Die Probleme meiner Firma werden immer größer.

Passiv mit Modalverb (§ 23, § 24)

Die alte Lukas-Kirche soll abgerissen werden!
Das Postamt muss unbedingt renoviert werden.
Die Fenster können jetzt eingebaut werden.

Richtungsangaben (*THA 2*, § 16)

Wohin hast du den Schreibtisch gestellt?
Ins Wohnzimmer, nach hinten, neben das Fenster.
Wohin soll ich das Bild hängen?
Dahin, über das Bett.

1. Wie heißen die Teile des Hauses?

l)

m)

n)

o)

p)

q)

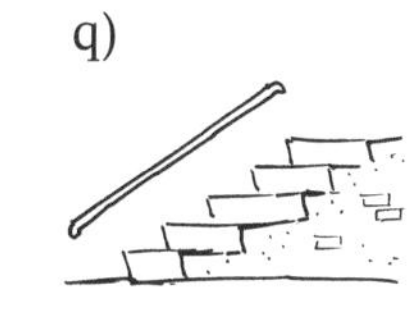

r)

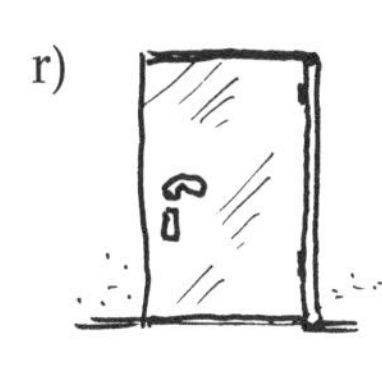

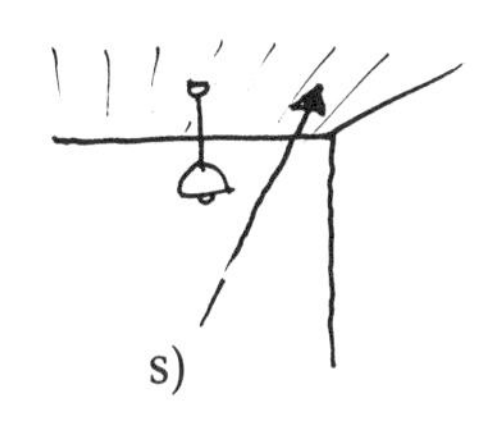

s)

t)

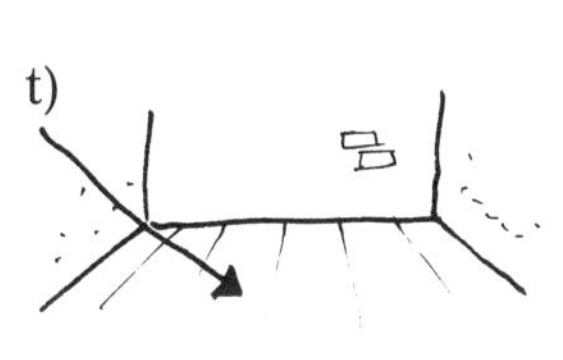

u)

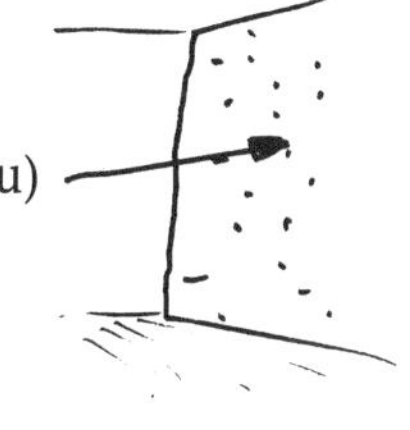

v)

a) ______________________ l) ______________________
b) ______________________ m) ______________________
c) ______________________ n) ______________________
d) ______________________ o) ______________________
e) ______________________ p) ______________________
f) ______________________ q) ______________________
g) ______________________ r) ______________________
h) ______________________ s) ______________________
i) ______________________ t) ______________________
j) ______________________ u) ______________________
k) ______________________ v) ______________________

Nach Übung **4** im Kursbuch

2. Was für Eigenschaften können die Dinge haben? Was für Typen gibt es?

eng gemütlich lang ungepflegt gepflegt rund hoch hell geschlossen bequem komisch verschlossen dunkel abgeschlossen hübsch ~~flach~~ niedrig hässlich klein aufgeräumt modern breit groß neu offen steil schmal ~~spitz~~ alt leer mehrstöckig modern/neu/gut eingerichtet schön schräg

Land- Wohn- Stein- Küchen- Luxus- Metall- Einfamilien- Kinder- Hoch- Flach- Keller- Spitz- Dach- Gäste- Eisen- Kunststoff- Stadt- Holz- Schlaf- Zweifamilien- Reihen- Mehrfamilien- Arbeits- Wohnzimmer-

a) Dach: *spitz,*
Flachdach,
b) Haus: ______
c) Tür: ______
d) Fenster: ______
e) Garten: ______
f) Treppe: ______
g) Zimmer: ______
h) Wand: ______
i) Decke: ______

Nach Übung **4** im Kursbuch

3. Was kann man mit den Dingen tun?

mieten reparieren aufräumen bauen zumachen runter-/hinuntergehen vermieten einrichten schließen aufmachen öffnen renovieren abschließen reinigen aufschließen rauf-/hinaufgehen

a) Haus: ______
b) Tür: ______
c) Zimmer: ______
d) Treppe: ______

4. Beschreiben Sie das Haus aus Übung 1.

Nach Übung 4 im Kursbuch

Das Haus ist ein Zweifamilienhaus. Es hat ... ____________________

____

____

5. Ergänzen Sie.

Nach Übung 5 im Kursbuch

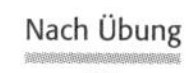

neben außerhalb davor darunter auf hinter darin darauf neben davon an hinter darin im darunter auf

Das ist ein Bild von unserem Haus. Wie du siehst, wohnen wir ________ ________(a) Land. Das Haus liegt ________ ________(b) kleinen Straße ________ ________(c) Dorfes. Es steht ________ ________(d) Wiese. ________(e) Garten ________ ________(f) Haus ist ein alter Wasserturm. Die Kinder spielen gerne ________(g). Die Garage rechts ________ ________(h) Haus wurde letztes Jahr gebaut. Rechts ________(i) ist ein großer Misthaufen. Unsere Hühner lieben ihn. Sie laufen immer ________(j) herum. ________ ________(k) Misthaufen steht ein Apfelbaum. Vögel bauen ________(l) gerne Nester. Die Wiese links ________ ________(m) Haus ist im Sommer mein Lieblingsplatz. Siehst du den Sonnenschirm? Der Mann, der ________(n) sitzt, bin ich. Den Tisch haben mir Nachbarn geschenkt. Das dunkle Tier ________(o) ist meine Katze. Ich habe auch ein Gartenhaus. Du kannst es nicht sehen, weil die Garage genau ________(p) steht.

Nach Übung 5 im Kursbuch

6. Was verbindet man stärker mit „Dorf" und was stärker mit „Stadt"?

Lärm	Theater	Parkhaus	Vorort	Park	Ampel	Ruhe	Industriegebiet
Hochhaus	Kaufhaus	Ort	Tiefgarage	Gegend	Garten	Stau	Kino	Wald	U-Bahn
Bauernhaus	Feld	Viertel	Landstraße	Gebirge	Land	Wiese	Verkehr	Zentrum

Dorf	Stadt
___	___
___	___
___	___
___	___
___	___

Nach Übung 5 im Kursbuch

7. Mustertext und Hilfen für Übung 5 im Kursbuch S. 21.

a) Lesen Sie den Mustertext

Ich lebe in Córdoba. Das ist die zweitgrößte Stadt in Argentinien. Sie liegt etwa 700 km nordwestlich von Buenos Aires. Sie hat ungefähr eine Million Einwohner. Córdoba ist über 430 Jahre alt. Das alte Zentrum um die Plaza San Martin ist schön renoviert und sehr attraktiv. Die Straßen sind eng und schmal. Es gibt fantastische Kirchen, historische Gebäude, wunderschöne Parks und tolle Geschäfte. Die Altstadt ist ein beliebter Treffpunkt. Dort sind die besten Cafés, Bars, Diskotheken und Restaurants. Córdoba hat eine große Universität mit 90.000 Studenten. Deshalb leben in der Stadt viele junge Leute, auch aus dem Ausland. Das kulturelle Angebot ist groß. Es gibt verschiedene Museen, Theater und Kinos. Das Leben in Córdoba ist nie langweilig. Auch spät in der Nacht sind Menschen auf der Straße. Es ist immer etwas los.

Ich wohne etwas außerhalb der Altstadt bei meinen Eltern. Die Wohnung ist in einem Mehrfamilienhaus. Wir haben eine ganze Etage für uns. Das Haus liegt in einer kleinen Straße, direkt an einem Park. Der Stadtteil ist ruhig und trotzdem nicht zu weit vom Zentrum. Ich fahre fast immer mit dem Bus, weil es zu wenige Parkplätze gibt. Die Busverbindungen in Córdoba sind nicht schlecht. Ich brauche etwa 20 Minuten ins Zentrum.

Auch die Umgebung von Córdoba ist sehr schön. Die Stadt liegt am Rande der Sierra de Córdoba. Das ist ein Gebirge. Die Landschaft dort ist wunderschön. Sie ist ideal für Ausflüge am Wochenende.

b) Beschreiben Sie Ihren Wohnort ähnlich wie im Mustertext.
... wohne/lebe / komme aus ...
... ist ... Dorf/Stadt/Groß-(Klein-)stadt/Ort in ...
... liegt im Norden/Süden/Osten/Westen
südlich/südöstlich/... von
im Gebirge / am Meer/ an der Küste / in der Nähe von ... / ...
... hat fast/ungefähr/etwa ... Einwohner / ...
... ist schön / nicht so schön / alt/modern/eng/klein/groß/attraktiv/unattraktiv/ renoviert/ ...
... wohne (direkt) im Stadtzentrum / (draußen) am Stadtrand / in einem Vorort von ..., 3 km außerhalb des Stadtzentrums / ...
... gibt viele/wenige/einige/keine/ Museen/Theater/Parks/Kultur- (Sport- / Freizeit- / ...) angebote/ Kinos/Geschäfte / ...
... ist berühmt / bekannt für / wegen ...
... ist (wunder-)schön / nicht so schön / hässlich/alt/modern/gepflegt/ungepflegt/ fantastisch/...
... ist ruhig/hektisch/lebendig/interessant/(nie) langweilig/ ...
... liegt in einer ruhigen/lauten Gegend/Straße / in einem schönen Stadtteil / am Rande eines Parks / in der Nähe der Universität / ...

8. Wie finden Sie das Leben in einer Großstadt?

Nach Übung 6 im Kursbuch

groß klein hoch stark niedrig schwach gut schlecht toll
schrecklich fantastisch attraktiv furchtbar unattraktiv

A) Wo passen die Adjektive? Ergänzen Sie.

a) das *große, kleine,* __________ Arbeitsplatz-/Jobangebot
Freizeitangebot
Angebot in den Geschäften
Kulturangebot
Schulangebot

b) die __________ Auswahl an Geschäften
c) die __________ medizinische Versorgung
d) die __________ Hektik
e) der __________ Lärm
f) der __________ Smog
g) die __________ Kriminalität
h) der __________ Dreck/Schmutz
i) die __________ Enge
j) der __________ Verkehr
k) die __________ Freundlichkeit/ Unfreundlichkeit der Menschen
l) der __________ Drogenkonsum

B) Formulieren Sie 10 positive und 10 negative Meinungen über das Leben in der Großstadt.

gut/schlecht / nicht so gut / schrecklich/prima finden	mögen
lieben · Vorteil/Nachteil sein · gefallen / nicht gefallen	hassen

Mir gefällt das große Freizeitangebot.
Ein Nachteil ist ...
Ich liebe ...
Ich finde ...
____
____
____
____
____

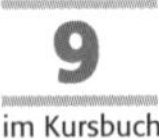

9. Was ist das? Wie heißt das Nomen?

A) Adjektiv + Nomen

Beispiel: *groß* + *Stadt* = *Großstadt*

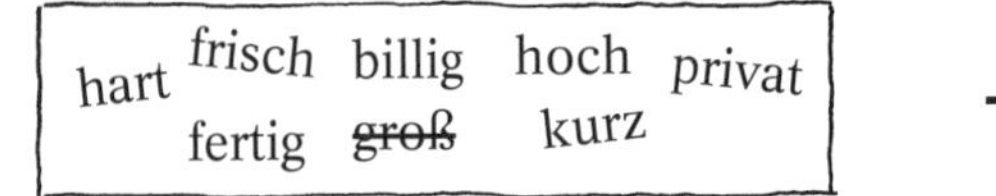

+

Reise Haus Haus Gemüse ~~Stadt~~ Haus Holz Haus

a) *Großstadt* = *Stadt*, die mehr als 100 000 Einwohner hat
b) ______ = ______, das wenig kostet und eine niedrige Qualität hat
c) ______ = ______ mit mehr als 10 Stockwerken
d) ______ = ______, in dem man nur wohnt und es kein Geschäft gibt
e) ______ = ______, das sehr fest und schwer ist
f) ______ = ______, das nicht aus der Dose oder tiefgefroren ist
g) ______ = ______, die nur wenige Tage dauert
h) ______ = ______, dessen Teile in einer Fabrik produziert und in kurzer Zeit zusammengebaut werden

B) Nomen + Nomen

Beispiel: *Stadt* + *Mensch* = *Stadtmensch*

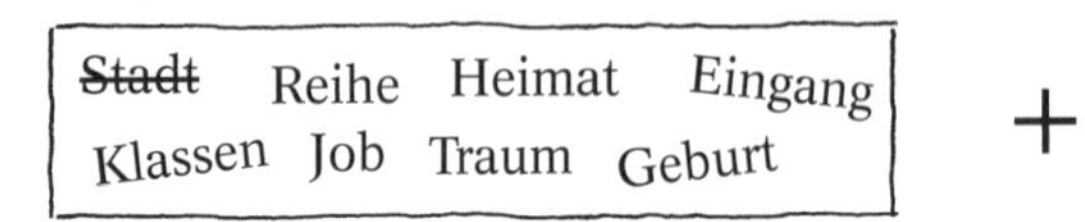

+

Suche ~~Mensch~~ Tür Jahr Land Haus Zimmer Haus

a) *Stadtmensch* = *Mensch*, der in der Stadt lebt
b) ______ = ______, aus dem man kommt, in dem man geboren wurde

c) ________ = ________ mit viel Luxus, das man sehr gerne hat oder haben möchte
d) ________ = ________ nach einer Arbeitsstelle
e) ________ = ________ , in dem die Schüler unterrichtet werden
f) ________ = ________ , das nicht frei steht, sondern aneinander gebaut ist
g) ________ = ________ , in dem man geboren wurde
h) ________ = ________ , durch die man in ein Haus hineingeht

C) Verb + Nomen

Beispiel: *waschen* + *Maschine* = *Waschmaschine*

parken einkaufen fahren prüfen ~~waschen~~ baden schreiben kochen	+	~~Maschine~~ Hose Gerät Platz Zettel Buch Tisch Schule

a) *Waschmaschine* = *Maschine* , mit der man Wäsche wäscht
b) ________ = ________ , auf dem man notiert, was man kaufen möchte
c) ________ = ________ mit Rezepten für Mahlzeiten
d) ________ = ________ , auf dem man Autos abstellt
e) ________ = ________ , mit dem man technische Funktionen kontrolliert
f) ________ = ________ , in der man lernt, Auto zu fahren
g) ________ = ________ , an dem man (z. B. in einem Büro) sitzt und arbeitet
h) ________ = ________ , die man beim Schwimmen trägt

10. Für welche Typen gibt es deutsche Nomen?

Man kann im Deutschen sehr einfach neue zusammengesetzte Nomen bilden. Solche Nomen werden verstanden, aber viele sind nicht üblich. Bilden Sie Nomen, die Ihrer Meinung nach üblich sind.

Alt- Arbeits- ~~Arbeits-~~ Aufzugs- Auto- Bade- Bohr- Ess- ~~Bau-~~ Bilder- Gäste- ~~Brief-~~ Computer- Glas- Dreh- Haus- Drucker- ~~Eingangs-~~ Kinder- ~~Kinder-~~ Gäste- Näh- Geschenk- Küchen- Leder- Wohn- ~~Jugend-~~ Kaffee- Millimeter- Schul- Haus- Schreib- Kühlschrank- Kinder- Wohnungs- Balkon- Pack- Koch- Küchen- Wasch- Zeitungs- Schreib- Wörter- Arbeits- Stoff- Tanz- Taschen- Telefon- Toiletten- Wander- Raucher- Kopier- Warte- Kinder- Schlaf- Schrank- Sommer- Winter- Spül- Sport-

Papier
Briefpapier, ...
Maschine
Baumaschine, ...
Zimmer
Arbeitszimmer, ...
Schuhe
Kinderschuhe, ...
Tür
Eingangstür, ...
Buch
Jugendbuch, ...

Nach Übung **13** im Kursbuch

11. Ergänzen Sie die Aussagen von Professor Tobias.

a) Die Menschen hoffen, ein besseres Leben für ihre Familien zu finden. Aber die Großstadtbewohner leiden unter schlechter Luft, Lärm und unter dem Licht, das die Nacht zum Tag macht. Zwar bieten Städte noch Platz für Theater, Musik, Kunst, Bibliotheken, Universitäten, aber es gibt auch viel Negatives.

b) Natürlich nicht. Wir können die Städte ja nicht zerstören, an unsere Zeichentische gehen und noch einmal anfangen wie in der Steinzeit oder im Garten Eden.

c) Bis vor 10 000, 15 000 Jahren waren alle Menschen Jäger und Sammler. Dann lernten sie, Tiere zu halten und Früchte anzubauen. Von diesem Zeitpunkt an wohnten sie an festen Plätzen.

d) Ja, nun konnte ein einziger Junge auf die Tiere aufpassen, während vorher 20 Männer auf die Jagd gehen mussten, um ihre Gemeinschaft zu ernähren. Auf einmal hatten die Menschen viel Zeit für andere Dinge: Schriften wurden erfunden, es entstanden Religionen, Königreiche.

e) In jedem Land, das ich kenne, sprechen die Metropolenbewohner schneller als die Leute vom Land. Ihr Verstand arbeitet unglaublich schnell, was übrigens keine Frage der Schulbildung ist, denn es gilt auch für die Unterschicht. Das ist ein Überlebensmechanismus.

f) Der Mensch lebt seit fünf bis acht Millionen Jahren auf der Erde, die ersten Städte wurden erst vor rund 8000 Jahren gegründet. Das heißt: Nur in etwa einem Tausendstel ihrer Geschichte hat sich die Menschheit in Städten organisiert.

g) Das beginnt bei kleinen Dingen. In den Städten führen mehr Menschen Selbstgespräche auf der Straße. Das ist ja noch harmlos, aber ebenso gibt es mehr Selbstmorde, mehr Diebe usw.

h) Das Problem ist, dass die Bevölkerung der Städte immer mehr zunimmt. Zur Zeit Christi lebte nicht einmal ein Prozent der Menschen in Städten, 1920 waren es schon 14 Prozent. Heute lebt jeder zweite in einer Stadt, in den USA und Westeuropa sind es sogar 75 bis 80 Prozent. Vor allem in den vergangenen 100 Jahren hat sich mehr verändert als in den 7900 Jahren zuvor. Heute gibt es einige Dutzend Städte, die zwischen 10 und 20 Millionen Einwohner haben.

special: Professor Tobias, was macht Sie sicher, dass die Lebensbedingungen in großen Städten der menschlichen Natur widersprechen?
Tobias: *f* _____
special: Was hat sie dazu gebracht?
Tobias: _____
special: Und das hatte offenbar seine Vorteile.
Tobias: _____
special: Was ist nun so schlecht daran?
Tobias: _____
special: Was macht diese Riesenstädte für die Menschen so attraktiv?
Tobias: _____
special: Was zum Beispiel?
Tobias: _____
special: Was unterscheidet aus Ihrer Sicht den Großstädter vom Landmenschen?
Tobias: _____
special: Möchten Sie, dass die Menschen zukünftig wieder in den Wäldern leben?
Tobias: _____
special: Professor Tobias, wir danken Ihnen für dieses Gespräch.

12. Ergänzen Sie die Gradadverbien.

Nach Übung 17 im Kursbuch

etwas weniger als	~~circa~~	rund	ungefähr	weniger als	~~genau~~
unter	etwa	fast	über	etwas mehr als	mehr als

Was passt?

a) € 100,00
Ich habe *genau* € 100.

b) € 103,00
Ich habe *circa* € 100.
_____
_____
_____
_____
_____
_____

c) € 132,00
Ich habe _____ € 100.

d) € 96,00
Ich habe _____ € 100.
_____
_____
_____
_____
_____
_____
_____

e) € 75,00
Ich habe _____ € 100.

13. Vergleichen Sie.

Nach Übung 17 im Kursbuch

a) Leute stark politisch links sein (↑) / gern in Städten wohnen (↑)
Je stärker die Leute politisch links sind, desto lieber wohnen sie in Städten.

b) 56% der Deutschen gerne auf dem Land (↗) leben / in der Stadt (↘)
56% der Deutschen wohnen lieber auf dem Land als in der Stadt.

c) Schulbildung der Leute hoch sein (↑) / das Stadtleben gut finden (↑)
_____

d) Haus alt sein (↑) / viele Reparaturen notwendig sein (↑)
_____

e) Stadtmenschen schnell sprechen (↗) / Landmenschen (↘)

____

f) in den letzten 100 Jahren viel verändert (↗) / in den 7900 davor (↘)

____

g) Städte groß werden (↑) / die Kriminalität hoch sein (↑)

____

Nach Übung 17 im Kursbuch

14. Nomen mit Genitivergänzungen

A) Beachten Sie die Unterschiede.

die Probleme *der Firma / meiner Firma*
der Firmen / seiner Firmen
einer Firma
von Firmen
aller Firmen

B) Ergänzen Sie Artikel und Nomen.

a) die Mentalität *der Deutschen / von Deutschen / aller Deutschen* (die Deutschen)
b) der Charakter ______________ (das Volk)
c) im Zentrum ______________ (die/meine Stadt)
d) die soziale Lage ______________ (die Unterschicht)
e) auf dem Dach ______________ (das/mein Haus)
f) die Rechte ______________ (der Bürger)
g) am Anfang ______________ (der/ihr Konflikt)
h) die Größe ______________ (die/ihre Wohnung)
i) in der Nähe ______________ (ein Sportplatz)
j) die Atmosphäre ______________ (eine Kleinstadt)
k) das Reihenhaus ______________ (die/eure Eltern)
l) auf der Dachterrasse ______________ (das/Ihr Hochhaus)
m) der Lebensstandard ______________ (der Stadtmensch)

C) Ihre Grammatik. Ergänzen Sie die Tabelle.

	der Flugplatz *in der Nähe ...*		die Kirche *in der Nähe ...*		das Parkhaus *in der Nähe ...*	
Sg.	*des Flugplatzes*	*eines*				
Pl.						
alle	*aller*	–		–		–
von	–		–		–	

15. Ordnen Sie.

Nach Übung 17 im Kursbuch

~~ein paar~~	keiner	fast alle	ganz wenige	nur wenige	ziemlich viele	die meisten
die Mehrheit	sehr viele	die wenigsten	jeder	kaum jemand	wenige	nur ein paar
alle	die Minderheit	niemand	viele	ein großer Teil	nur ein kleiner Teil	einige

< 50% — 50% — > 50%

a) *ein paar*
b) ______
c) ______
d) ______
e) ______
f) ______
g) ______
h) ______
i) ______
j) ______
k) ______
l) ______
m) ______
n) ______
o) ______
p) ______
q) ______
r) ______
s) ______
t) ______
u) ______

16. Was passt nicht?

Nach Übung 19 im Kursbuch

a) Nachtklub – Bar – Diskothek – Hotel
b) Arztpraxis – Sprechstunde – Krankenhaus – Apotheke
c) Parkverbot – Tiefgarage – Parkhaus – Parkplatz
d) Kaufhaus – Markthalle – Einkaufszentrum – Bäckerei
e) Theater – Kirche – Oper – Konzerthalle
f) Platz – Straße – Gasse – Weg

17. Sagen Sie es anders.

Nach Übung 20 im Kursbuch

a) Man muss das Haus renovieren. *Das Haus muss renoviert werden.*
b) Wir dürfen das Haus nicht abreißen. ______
c) Man will das Haus renovieren. ______
d) Man kann den Bau nicht verbieten. ______
e) Die Stadt muss den Bau des Hauses erlauben. ______
f) Wir wollen die Küche modernisieren. ______
g) Man darf das Kulturzentrum nicht schließen. ______

Nach Übung **20** im Kursbuch

18. Was können Sie auch sagen? Ergänzen Sie.

~~Haben Sie vor,~~ ~~Ist es richtig,~~ Ist es sicher, Ist es wahr, Man hat mir gesagt, Man sagt, Man erzählt, ~~Ich habe gehört,~~ Können Sie mir sagen, ~~Wissen Sie,~~ Haben Sie Informationen, Planen Sie, Ist das richtig? Ist das wahr? Stimmt es, ~~Stimmt das?~~ Ist das sicher? Haben Sie die Absicht, Haben Sie den Plan,

a) *Ich habe gehört,* ______ dass in der Nordstraße ein Kino gebaut werden soll. *Stimmt das?* ______

______ ______

______ ______

______ ______

b) *Wissen Sie,* ______ ob am Karlsplatz ein Parkhaus gebaut werden soll?

______

______

c) *Ist es richtig,* ______ dass das Stadttheater am Rathausplatz renoviert werden soll?

______

______

d) *Haben Sie vor,* ______ den Nachtklub in der Nordstraße umzubauen?

______

______

______

Nach Übung **20** im Kursbuch

19. Was für Arbeiten werden hier gemacht? Schreiben Sie.

Garage bauen Bad renovieren Fenster einbauen Terrasse reinigen Regal aufbauen eine Wand abreißen Heizung reparieren Glühbirne wechseln Waschbecken ausbauen

a) *Eine Wand wird*  ______ b)  ______ c) ______

d)  ______ e)  ______ f) ______

g) ______________ h) ______________ i) ______________

20. Ihre Grammatik. Ergänzen Sie.

Nach Übung 20 im Kursbuch

ich	du	Sie	er/sie/es/man	wir	ihr	sie
werde eingeladen						
soll eingeladen werden						

21. Was sind normalerweise keine Räume in einer Privatwohnung / in einem privaten Wohnhaus?

Nach Übung 24 im Kursbuch

a)	Einzelzimmer	☐	f)	Garderobe	☐	k)	Küche	☐	p)	Büro	☐
b)	Klassenzimmer	☐	g)	Esszimmer	☐	l)	Badezimmer	☐	q)	Schlafzimmer	☐
c)	Arbeitszimmer	☐	h)	Bibliothek	☐	m)	Toilette	☐	r)	Wartezimmer	☐
d)	Doppelzimmer	☐	i)	Gästezimmer	☐	n)	Hobbyraum	☐	s)	Garage	☐
e)	Kinderzimmer	☐	j)	Wohnzimmer	☐	o)	Hotelzimmer	☐	t)	Werkstatt	☐

22. Was passt nicht?

Nach Übung 24 im Kursbuch

a) Waschmaschine – Geschirrspülmaschine – Kühlschrank – Elektroherd – Radio
b) Sofa – Schreibtisch – Couch – Sessel – Tisch
c) Spiegel – Schreibtisch – Computer – Monitor – Bücherregal
d) Waschbecken – Dusche – Bett – Toilette – Badewanne
e) Hotel – Wohnung – Pension – Jugendherberge – Ferienwohnung

23. Ergänzen Sie.

Nach Übung 24 im Kursbuch

a) wohnen : Wohnung – übernachten : ______________
b) arbeiten : Arbeitszimmer – kochen : ______________
c) Kleider : Schrank – Bücher : ______________
d) arbeiten : Schreibtisch – essen : ______________
e) Wäsche waschen : Waschmaschine – Wäsche trocknen : ______________
f) Hund : Hundekorb – Mensch : ______________
g) Bett : schlafen – Stuhl : ______________
h) Spüle : abwaschen – Elektroherd : ______________

Nach Übung **24** im Kursbuch

24. Welcher Satz passt zu welchem Bild?

a) Er stellt das Fahrrad an die Mauer.
b) Das Fahrrad steht an der Mauer.
c) Er setzt das Kind auf einen Stuhl.
d) Das Kind sitzt auf einem Stuhl.
e) Er legt das Buch auf den Tisch.
f) Das Buch liegt auf dem Tisch.
g) Er hängt die Uhr an die Wand.
h) Die Uhr hängt an der Wand.
i) Er steckt den Brief in den Briefkasten.
j) Der Brief steckt im Briefkasten.

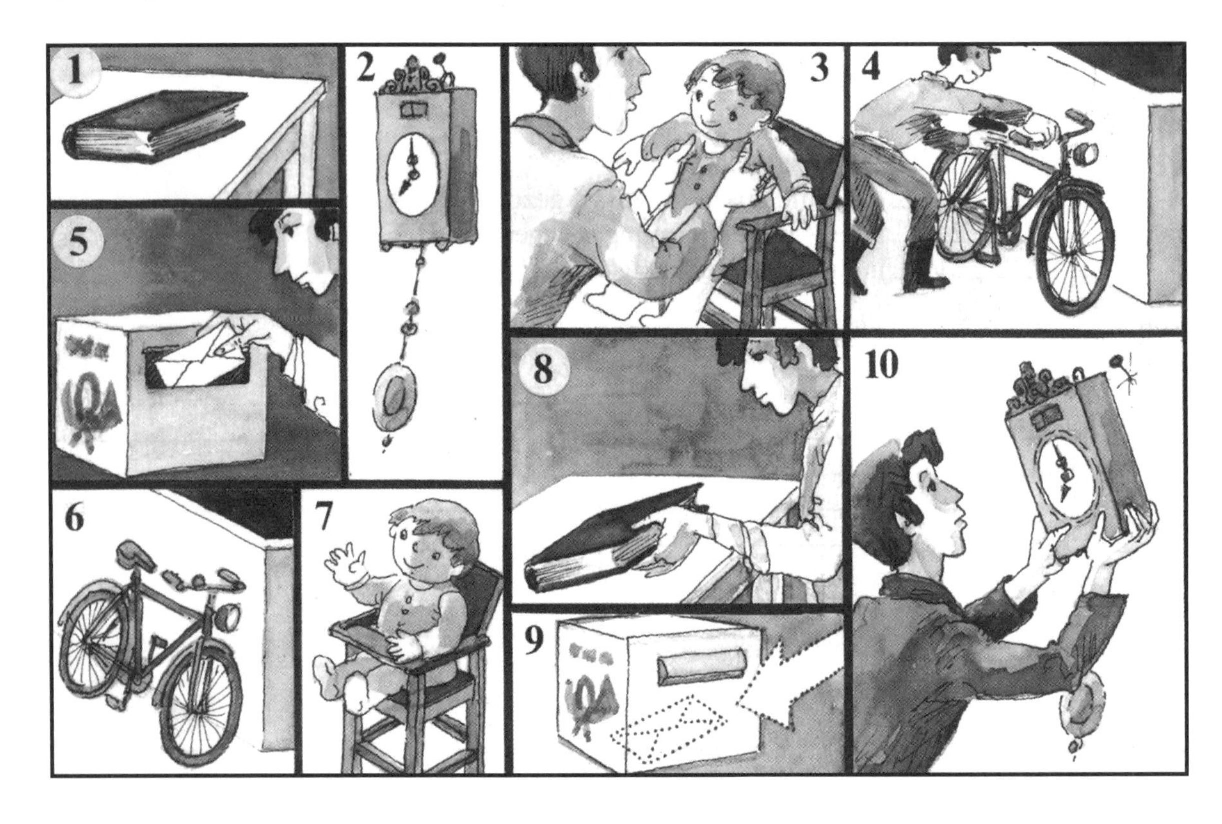

Kernwortschatz

Verben

abspielen 32
ankommen 34
anschließen 32
aufgeben *THA 2*, 119
aussehen *THA 2*, 17
bedeuten *THA 2*, 41
beginnen *THA 2*, 29
besitzen 38
bleiben *THA 2*, 42
fühlen *THA 2*, 69
führen 85
gehören 42
mitmachen *THA 2*, 78
nähen *THA 2*, 126
öffnen *THA 2*, 54
riechen *THA 2*, 84
sorgen *THA 2*, 55
suchen 40
teilen 36
trennen *THA 2*, 54
verabreden *THA 2*, 118
versprechen *THA 2*, 31

Nomen

e Anleitung, -en 35
r Augenblick, -e *THA 2*, 24
r Ausdruck, ¨-e 37
r Ausflug, ¨-e *THA 2*, 76
r Baum, ¨-e *THA 2*, 41
r Betrieb, -e *THA 2*, 31
e Bewegung, -en *THA 2*, 34
s Boot, -e *THA 2*, 122
r Klub, -s 34
e Diskussion, -en *THA 2*, 18
e Empfehlung, -en 35
r/e Erwachsene, -n 32
s Freizeitprogramm, -e 32
s Gewicht, -e *THA 2*, 48
s Gras, ¨-er *THA 2*, 127
e Hochzeit, -en *THA 2*, 14
s Jogging 34
e Laune, -n *THA 2*, 61
e Liebe *THA 2*, 16
s Lied, -er *THA 2*, 40
s Mitglied, -er *THA 2*, 102
r Moment, -e *THA 2*, 115
r Motor, -en *THA 2*, 47
r Mut *THA 2*, 13
r Punkt, -e *THA 2*, 16
s Recht, -e *THA 2*, 44
r Reifen, - *THA 2*, 47
r Rock, ¨-e *THA 2*, 7
e Saison, -s 32
e Schulzeit, -en *THA 2*, 28
r See, -n *THA 2*, 78
e Sportart, -en 34
r Star, -s *THA 2*, 98
e Stimmung, -en *THA 2*, 106
s Studio, -s *THA 2*, 36
r Terminkalender, - 32
s Training, -s 32
r Verein, -e *THA 2*, 98
e Wiese, -n 38
s Ziel, -e *THA 2*, 101
s Zuhause, - 33

Adjektive

aktiv *THA 2*, 52
bequem 38
fit 32
höflich *THA 2*, 61
lautlos 32
pünktlich *THA 2*, 16
regelmäßig *THA 2*, 43
richtig 32
schlimm *THA 2*, 28
sinnvoll 15
sportlich *THA 2*, 11
toll *THA 2*, 24
traurig *THA 2*, 7
ungesund *THA 2*, 75
unsportlich *THA 2*, 11
wichtig 73

Adverbien

bisher 32
einverstanden *THA 2*, 19
hinten *THA 2*, 51
prima 33
selten *THA 2*, 12
unterwegs 32
vorbei *THA 2*, 93

Funktionswörter

bei 37
in 37
nach 37
ob *THA 2*, 41
seit 37
vor 37
während 37
wegen *THA 2*, 84
weil *THA 2*, 23
wenn ..., (dann) 39

LEKTION 3

Redemittel

Szenario: „jemanden überreden"

Weißt du was? 33
Ich habe eine Idee: ... 33
Wir könnten mal wieder ... 33
Wollen wir mal wieder ...? 33
Was hältst du davon? 33
Du, sag mal ... 33
Das finde ich toll! 33
Ja, prima. 33
Gut, machen wir. 33
Nein, lieber nicht. 33
Aber wir könnten ... 33
Keine Lust! 33
Vielleicht ein anderes Mal! 33

Kerngrammatik

Ratschläge mit „sollte" (§ 28b)

Du solltest nicht zu viel Sport machen.
Man sollte regelmäßig in Bewegung sein.

Präpositionen bei Zeitangaben (*THA 2*, § 16)

Thomas und Peggy kennen sich seit zwei Jahren.
Sie haben sich vor zwei Jahren kennengelernt.
Unser Fitness-Studio ist auch während der Ferien geöffnet.
Nach der Arbeit gehe ich direkt nach Hause.

Komparation (*THA 1*, § 21)

Wenn man Sport treibt, lebt man gesünder.
Thomas lebt bei seinen Eltern bequemer als in der eigenen Wohnung.
Schwimmen ist die gesündeste Sportart.
Schwimmen ist am gesündesten.

Konjunktiv II: Verwendung (§ 27)

Am liebsten würde ich jeden Tag zum Schwimmen gehen. *(Wunsch)*
Ich an deiner Stelle würde mehr Sport treiben! *(Ratschlag)*
Wenn ich nicht arbeiten müsste, würde ich um die Welt reisen. *(Irrealer Bedingungssatz)*
Würden Sie bitte etwas langsamer sprechen? *(Höfliche Bitte)*

1. Wo passen die Verben?

Nach Übung 2 im Kursbuch

angeln	Rad fahren	Golf spielen	wandern	surfen	Schach spielen	malen
lesen	Billard spielen	tanzen	laufen/joggen	nähen	reiten	feiern
schwimmen	im Garten arbeiten	Picknick machen	Ski fahren	Fußball spielen		
fotografieren	Karten spielen	Camping machen	segeln	fernsehen	Tennis spielen	

Nach Übung 4 im Kursbuch

2. Bilden Sie Sätze mit „weil", „um zu" oder „wegen".

a) – Silke geht gern ins Kino,
weil sie das gemütlich findet. (gemütlich finden)
um gute Laune zu bekommen. (gute Laune bekommen)
– Silke geht (die gemütliche Stimmung)
wegen der gemütlichen Stimmung gerne ins Kino.

b) – Die Brinkmanns fahren am Wochenende oft Rad,
______ (den Kindern Spaß machen)
– Die Brinkmanns fahren (die Kinder)
______ gern Rad.

c) – Die Erdmanns fahren gerne Ballon,
______ (lautloses Fliegen ein tolles Gefühl sein)
– Die Erdmanns fahren (das tolle Gefühl beim lautlosen Fliegen)
______ gern Ballon.

d) – Maxl geht regelmäßig ins Fitnessstudio,
______ (gesund bleiben und gut aussehen möchten)
______ (gesund bleiben und gut aussehen)
– Maxl geht (die Gesundheit und das gute Aussehen)
______ regelmäßig ins Fittnessstudio.

e) – Senta spielt gerne Fußball,
______ (Ballspiele lieben)
– Senta spielt (ihre Liebe zu Ballspielen)
______ gerne Fußball.

f) – Ilona bleibt am liebsten daheim,
______ (ihre Ruhe haben wollen)
______ (sich von ihrer anstrengenden Arbeit erholen können)

Nach Übung 4 im Kursbuch

3. Ordnen Sie (1–5).

a) Die Mannschaft spielt _____ .
- [1] am Wochenende nie
- [ ] jedes Wochenende
- [ ] am Wochenende selten
- [ ] fast jedes Wochenende
- [ ] am Wochenende häufig

b) Maxl geht _____ ins Studio.
- [ ] einmal pro Woche
- [ ] fast jeden Tag
- [ ] zweimal pro Woche
- [ ] mehrmals pro Woche
- [ ] täglich

c) Senta geht _____ aus.
- [ ] nie
- [ ] häufig
- [ ] kaum
- [ ] sehr viel
- [ ] ganz selten

Nach Übung
4
im Kursbuch

4. Wo passen die Ausdrücke? Ergänzen Sie.

den Mut haben	unterwegs sein	bei einem Klub Mitglied werden	stattfinden
klappen	ganz gefüllt sein	zu Ende sein	dafür sorgen, fit zu bleiben

a) Unser Freizeitprogramm *spielt sich* ______ hauptsächlich am Wochenende *ab.* ______

b) Unser Terminkalender in der Woche *ist* ______ immer *randvoll.* ______

c) Die Abende *sind* ______ schnell *vorbei.* ______

d) Als Erwachsene *traue ich mich nicht,* ______ allein ins Kinderkino zu gehen.

e) Wir *haben uns einem Verein angeschlossen.* ______

f) Man muss *sich fit halten.* ______

g) In dieser Saison *läuft* ______ es sehr gut.

h) In der Woche *bin* ______ ich die ganze Zeit *auf Achse.* ______

5. Ergänzen Sie.

a) Erde : laufen – Wasser : ______________
b) Pferd : reiten – Ski : ______________
c) Fußball : Stadion – schwimmen : ______________
d) Auto : (Auto)Rennen – Tennis : ______________
e) Erfolg : gewinnen – Misserfolg : ______________
f) Tennis : Einzelspieler – Fußball : ______________
g) arbeiten : Betrieb – Sport treiben : ______________
h) Tischtennis : Punkte – Fußball : ______________

Nach Übung
8
im Kursbuch

6. Ergänzen Sie die Dialogteile.

- Am Freitag beginnt das Filmfestival. Wir könnten uns ein paar Filme anschauen.
- ~~Das wäre toll. Einverstanden!~~
- ~~Das Wetter ist fantastisch. Ich würde gerne eine Fahrradtour machen.~~
- ~~Die Idee ist gut, aber ich bin leider schon verabredet.~~
- Gibt es etwas Besonderes?
- Gute Idee, abgemacht!
- ~~Hast du am Wochenende etwas vor?~~
- Hast du am Wochenende frei?
- Ich hätte schon Lust, aber ich weiß noch nicht, ob ich kann.
- Ich möchte schon, aber ich bin leider am Wochenende nicht da.
- Ich würde gerne, aber es kommt darauf an, ob ich frei habe.
- Oh ja, das ist eine gute Idee. Das machen wir.
- Prima Idee, aber ich kann nicht versprechen, ob ich Zeit habe.
- Samstag ist das Sommerfest meines Fitness-studios. Kommst du mit?
- Tut mir leid. Aber ich habe leider keine Zeit.
- ~~Um was geht es?~~
- Warum fragst du?
- Was machst du am Wochenende?

a) ■ *Hast du am Wochenende etwas vor?*
______
______

b) ● *Um was geht es?*
______
______

c) ■ *Das Wetter ist fantastisch. Ich würde gerne eine Fahrradtour machen.*
______
______
______
______

d) ● *Das wäre toll. Einverstanden!*
______
______
______

e) ■ *Die Idee ist gut, aber ich bin leider schon verabredet.*
______
______
______
______

7. Zu welchen Teilen des Interviews passen die Sätze?

Nach Übung 10 im Kursbuch

a) Die Fitnesswelle ist wichtig, weil die Menschen im Beruf heute weniger körperlich aktiv sind als früher.
b) Durch die Fitnesswelle ist Sport für viele Menschen die wichtigste Freizeitbeschäftigung geworden.
c) Sport treiben in Fitnessstudios ist teuer.
d) Die Fitnesswelle hat Sport populär gemacht.
e) In einem Fitnessstudio merkt man nicht, dass Sport anstrengend ist.
f) Durch die Fitnesswelle tun immer mehr Leute etwas für ihre Gesundheit, aber man muss aufpassen, dass man richtig trainiert. Falsches Training kann ungesund sein.

A Schmiedeke: Die Sportvereine vermittelten immer den Eindruck, dass Sport einhergeht mit Arbeit, Anstrengung, Schweiß und Muskelkater. Die Fitnesscenter verkaufen dagegen das Gefühl, das die Leute heute wollen: sich besser fühlen, sich wohlfühlen, Spaß an der Bewegung.

B Schmiedeke: Denken Sie mal an die Aerobic-Welle in den 80er Jahren! Warum war Jane Fonda damit so erfolgreich? Eben weil sie den Menschen vermitteln konnte: Sport macht Spaß. Sport ist modisch. Sport ist in. Und alle können mitmachen.

C Schmiedeke: Bewegung ist natürlich sinnvoll, vor allem wenn man bedenkt, dass die meisten von uns heutzutage in Büros sitzen und zu wenig Bewegung haben.

D Moderator: Und diese mangelnde Bewegung holt man im Fitnessstudio nach?

Schmiedeke: Genau.

Schmiedeke: Nun ist das Ganze ja nicht ganz billig. 40 bis 50 Euro pro Monat sind normal, wenn man Mitglied in einem Fitness-Klub werden will. Ein teurer Spaß!

E Schmiedeke: Die feste Mitgliedschaft in den Klubs führt dann auch dazu, dass für manche das Fitnessstudio zum zweiten Zuhause wird: von der Arbeit direkt in den Klub. Dort trifft man Freunde, macht ein wenig Sport, dann Wellness, isst noch etwas. Zu Hause braucht man nur noch das Bett.

Moderator: Das Fitnesscenter als alleiniger Freizeitgestalter also?

Schmiedeke: Der Trend geht ganz klar dahin.

F Moderator: Bei all dem Spaß oder „Fun“, kommt da auch die Gesundheit zu ihrem Recht?

Schmiedeke: Für die Leute ist es zunächst einmal wichtig, sich gut zu fühlen. Aber es kann auch gefährlich sein. Damit man die Übungen richtig macht, braucht man fachkundige Anleitung. Erkrankungen, die auf ein falsches Training zurückgehen, nehmen stark zu.

A	B	C	D	E	F

Nach Übung 11 im Kursbuch

8. Sagen Sie es anders. Verwenden Sie die Verbausdrücke im Kasten.

binden	nicht akzeptieren	nicht negativ finden	bedeuten	häufiger werden
sehr wichtig sein	zur zweiten Wohnung werden		Thema sein	klarmachen
auf etwas achten	nichts Besonderes sein		populärer werden	

a) Die Fitness- und Wellnesswelle ist in Deutschland immer stärker im Kommen.

____

b) In dem Lied geht es um eine ironische Kommentierung des Leistungssports.

____

c) Jazzgymnastik wirkte eher abschreckend.

____

d) Die Sportvereine vermittelten immer den Eindruck, dass Sport einhergeht mit Arbeit, Anstrengung, Schweiß und Muskelkater.

____

e) Warum war Jane Fonda so erfolgreich? Weil sie den Menschen vermitteln konnte: Sport macht Spaß. Sport ist modisch. Sport ist in.

____

f) Der hohe Preis schreckt die meisten Leute nicht ab.

Den hohen Preis ______________________________

g) Teure Sportartikel sind heute schon fast selbstverständlich.

____

h) Die feste Mitgliedschaft in den Klubs führt dazu, dass für manche das Fitnessstudio zum zweiten Zuhause wird.

____

i) Die großen Studios halten die Leute mit einem umfassenden Freizeitprogramm bei der Stange.

____

j) Auf den „richtigen" Namen kommt's an.

Der „richtige" Name ______________________________

k) Kommt da auch die Gesundheit zu ihrem Recht?

Wird da auch ______________________________

l) Erkrankungen, die auf ein falsches Training zurückgehen, nehmen stark zu.

____

9. Ratschläge und Empfehlungen. Sagen Sie es anders.

Nach Übung 13 im Kursbuch

	Sie	Du
a)	regelmäßig Sport machen	
	Ich rate Ihnen, regelmäßig Sport zu machen.	*Ich rate dir, regelmäßig Sport zu machen.*
	Machen Sie regelmäßig Sport.	*Mach regelmäßig Sport.*
	Sie sollten regelmäßig Sport machen.	*Du solltest regelmäßig Sport machen.*
	Sie müssen regelmäßig Sport machen.	*Du musst regelmäßig Sport machen.*

b) ins Fitnessstudio gehen

c) auf die Gesundheit achten

d) nicht zu viel Krafttraining machen

Sie dürfen nicht

e) die Sportarten wechseln

10. Schreiben Sie eine kurze Zusammenfassung der Absätze A bis E. Verwenden Sie nur die Stichwörter.

Nach Übung 14 im Kursbuch

a) Absatz A

> Peggy und Thomas: seltsames Paar → er: Triathlet, Gewinner des „Ironman"-Triathlon auf Hawaii → sie: weltbeste Langstreckenschwimmerin → sehen sich selten → wohnen nicht zusammen → sie: in Ostdeutschland, er: 800 km entfernt in Westdeutschland

Peggy und Thomas sind …

b) Absatz B

sich treffen beim Training → zusammen zu Wettkämpfen → trainieren gerne zusammen → Schwimmtraining: Peggy immer die Schnellste

____
____

c) Absatz C

Terminkalender bestimmt das Leben → sich kennenlernen in Italien in einem Trainingslager → beide begeistert voneinander → bewundern sich gegenseitig wegen ihrer Leistungsfähigkeit

____
____

d) Absatz D

Peggy sehr erfolgreich → in Südamerika in vier Wochen viermal gewonnen → Star in Südamerika, nicht in Deutschland

____
____

e) Absatz E

einmal verloren, Begleitboot defekt → deshalb nicht trinken können → musste aufgeben → eigentlich Saison beenden, machte weiter → alle folgenden Rennen gewonnen

____
____

Nach Übung 17 im Kursbuch

11. Zeitpunkte und Zeiträume. Ergänzen Sie die richtige Präposition.

a) Welches Wort wird mit *an*, welches mit *in* verwendet? (Ergänzen Sie auch den definiten Artikel.)

________	Morgen	________	Ostern
________	Abend	________	nächsten Tag
________	Nachmittag	________	Jahresende
________	nächsten Wochenende	________	Vormittag
________	Montag	________	1. Januar 2003
________	Anfang der Woche	________	Nacht
________	Ende des Jahres	________	nächsten Woche

________	Ferien	________	Jahr(e) 1985
________	Pause	________	letzten Tagen
________	Sommer	________	20. Jahrhundert
________	August	________	Moment
________	Weihnachten	________	Augenblick

b) Was kann mit *während/bei/in*, mit *während/bei/auf*, mit *während/bei* oder mit *während/in* stehen? (Ergänzen Sie auch den definiten Artikel.)

________________	Training	________________	Arbeit
________________	Wettkampf	________________	Rad fahren
________________	Studium	________________	Interview
________________	Diskussion	________________	Essen
________________	Reise	________________	Pause
________________	Tour	________________	Ferien
________________	Hochzeit	________________	Urlaub
________________	Konzert	________________	Schulzeit

c) *Vor* oder *nach*?
Wir haben uns ________ drei Jahren kennengelernt.
________ drei Jahren Zusammenleben haben wir uns getrennt.
In Frankreich trinkt man traditionell ________ dem Essen einen Aperitif, ________ dem Essen einen Digestif.
Die Ferien haben ________ einer Woche begonnen. Sie dauern noch fünf Wochen.
Doris arbeitet bis 18 Uhr. ________ der Arbeit geht sie regelmäßig ins Fitnessstudio.

d) *Seit*, *ab* oder *bis*?
Peggy ist schon ________ vielen Jahren Langstreckenschwimmerin.
________ ihrer Partnerschaft haben Thomas und Peggy noch mehr Spaß an ihrem Sport.
Der Fernsehfilm fängt um 21 Uhr an und dauert ________ 22.30 Uhr.
________ 6. Lebensjahr müssen Kinder in Deutschland zur Schule gehen.
Du kannst mich ________ 19 Uhr zu Hause anrufen. Danach bin ich nicht mehr da.
Ich bin morgens sehr früh im Büro. Sie können mich schon ________ 7 Uhr anrufen.

e) *Vor*, *an*, *nach*, *um* oder *seit*?

Rolf geht immer	________	Abend	ins Fitnessstudio.
schon	________	zwei Jahren	ins Fitnessstudio.
pünktlich	________	19 Uhr	ins Fitnessstudio.
abends	________	der Arbeit	ins Fitnessstudio und dann nach Hause.
morgens	________	der Arbeit	ins Fitnessstudio und danach ins Büro.

f) *Während*, *in*, *ab*, *an* oder *bis*?

Das Sportstudio *Alpha*	ist morgens	________	9 Uhr geöffnet.
	ist jeden Tag	________	24 Uhr geöffnet.
	ist auch	________	der Weihnachtsfeiertage geöffnet.
	ist auch	________	den Weihnachtsfeiertagen geöffnet.
	ist auch	________	den Sommerferien geöffnet.
	ist auch	________	der Sommerferien geöffnet.
	ist nur	________	24. 12. und 31. 12. geschlossen.

g) Ergänzen Sie den Artikel.

	der Wettkampf	die Diskussion	das Jahr 2000	die Wintermonate
vor	*dem*			
nach				
seit				
in				
während				

	der Jahresanfang	–	das Jahresende	die Feiertage
an				

	der Wettkampf	die Gymnastik	das Jogging	die Übungen
bei				

	der nächste Monat	die nächste Woche	das nächste Jahr	–
ab				

12. Ordnen Sie die Zeitausdrücke.

Wir haben uns ein paar Wochen nicht gesehen.
wochenlang
etwa zwei Wochen
gut zwei Wochen
über zwei Wochen
viele Wochen
genau zwei Wochen
mehrere Wochen
fast zwei Wochen

0 1 2 3 4 8 16

a) __________
b) __________
c) *genau zwei Wochen*
d) __________
____
e) __________
____
f) __________
____

13. Was passt nicht?

Nach Übung 17 im Kursbuch

a) laufen – gehen – wandern – rennen – fahren
b) Fluss – Schwimmbad – See – Meer – Bach
c) wochenlang – kilometerlang – stundenlang – tagelang – jahrelang
d) in Wien sein – in Wien leben – in Wien wohnen – in Wien zu Hause sein
e) Reise – Tour – Fahrt – Urlaub – Ausflug
f) Schwimmer – Fähre – Boot – Schiff
g) reden – sprechen – singen – erzählen – sagen
h) Jahr – Woche – Tag – Stunde – Stück
i) viele Tage – ein paar Tage – einige Tage – wenige Tage
j) Beginn – Ziel – Start – Anfang
k) Ufer – Strand – Küste – Fluss

14. „Etwas/nichts" + Adjektiv. Ergänzen Sie.

Nach Übung 17 im Kursbuch

a) schön: Für Thomas gibt es *nichts* *Schöneres* als Triathlon.
b) schön: Das ist aber eine ziemlich hässliche Stadt. Da gibt es wirklich *nichts* *Schönes* zu sehen.
c) schön: Wie ist Bremerhaven? Gibt es dort *etwas* *Schönes* zu sehen?
d) neu: ■ Hat dir Bernd ________ ____________ erzählt? ● Nein.
e) anstrengend: Es gibt im Sport ________ ____________ als Triathlon.
f) schlimm: Warum seid ihr so traurig? Ist ________ ____________ passiert?
g) lustig: ■ Warum lachst du so? ● Ich habe gerade ________ ____________ gehört.
h) langweilig: Ich kenne ________ ____________ als Krafttraining im Fitnessstudio.
i) normal: Reg dich nicht auf! Das ist ________ ganz ____________ .
j) wichtig: Gegen Thomas beim Schwimmen zu gewinnen ist für Peggy ________ sehr ____________.

15. Schreiben Sie 10 Sätze über den Text auf S. 38 im Kursbuch. Verwenden Sie die Stichwörter.

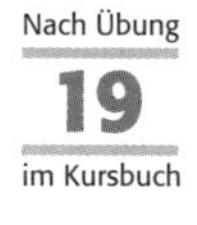

– ist	– keine sportliche Kleidung
– mag	– die vielen Freizeitsportler lächerlich
– möchte	– keine spezielle Fahrradkleidung
– besitzt	– nicht sportlich aussehen
– fährt	– nur ein billiges, einfaches Fahrrad, kein Sportfahrrad
– findet	– beim Kauf nur nach dem Preis
– hat gefragt	– Fahrrad nur zum Vergnügen, nicht, um Sport zu treiben
– trägt	– völlig unsportlich
	– gemütlich leben
	– keinen Sport

Der Autor mag ... ____

Er ... ____

Nach Übung 19 im Kursbuch

16. Suchen Sie passende Wörter.

a) hier : dort – innen : ______________
b) Ski : fahren – Tennis : ______________
c) Größe : klein – Gewicht : ______________
d) ohne Motor : Fahrrad – mit Motor : ______________
e) Brötchen : Bäcker – Wurst : ______________
f) Mieter : Vermieter – Käufer : ______________
g) Beine : Hose – Füße : ______________
h) Gras : Wiese – Bäume : ______________
i) Misserfolg : verlieren – Erfolg : ______________
j) Frau : Rock – Mann : ______________
k) Dinge : irgendetwas – Zeit : ______________
l) Mensch : Beine – Fahrrad : ______________
m) hören : Ohren – riechen : ______________
n) vorne : Brust – hinten : ______________
o) Meter : Größe – Kilogramm : ______________
p) hoher Preis : teuer – niedriger Preis : ______________

Nach Übung 19 im Kursbuch

17. Ergänzen Sie.

a) Ich bin kein sportlicher Mensch. Ich brauche

keinen *speziellen* Fahrradhelm, sondern eine *normale* Mütze,
keine __________ Fahrradhose, sondern eine __________ Jeanshose,
kein __________ Rennrad, sondern ein __________ Stadtrad,
keine __________ Fahrradschuhe, sondern __________ Straßenschuhe.

b) Ich bin kein sportlicher Mensch.

ein *sportlicher* Mantel — eine __________ Frisur — ein __________ Fahrrad — __________ Schuhe

ein *sportlicher* Anzug — eine __________ Uhr — ein __________ Auto — __________ Erfolge

Alles das ist mir egal.

c) Ich bin kein sportlicher Mensch. Okay, ich besitze ein Fahrrad, aber als ich es kaufte, interessierte ich mich nicht für

den leichtest____ Rahmen — die modernst____ Technik — das niedrigst____ Gewicht — die schmalst____ Reifen

d) Ich bin kein sportlicher Mensch. Okay, ich besitze ein Fahrrad, aber als ich es kaufte, fragte ich mich nicht nach

dem leichtest____ Rahmen — der modernst____ Technik — dem niedrigst____ Gewicht — den schmalst____ Reifen

18. Bilden Sie Vergleichssätze.

Nach Übung **20** im Kursbuch

a) Thomas – bequem leben – bei – seine Eltern – in – eigene Wohnung
Thomas lebt bei seinen Eltern bequemer als in einer eigenen Wohnung.

b) Thomas – führen – bei – seine Eltern – ein bequemes Leben – in – eigene Wohnung
Thomas führt bei seinen Eltern ein bequemeres Leben als in einer eigenen Wohnung.

c) Peggy – wollen – in – Training – unbedingt – schnell schwimmen – Thomas
____

d) Peggy – wollen – in – Training – unbedingt – eine schnelle Schwimmerin – sein – Thomas
____

e) Peggy – sein – in – Südamerika – bekannt – in – Europa
____

f) Peggy – sein – in – Südamerika – bekannte Sportlerin – in – Europa
____

g) Peggy und Thomas – wollen – immer – gut sein – ihre Konkurrenten
____

h) Thomas – alt – Peggy
____

i) Thomas – sein – bei – Rad fahren – gut – bei – Schwimmen
____

j) Peggy – gewonnen haben – viele – Wettkämpfe – Thomas
____

19. Bilden Sie Sätze.

Nach Übung **20** im Kursbuch

a) Schwimmen/gesunde Sportart sein
Schwimmen ist die gesündeste Sportart.

Schwimmen/gesund sein
Schwimmen ist am gesündesten.

b) Peggy/gute Langstreckenschwimmerin sein
____

Peggy/im Langstreckenschwimmen/gut sein
____

c) ich/kaufen wollen/billiges Fahrrad
____

mein Fahrrad/billig sein
____

d) Thomas/harter Triathlon-Wettkampf/gewonnen haben
____

„Ironman“/harter Triathlon-Wettkampf sein
____

Nach Übung
21
im Kursbuch

20. Sagen Sie es höflicher.

a) Sprechen Sie bitte etwas langsamer.
Würden Sie bitte etwas langsamer sprechen?
Könnten Sie bitte etwas langsamer sprechen?

Sprich bitte etwas langsamer.

b) Haben Sie Lust, am Wochenende eine Radtour zu machen?

Hast du Lust, am Wochenende eine Radtour zu machen?

c) Fahren Sie bitte das Auto in die Garage.

Fahr bitte das Auto in die Garage.

d) Darf ich bitte 10 Minuten vor Ihrer Einfahrt parken?

Darf ich bitte 10 Minuten vor deiner Einfahrt parken?

e) Seien Sie bitte etwas leiser.

Sei bitte etwas leiser.

Nach Übung
21
im Kursbuch

21. Was würden Sie tun? Formulieren Sie die Antworten.

a) Sie sehen auf der Straße, wie ein Mann überfallen wird. Was würden Sie tun?
(helfen)
Ich würde ihm helfen.

(mit meinem Mobiltelefon Polizei anrufen)

(laut um Hilfe schreien)

(weglaufen)

b) Sie sind bei Ihrem Chef zur Geburtstagsfeier eingeladen. Sie haben ein sehr festliches Kleid / einen sehr festlichen Anzug angezogen. Als Sie dort ankommen, sehen Sie aber, dass alle Leute sehr sportlich gekleidet sind. Was würden Sie tun?
(sofort nach Hause fahren und sich umziehen)

____

(auf der Feier bleiben)

____

(nach einer Stunde die Feier verlassen)

____

(sich mit Kopfschmerzen entschuldigen und nach Hause gehen)

____

c) Sie haben in einem Glücksspiel viel Geld gewonnen. Was würden Sie tun?
(eine Insel kaufen)

____

(nie wieder arbeiten)

____

(geizig werden)

____

(weiterleben wie bisher)

____

22. Schreiben Sie wenn-Sätze.

Nach Übung **21** im Kursbuch

a) (ich – Zeit haben)
Wenn ich viel Zeit hätte, dann ...

b) (Michael – die Medikamente nicht nehmen)
Wenn Michael die Medikamente nicht nehmen würde, dann ...

c) (ich – du sein)
Wenn ich du wäre, dann ...

d) (wir – keine Kinder haben)
Wenn ...

e) (ich – der Chef sein)

____

f) (Peggy – nicht jeden Tag trainieren)

____

g) (Olga und Viktor – besser deutsch sprechen können)

____

h) (du – Sport treiben)

____

i) (ihr – frei entscheiden dürfen)

____

j) (ich – nachts arbeiten müssen)

____

Nach Übung 21 im Kursbuch

23. Ihre Grammatik. Ergänzen Sie.

ich	*würde helfen*	*könnte kommen*	*dürfte bleiben*	*hätte Angst*	*wäre geizig*
du					
Sie					
er/sie/es man					
wir					
ihr					
sie					

Kernwortschatz

Verben

abschalten 48
anstrengen 51
aufregen *THA 2*, 39
ausziehen *THA 2*, 110
benutzen *THA 2*, 42
beruhigen 48
beschäftigen 49
duschen *THA 2*, 62
entstehen *THA 2*, 81
erinnern *THA 2*, 101
hängen *THA 2*, 62
lassen 51
probieren 52
putzen 45
rasieren 45
riechen *THA 2*, 84
schmecken *THA 2*, 84
setzen *THA 2*, 65
sorgen *THA 2*, 55
sparen *THA 2*, 62
stehlen 51
steigen *THA 2*, 95
toasten 51
trennen *THA 2*, 54
verbinden 49
waschen 45
ziehen *THA 2*, 43
zusammenfließen 51
zusammenlaufen 51

Nomen

s Abendessen, - 53
e Bedeutung, -en *THA 2*, 94
s Besteck, -e 46
e Erwartung, -en 48
r Essig, -e 51
r Esslöffel, - 46
r Gang, ¨-e 47
s Gefühl, -e *THA 2*, 93
s Gericht, -e 54
s Geschirr, -e 46
r Geschmack, ¨-e(r) 51
r Heißhunger 51
r Inhalt, -e 53
e Klasse, -n *THA 2*, 22
s Kleinkind, -er 51
r Körper, - 51
s Lied, -er *THA 2*, 40
e Mahlzeit, -en 47
e Menge, -n *THA 2*, 81
s Menü, -s *THA 2*, 66
r Mittelpunkt, -e 51
r Nachteil, -e *THA 2*, 28
s Nahrungsmittel, - 48
r Pilz, -e 42
e Qualität, -en *THA 2*, 45
e Rede, -n 47
s Regal, -e *THA 2*, 114
s Salz, -e *THA 2*, 89
e Schwierigkeit, -en *THA 2*, 91
r/s Teil, -e *THA 2*, 10
s Vergnügen, - 43
r Vorteil, -e *THA 2*, 28
e Wirklichkeit, -en *THA 2*, 19

Adjektive

enttäuscht *THA 2*, 98
ernst *THA 2*, 91
fein *THA 2*, 41
möglich *THA 2*, 44
nass *THA 2*, 58
negativ *THA 2*, 30
neugierig *THA 2*, 61
offen *THA 2*, 16
positiv *THA 2*, 93
sauer *THA 2*, 128
schwach *THA 2*, 48
selten *THA 2*, 12
übrig *THA 2*, 57
unruhig *THA 2*, 43
verantwortlich 51
weich *THA 2*, 13
zuckerfrei 50

Adverbien

danach 45
dann 45
eben 51
hinten *THA 2*, 51
möglichst 49
montags *THA 2*, 56
nebenbei 49
nun *THA 2*, 34
schließlich *THA 2*, 20
übermorgen 45
vorgestern 48
zuletzt *THA 2*, 36

Funktionswörter

je ..., desto 49
ob *THA 2*, 41
sich 45
wenn ..., (dann) 49

LEKTION 4

Kerngrammatik

Reflexivpronomen im Akk. und im Dat. (*THA 2*, § 10)

Ich ziehe mich an.
Ich ziehe mir die Schuhe an.

Relativpronomen und Präposition (*THA 2*, § 29)

Suppenteller: ein Teller, aus dem man Suppe isst
ein Teller, in den man die Suppe gießt

„wenn ..., (dann)", „je ..., desto" (§ 33f)

Wenn man zu schnell isst, (dann) isst man mehr, um satt zu werden.
Je schneller man isst, desto mehr isst man, um satt zu werden.

Wortbildung: Nomen + Adjektiv/Adverb (§ 4)

das Fett: fetthaltig, fettarm
der Zucker: zuckerhaltig, zuckerfrei
das Vitamin: vitaminreich, vitaminarm

1. Was macht man normalerweise morgens, was abends? Ordnen Sie.

Nach Übung 2 im Kursbuch

aufstehen · aus dem Haus gehen · ausgehen · das Haus verlassen · ein Buch lesen · frühstücken · ins Bett gehen · fernsehen · duschen · mit Freunden telefonieren · sich die Zähne putzen · nach Hause kommen · sich anziehen · sich ausziehen · sich rasieren · wach werden · zu Abend essen · zur Arbeit gehen

a) morgens	b) abends

2. Wo passen die Wörter am besten?

Nach Übung 4 im Kursbuch

Abendessen · Bruder · einschlafen · früh · Geist · genau · gleich · hart · innen · kalt · Kinder · objektiv · lustig · kurz · möglich · nie · Nacht · offen · schnell · müde · schreiben · Traum · verschieden · zu Hause · zusammen

a) Wirklichkeit ________
b) wirklich ________
c) weich ________
d) warm ________
e) wach ________
f) unterwegs ________
g) ungefähr ________
h) Tag ________
i) subjektiv ________
j) lang ________
k) ständig ________
l) spät ________
m) Schwester ________
n) lesen ________
o) langsam ________
p) aufwachen ________
q) anders ________
r) allein ________
s) Körper ________
t) gleich ________
u) Frühstück ________
v) ernst ________
w) Eltern ________
x) außen ________
y) abgeschlossen ________

3. Ergänzen Sie die Adverbien.

Nach Übung 5 im Kursbuch

danach · zuletzt · zuerst · schließlich / zum Schluss · dann

a) ________ gehe ich ins Bad und dusche.
b) ________ ziehe ich mich an.
c) ________ frühstücke ich und lese die Morgenzeitung.
d) ________ putze ich mir die Zähne.
e) ________ räume ich noch die Küche auf.

Nach Übung 6 im Kursbuch

4. Ordnen Sie.

abends sonntagnachmittags häufig montags am Mittwochvormittag gestern manchmal mittwochs oft morgen morgen Abend selten nachmittags am Sonntag nie übermorgen um 7 Uhr morgens vormittags am Nachmittag wochentags Montagabend

a) Wann? (regelmäßiger Zeitpunkt)	b) Wann? (einmaliger Zeitpunkt)	c) Wie oft?
abends sonntagnachmittags mittwochs morgens nachmittags vormittags wochentags montags übermorgen.	um 7 Uhr am Sonntag am Nachmittag am Mittwochvormittag gestern morgen Abend Montagabend morgen	oft manschmal selten nie häufig → "often".

Nach Übung 6 im Kursbuch

5. Ergänzen Sie die Reflexivpronomen. Vergleichen Sie die Formen.

a) Ich muss _________ die Hände waschen.
b) Ich habe stark geschwitzt. Ich muss _________ waschen.

c) Kämm _________ die Haare bitte!
d) Kämm _________ bitte!

e) Rudi schaut _________ gerne im Spiegel an.
f) Rudi hat _________ den Film gestern nicht angesehen.

g) Wir können _________ alleine anziehen.
h) Wir können _________ die Schuhe alleine anziehen.

i) Könnt ihr _________ alleine anziehen?
j) Könnt ihr _________ die Schuhe alleine anziehen?

k) Die Kinder können _________ alleine anziehen.
l) Die Kinder können _________ die Schuhe alleine anziehen.

6. Ihre Grammatik. Ergänzen Sie die Reflexivpronomen.

ich ziehe	du ziehst	Sie ziehen	er/sie/es zieht	wir ziehen	ihr zieht	sie ziehen
_____ alleine an	_____ alleine an	sich alleine an	_____ alleine an	_____ alleine an	_____ alleine an	_____ alleine an
_____ die Schuhe alleine an	_____ die Schuhe alleine an	sich die Schuhe alleine an	_____ die Schuhe alleine an	_____ die Schuhe alleine an	_____ die Schuhe alleine an	_____ die Schuhe alleine an

Nach Übung **6** im Kursbuch

7. Redemittel zu Übung 6. Ordnen Sie.

- ~~(Das ist) eine gute/prima Idee.~~
- Ich kann mich noch nicht entscheiden.
- (Es) tut mir leid, aber …
- Au / Oh ja!
- Ich möchte schon, aber …
- Ich kann/will nichts versprechen.
- Das geht nicht, weil …
- Das wäre gut/prima/schön/toll/ …
- Ich kann leider … nicht.
- Ich muss mir das überlegen.
- Ja gern!
- Ich weiß noch nicht, ob/wann …
- Klar!
- (Ich werde) mal sehen, ob …
- Ich würde gerne …, aber …
- Mit Vergnügen!
- Ich kann noch nicht sagen, ob/wann …
- Prima!/Fein!/Toll!/Klasse!

a) ja	b) nein	c) ja/nein
(Das ist) eine gute/prima Idee.		

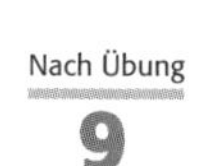

8. Alltagswünsche. Ergänzen Sie die Präposition und das Relativpronomen.

Ich wünsche mir ...

a) einen großen Kleiderschrank, *in* *den* ich alle meine Kleider hängen kann.
b) ein Regal, ________ ________ ich alle meine Bücher hineinstellen kann.
c) eine Wohnung, ________ ________ ich laut Musik hören darf.
d) eine Waschmaschine, ________ ________ man auch Wollpullover waschen kann.
e) einen Küchentisch, ________ ________ sechs Personen sitzen können.
f) einen Balkon, ________ ________ man genug Platz hat.
g) einen Küchenherd, ________ ________ man auch grillen kann.
h) eine Garage, ________ ________ ich mein Auto selbst reparieren kann.
i) einen Garten, ________ ________ meine Kinder spielen können.

9. Normen und Regeln. Sagen Sie es anders.

a) Halten Sie die Gabel in der linken und das Messer in der rechten Hand.
Man hält die Gabel in der linken und das Messer in der rechten Hand.
Die Gabel wird in der linken und das Messer in der rechten Hand gehalten.

b) Essen Sie mit geschlossenem Mund.
____
Es wird ________________________________

c) Verwenden Sie zum Kuchenessen Kuchengabel oder Löffel.

____

d) Halten Sie das Weinglas am Stiel.

____

e) Stützen Sie die Ellbogen beim Essen nicht auf den Tisch.

Sie müssen nicht die Ellbogen auf den Tisch wenn Sie essen stützen.

f) Rauchen Sie nicht zwischen den Gängen.

____

g) Rülpsen Sie nicht.

____

h) Falten Sie die benutzte Serviette nicht zusammen.

____

i) Verlassen Sie den Esstisch nicht, bevor die anderen ihre Mahlzeit beendet haben.

____

10. Was passt nicht?

a) Suppe – Kaffee – Milch – Mineralwasser – Tee – Saft
b) Braten – Hähnchen – Gemüse – Kotelett – Steak – Huhn
c) Käse – Joghurt – Butter – Sahne – Margarine
d) Banane – Pilze – Apfelsine/Orange – Apfel – Erdbeeren
e) Nudeln – Kohl – Tomaten – Bohnen – Gurke
f) Öl – Butter – Margarine – Essig
g) Geflügel – Rindfleisch – Fisch – Schweinefleisch – Kalbfleisch
h) gekocht – gebraten – gebacken – gegrillt – geschnitten
i) Schnaps – Likör – Limonade – Weißwein – Bier

11. Ergänzen Sie.

a) vorne : hinten – rechts : gehen
b) Weinglas : Stiel – Tasse : trinken
c) Bier : trinken – Zigarette : rauchen
d) Lied : singen – Rede : sprechen
e) Bein : Knie – Arm : Ellbogen
f) Stadt : Teile – Menü : Kurse

g) Salz : salzig – Zucker : süßig
h) Geschäft : kaufen – Restaurant : essen
i) essen : Speise – trinken : Wasser
j) Wohnung : putzen – Geschirr : ___________
k) Gast : bestellen – Kellner : ___________

Nach Übung 11 im Kursbuch

12. Das Partizip II als Attribut. Ergänzen Sie.

a) decken — Wir frühstücken an einem *gedeckten* Tisch.
b) schließen — Essen Sie mit ___________ Mund.
c) benutzen — Falten Sie die ___________ Serviette nicht zusammen.
d) schneiden — Leg das ___________ Brot bitte in den Brotkorb.
e) spülen — Bitte stell das ___________ Geschirr in den Schrank.
f) falten — Leg bitte die ___________ Serviette auf den Tisch.
g) grillen/braten — ___________ Fleisch mag ich lieber als ___________.
h) waschen — Kannst du bitte das ___________ Gemüse schneiden?

Nach Übung 14 im Kursbuch

13. Bilden Sie Sätze mit „wenn ... (dann)" und „je ... desto".

a) zu schnell essen ... mehr essen, um satt zu werden
Wenn man zu schnell isst, (dann) isst man mehr, um satt zu werden.

schnell essen ... viel essen, um satt zu werden
Je schneller man isst, desto mehr isst man, um satt zu werden.

b) langsam essen ... weniger essen, um satt zu werden
____

langsam essen ... wenig essen, um satt zu werden
____

c) nervös und sensibel sein ... häufig mehr essen als notwendig
____

nervös und sensibel sein ... häufiger mehr essen als notwendig
____

d) sich nicht auf das Essen konzentrieren ... nicht merken, wie viel man isst
____

sich wenig auf das Essen konzentrieren ... wenig merken, wie viel man isst
____

e) Fast Food essen ... meistens zu kalorienreich essen
____

viel Fast Food essen ... kalorienreich essen
____

f)	nicht zwischen den Mahlzeiten essen	…	weniger Möglichkeiten haben, etwas zu essen
	selten zwischen den Mahlzeiten essen	…	wenig Möglichkeiten haben, etwas zu essen
g)	Süßspeisen durch Obst ersetzen	…	viele Kalorien sparen können
	häufig Süßspeisen durch Obst ersetzen	…	viele Kalorien sparen können

Nach Übung 14 im Kursbuch

14. Welche Fragen haben sehr ähnliche Bedeutungen?

1. Essen Sie oft im Stehen?
2. Fällt es Ihnen schwer, sich daran zu erinnern, was Sie gestern oder vorgestern gegessen haben?
3. Essen Sie häufig zwischen Mahlzeiten?
4. Sind Sie meist schneller mit dem Essen fertig als andere?
5. Essen Sie häufig aus der Hand?
6. Machen Sie während des Essens noch andere Dinge?
7. Ist für Sie die Qualität eines Lebensmittels wichtiger als die Quantität?
8. Sind Sie ein langsamer Esser?
9. Probieren Sie gern verschiedene Nahrungsmittel aus?
10. Mögen Sie gern süße oder fetthaltige Speisen?
11. Lassen Sie Essen stehen, wenn es Ihre Erwartungen enttäuscht?
12. Ist Essen für Sie eine Ihrer liebsten Beschäftigungen?
13. Sind Sie eine nervöse, eher sensible Person?

- ☐ Essen Sie auch Speisen, die Ihnen nicht schmecken?
- ☐ Essen Sie meistens noch, wenn die anderen schon fertig sind?
- ☐ Essen Sie öfters ohne Besteck?
- ☐ Essen Sie, um Stress und Ärger zu vergessen?
- ☐ Nehmen Sie sich für das Essen Zeit?
- ☐ Ist es Ihnen egal, was Sie essen? Hauptsache, Sie haben etwas zu essen.
- ☐ Können Sie Schwierigkeiten oder negative Gedanken auch mal vergessen?
- ☐ Können Sie sich leicht entspannen?
- ☐ Konzentrieren Sie sich beim Essen nur auf das Essen oder tun Sie nebenbei andere Sachen?
- ☐ Lieben Sie Essen?
- ☐ Lieben Sie zuckerhaltige und fettreiche Nahrungsmittel?
- ☐ Reichen Ihnen die Mahlzeiten oder essen Sie öfters etwas nebenbei?
- ☐ Setzen Sie sich beim Essen normalerweise hin?

14. Wenn Sie angespannt oder verärgert sind, beruhigen Sie sich mit Essen?
15. Können Sie nur schwer „nein" sagen, wenn etwas Essbares vor Ihnen steht?
16. Fällt es Ihnen schwer abzuschalten?
17. Ist Ihnen der Essvorgang wichtiger als das, was Sie essen?
18. Beschäftigen Sie sich häufig mit Problemen und negativen Gedanken?

☐ Sind Sie neugierig auf neue Speisen?

☐ Sind Sie unruhig und leicht verletzbar?

☐ Vergessen Sie leicht, was Sie einen oder zwei Tage vorher gegessen haben?

☐ Was würden Sie wählen: ein gutes Essen, das aber nicht satt macht, oder ein schlechtes, das satt macht?

☐ Wenn Sie Speisen vor sich sehen, essen Sie dann meistens auch etwas?

15. Bilden Sie Wortpaare.

Nach Übung 16 im Kursbuch

verschieden	~~stehen~~	schwer	Qualität	dick	nervös	negativ	Ruhe
langsam	immer	häufig	fragen	essen	erinnern	beruhigen	

a) sitzen *stehen* ____
b) leicht ____
c) vergessen ____
d) trinken ____
e) selten ____

f) Quantität ____
g) schnell ____
h) gleich ____
i) ruhig ____
j) positiv ____

k) aufregen ____
l) nie ____
m) antworten ____
n) schlank ____
o) Stress ____

16. Welche Eigenschaften können die Lebensmittel nicht haben?

Die Apfeltorte ist: süß – alt – roh – frisch – sauer
Das Brot ist: salzig – süß – frisch – alt – scharf – trocken
Der Schinken ist: süß – roh – gekocht – scharf – gut/schwach gewürzt – frisch – alt
Das Hähnchen ist: gegrillt – fett – gut/schwach gewürzt – sauer – salzig
Die Milch ist: frisch – alt – sauer – gebraten

17. Beschreiben Sie, wie man Kartoffelgratin macht.

Nach Übung 17 im Kursbuch

Die moderne Schnellküche mit *Knorr Kartoffelgratin*

a) brauchen / 400 g Kartoffeln / 3 Esslöffel süße Sahne / 50 g geriebener Käse / 1 Beutel Knorr Kartoffelgratin
Für das Kartoffelgratin braucht man ... ____

b) Kartoffeln / roh / waschen / schneiden / in Scheiben
Zuerst ... ____

c) Inhalt des Beutels / 350 ml Wasser / Topf / einrühren / Kartoffelscheiben / dazugeben
____

d) kochen / alles / 3 Minuten / bei schwacher Hitze

____

e) alles / flache feuerfeste Schüssel / geben / geriebener Käse / darüber streuen

____

f) Schüssel / 30-40 Minuten / Backofen / schieben / 200 Grad / backen

____

Nach Übung 17 im Kursbuch

18. Bilden Sie Adjektive mit „-arm", „-frei", „-los", „-reich", die zu den Sätzen passen.

zucker	schlaf	+	arm
kalorien	geschmack		reich
appetit	alkohol		los
abwechslungs	arbeits		frei

a) Seit Tagen bin ich nachts stundenlang wach. _______________
b) Ich muss morgen nicht ins Büro. _______________
c) Johanna mag nichts essen. _______________
d) Die Bananen sind sehr süß. _______________
e) Süßspeisen machen dick. _______________
f) Dieses Bier macht nicht betrunken. _______________
g) Ich wurde gekündigt und suche deshalb eine Stelle. _______________
h) Die Kleidung, die er trägt, ist schrecklich. _______________
i) Diese Woche bin ich jeden Tag 12 Stunden im Büro. _______________
j) Lisa kochte jede Woche die gleichen Gerichte. _______________
k) Thomas kocht sehr originell und jeden Tag etwas anderes. _______________
l) Dieses Essen ist sehr leicht. _______________
m) Dieser Ketchup ist nicht sehr süß. _______________
n) Nur wenn man sehr viel von diesem Bier trinkt, wird man betrunken. _______________

Nach Übung 18 im Kursbuch

19. Pronomen verbinden Sätze zu Texten. Ergänzen Sie die Pronomen.

Der ideale Hamburger schmeckt. _________ schmeckt so gut, dass kaum ein Kind _________ stehen lassen kann. Viele Jugendliche und nicht wenige Erwachsene bekommen Heißhunger, wenn sie an einem Hamburger-Restaurant vorbeikommen und _________ riechen. Man kann _________ einfach aus der Hand essen, weil _________ nicht heiß, sondern lauwarm serviert wird.

Die Teile eines Hamburgers bilden ein System. Alleine schmecken _________ nicht. Man nehme das Brötchen. Alleine ist_________ nur trocken. Isst man die Soße getrennt von den übrigen Zutaten, schmeckt _________ nur süß-sauer. Auch die Gurkenscheibe schmeckt alleine nicht, _________ ist einfach nur sauer. Sogar das Fleisch ist getrennt von den anderen Teilen kein Genuss, _________ hat keinen besonders intensiven Geschmack.

20. Suchen Sie Wörter, die nicht in den Text passen. Ergänzen Sie die richtigen.

Nach Übung 18 im Kursbuch

erst	Zutaten	gut	Essig	gemeinsam	jeder	Essen	regelmäßig	Fett	weich
~~Lebensmittel~~	Erwachsenen	Gurke	heiß	Besteck	wegen	Wasser	Vorteil		
trocken	toasten	steigen	Brötchen	hören	laufen	viele	stehen	satt	
populär	Nase	milder	Kleinkinder	mehr	Fleisch	beißen	Soße		

Warum sind Hamburger eigentlich so beliebt, Herr Pollmer?

Fachautor und ~~Getränke~~chemiker *(Lebensmittel)* **Udo Pollmer beschreibt das Design der unbekannten Fleischbällchen im harten Brötchen.**

Der ideale Hamburger schmeckt. Er schmeckt so schlecht, dass kein Kind von ihm lassen möchte. Bei allen Jugendlichen und nicht wenigen Kindern kommt selten der Heißhunger, wenn sie an einem Hamburger-Restaurant vorbeikommen. Am liebsten halten sie ihn dann in den Händen, dürfen wie Erwachsene ohne Messer und Gabel essen. Für die Restaurants ein Nachteil: Sie müssen nicht befürchten, dass jemand ihr Geschirr stiehlt.

Zunächst schneidet man in etwas Weiches, fast Körperwarmes. Denn der Hamburger wird nicht kalt wie ein Mittagessen serviert, sondern warm wie Muttermilch. Das Brot ist hart wie Babykost. Beim Trinken soll der Esser sich möglichst wenig anstrengen. Das Gemüse hat keinen besonders intensiven Geschmack. Umso wichtiger ist das Öl. Je mehr Fett, desto besser für das Mundgefühl.

Was ich eben beschrieb, heißt „Food"-Design. In dessen Mittelpunkt liegt beim Hamburger die Gurkenscheibe. Der Kunde soll sie sehen, wenn er in den Hamburger beißt. Für das richtige Ess-Gefühl sorgen außerdem Salz und Pfeffer. Fehlt noch eine passende Suppe: Der Genuss sinkt mit dem richtigen Ketchup. Süß muss er sein und etwas sauer. Aber er sollte nicht ins Brötchen gehen. Deshalb wird das Brötchen ein wenig gegrillt. Außerdem steigt dem Esser dadurch ein starker Bratgeruch in die Ohren.

Wozu das Ganze? Damit uns das Bier im Mund zusammenläuft. Das Wasser im Mund ist für das Gefühl verantwortlich, noch nicht hungrig geworden zu sein. Das hat nichts mit dem Weißmehlbrötchen zu tun. Satt fühlt man sich schon, wenn das zusätzliche Wasser im Mund – der Speichel – verschwunden ist.

Dieses Prinzip kann niemand nachprüfen: Man nehme das Brötchen eines Hamburgers und esse es ohne die anderen Teile. Es ist zu nass zum Essen.

Nun zur Soße: Isst man sie getrennt von den übrigen Zutaten, schmeckt sie nicht nur total süß, sondern es entsteht trotz ihrer Säure jede Menge Speichel.

Erst getrennt bilden die Zutaten ein funktionierendes System: Das Brötchen zieht Speichel aus dem Mund, kurz darauf lassen Soße und Tomate neues Wasser im Munde zusammenfließen. Beim Konsumenten entsteht der intensive Wunsch, weniger zu essen.

LEKTION 5

Kernwortschatz

Verben

abnehmen *THA 2*, 60
ärgern *THA 2*, 17
auswählen 61
beachten 64
beschließen *THA 2*, 101
betreuen *THA 2*, 112
bewegen *THA 2*, 34
bitten *THA 2*, 40
einstellen *THA 2*, 51
entwickeln *THA 2*, 82
erhalten *THA 2*, 27
erstellen *THA 2*, 104
interessieren *THA 2*, 20
kämpfen *THA 2*, 29
klappen 58
kümmern 62
leiten 58
organisieren *THA 2*, 119
passen 61
pflegen *THA 2*, 54
produzieren *THA 2*, 81
schlagen *THA 2*, 67
sorgen *THA 2*, 55
treffen 58
überzeugen *THA 2*, 89
verbessern 58
verlangen *THA 2*, 123
versuchen *THA 2*, 50
vorbereiten *THA 2*, 54
vorstellen *THA 2*, 9
weinen *THA 2*, 43
wiegen *THA 2*, 86

Nomen

s Abitur *THA 2*, 26
e Abteilung, -en *THA 2*, 53
e Angst, ¨-e 54
s Arbeitsklima, -s 60
e Art, -en *THA 2*, 91
r Auftrag, ¨-e *THA 2*, 51
e Ausbildung, -en *THA 2*, 21
r Ausdruck, ¨-e 61
r Betrieb, -e *THA 2*, 31
e Bewerbung, -en *THA 2*, 29
e Bezahlung 60
s Blut *THA 2*, 126
r Eingang, ¨-e *THA 2*, 44
e Einkaufstasche, -n *THA 2*, 82
e Erfindung, -en 59
r Erfolg, -e *THA 2*, 54
e Erlaubnis, -se *THA 2*, 27
e Fremdsprache, -n *THA 2*, 91
r Führerschein, -e 60
s Gehalt, ¨-er *THA 2*, 31
s Gerät, -e *THA 2*, 57
s Geschäft, -e *THA 2*, 54
s Haar, -e *THA 2*, 13
r Herbst, -e *THA 2*, 73
r Kaufmann, -leute 56
r Kollege, -n *THA 2*, 12
e Kopfschmerzen (Plural) 66
e Kopie, -n 60
e Lebensgeschichte, -n *THA 2*, 128
e Lehre, -n *THA 2*, 21
s Material, -ien *THA 2*, 38
r Mitarbeiter, - 58
s Mitglied, -er *THA 2*, 102
r Motor, -en *THA 2*, 47
e Nachricht, -en *THA 2*, 35
e Organisation, -en 60
r Patient, -en 55
e Produktion, -en 58
r Pullover, - *THA 2*, 86
e Qualität, -en *THA 2*, 45
e Reparatur, -en *THA 2*, 47
e Reservierung, -en *THA 2*, 93
e Rolle, -n *THA 2*, 124
r Schlüssel, - *THA 2*, 86
r Schüler, - 58
r See, -n *THA 2*, 78
e Stelle, -n *THA 2*, 17
e Stimmung, -en *THA 2*, 106
e Tätigkeit, -en *THA 2*, 119
s Team, -s *THA 2*, 31
r Teich, -e 62
e Untersuchung, -en *THA 2*, 63
e Werbung *THA 2*, 36
r Zeitpunkt, -e 60
s Zeugnis, -se *THA 2*, 21
e Zukunft *THA 2*, 24
r Zweck, -e *THA 2*, 88

Adjektive

deutlich *THA 2*, 20
freundlich 60
höflich *THA 2*, 61
jung *THA 2*, 8
notwendig *THA 2*, 34
öffentlich *THA 2*, 44
persönlich *THA 2*, 40
praktisch 56

Adverbien

ausgezeichnet *THA 2*, 31
eventuell 65
normalerweise *THA 2*, 88
tatsächlich *THA 2*, 46
wahrscheinlich *THA 2*, 46

Funktionswörter

obwohl 56
trotzdem 56

Redemittel

Szenario: „jemanden um Rat bitten / jemandem einen Rat geben"

Kann ich Ihnen helfen? 57
Ja, bitte, ich ... 57
Was haben Sie für Vorstellungen? 57
Ich würde gern ... 57
Wie wichtig ist Ihnen das? 57
Das ist schon wichtig. 57
Es kommt darauf an, ob ... 57
Am wichtigsten ist mir ... 57
Die Hauptsache ist, dass ... 57
Was können Sie mir empfehlen? 57
Was würden Sie mir raten? 57
Darf ich etwas vorschlagen? 57
Ich würde vorschlagen, dass ... 57
Machen Sie doch ... 57
Davon kann man nur abraten. 57
Es ist besser, wenn ... 57
Ich rate Ihnen ... 57

Kerngrammatik

„obwohl" und „trotzdem" (§ 33d)

Obwohl sich die meisten Jungen für einen Kfz-Beruf interessieren, lernen nur 7,7% diesen Beruf.
Die meisten Jungen interessieren sich für einen Kfz-Beruf. Trotzdem lernen nur 7,7% diesen Beruf.

„lassen" (§ 29)

Auftrag: Ich lasse meine Wohnung putzen.
= Jemand putzt für mich die Wohnung. Ich tue es nicht selbst.

Erlaubnis: Wir lassen alle Mitarbeiter demokratisch entscheiden.
= Alle Mitarbeiter dürfen demokratisch entscheiden.

Möglichkeit: Die Einzelteile lassen sich auch als Umzugskisten verwenden.
= Man kann die Einzelteile auch als Umzugskisten verwenden.

Konjunktiv II der Vergangenheit (§ 26, § 27c)

Irreale Bedingungssätze:
Wenn seine Tochter nicht in den Teich *gefallen wäre*, *hätte* Herr Markewitz die Schwimmflügel nicht *erfunden*.

Nach Übung **2** im Kursbuch

1. Schreiben Sie.

a) Informationselektroniker/-in
defekte Kopierer, Faxgeräte, Drucker reparieren – normalerweise zu den Kunden fahren – dort Reparaturen machen – manchmal das Gerät mit in die Werkstatt nehmen – dort alles auseinanderbauen – die Betriebsprogramme und die mechanische Technik beherrschen müssen
Ich bin Informationselektronikerin. Ich repariere …

b) Touristikmanager/-in
für Marketing- und Managementaufgaben zuständig – in einer Tourismuszentrale arbeiten – vor allem Angebote planen und kalkulieren – sich um die Internetseiten kümmern

c) Pharmareferent/-in
im Außendienst arbeiten – Ärzte regelmäßig in ihren Praxen besuchen – neue Medikamente vorstellen – mit Ärzten über ihre Erfahrungen sprechen – Fachtagungen organisieren

2. Bilden Sie Sätze mit „obwohl" und „trotzdem". Beachten Sie die Unterschiede.

a) 23% der Jungen interessieren sich für einen Kfz-Beruf. – Nur 7,7% lernen Kfz-Mechaniker.
Obwohl sich 23% der Jungen für einen Kfz-Beruf interessieren, lernen nur 7,7% Kfz-Mechaniker.
23% der Jungen interessieren sich für einen Kfz-Beruf. Trotzdem lernen nur 7,7% Kfz-Mechaniker.

b) 23% wünschen sich einen Medienberuf. – Die meisten können sich diesen Traum nicht erfüllen.

c) Auch Mädchen können technische Berufe lernen. – Nur wenige tun das.

d) Friseurinnen verdienen nicht viel. – Viele Mädchen wählen diesen Beruf.

e) Ich kann kein Englisch sprechen. – Ich möchte Reisekaufmann werden.

3. Ergänzen Sie.

Nach Übung 4 im Kursbuch

a) Auto : Mechaniker – Haare : ______________
b) praktischer Beruf : Lehre machen – akademischer Beruf : ______________
c) Mann : Frau – Junge : ______________
d) Kfz-Mechaniker : Werkstatt – Arzt : ______________
e) kommen : gehen – einkaufen : ______________
f) wenige : viele – Minderheit : ______________
g) Ort : Treffpunkt – Zeit : ______________
h) Text : korrigieren – Motor : ______________
i) 25% : Viertel – 50% : ______________
j) fragen : antworten – um Rat bitten : ______________
k) Sprache : lernen – Informatik : ______________

4. Was tut man in diesen Berufen? Ordnen Sie zu und schreiben Sie kurze Texte.

Nach Übung 4 im Kursbuch

a) Arzthelfer/-in

betreuen	Verwaltungsarbeiten
helfen	einfache Untersuchungen
wiegen und messen	die Patienten
bereiten ... vor	medizinische Instrumente und Geräte
nehmen ... ab	Laborarbeiten
bedienen und pflegen	die Patienten
machen	den Praxisablauf
organisieren	Blut für Laboruntersuchungen
erledigen	bei Untersuchungen und Behandlungen

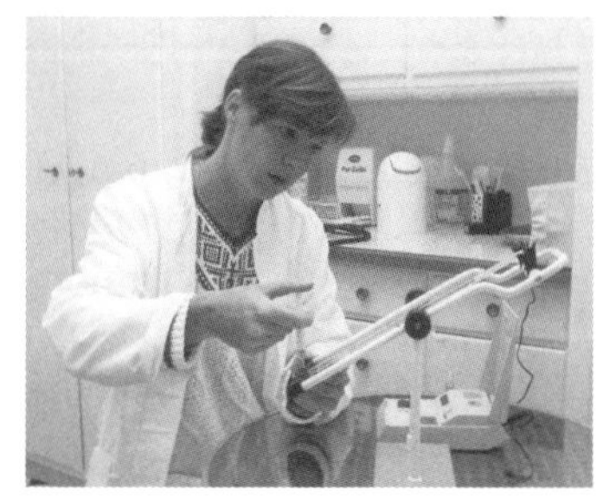

Arzthelfer/-innen betreuen ... ______________________________

____

b) Hotelfachmann/-frau

planen und organisieren	Angebote
entgegennehmen	die Arbeitszeiten des Servicepersonals
machen	die Arbeiten im Hotel
empfangen	die Hotelzimmer und den Service
kalkulieren und anschreiben	Reservierungspläne
helfen	Gäste
kontrollieren	Marketingaktionen
planen	Reservierungen von Gästen und Reisebüros

Hotelfachleute planen und organisieren ... ______________________________

____

Nach Übung 7 im Kursbuch

5. Ergänzen Sie die Antworten von Anja.

Englisch und Französisch. Also Fremdsprachen habe ich immer gerne gemacht. Deshalb könnte ich mir auch gut etwas in diesem Bereich vorstellen.

Na ja, Studium, wie gesagt, das wollte ich eigentlich nicht machen. Aber ich muss mir das alles sowieso erst mal genau überlegen …

Nein, ich möchte einen praktischen Beruf. Wie sieht es denn bei den Computerberufen aus?

Studium? Nein, eher nicht. Nein, ich möchte schon lieber eine praktische Berufsausbildung machen. Vielleicht auch etwas mit Computern.

~~Guten Morgen.~~

Na ja, so konkret weiß ich das eigentlich nicht. Da verändert sich ja auch die ganze Zeit so viel …

Also, ich habe Abitur gemacht.

Im Herbst möchte ich gerne eine Ausbildung beginnen, aber ich weiß noch nicht, was ich machen soll.

Berufsberater: Guten Morgen, Frau Kaufmann.
Anja K.: *Guten Morgen.* ______
Berufsberater: Nehmen Sie doch bitte Platz! Was kann ich für Sie tun?
Anja K.: ______
Berufsberater: Also einen Ausbildungsplatz suchen Sie. Was haben Sie denn bisher gemacht?
Anja K.: ______
Berufsberater: Und wie waren Sie in der Schule? Was waren Ihre Lieblingsfächer?
Anja K.: ______
Berufsberater: Haben Sie denn vielleicht mal an ein Fremdsprachenstudium gedacht?
Anja K.: ______
Berufsberater: Warum mit Computern? Ihre Schulnoten in Englisch und Französisch sind doch sehr gut. Sie könnten eine Ausbildung als Fremdsprachenkorrespondentin machen oder eine Dolmetscherschule besuchen.
Anja K.: ______
Berufsberater: Das kann man so allgemein nicht sagen. An was für eine Tätigkeit im Computerbereich hätten Sie denn da gedacht?
Anja K.: ______
Berufsberater: Ja, sicher, natürlich bewegt sich in diesem Bereich sehr viel. Sie könnten eine Ausbildung zur Informatikassistentin machen. Die dauert zwei bis drei Jahre. Aber warum studieren Sie nicht Informatik? Die Jobchancen wären dann deutlich besser.
Anja K.: ______
Berufsberater: Ja, natürlich. Ich gebe Ihnen zwei Informationsblätter mit, über Fremdsprachenberufe und über Informatikberufe. Wenn Sie weitere Informationen brauchen, können Sie natürlich auch gerne hier anrufen. Auf jeden Fall möchte ich Ihnen empfehlen, noch einmal bei uns vorbeizukommen, wenn Ihre Pläne etwas konkreter geworden sind.

6. Was können Sie auch sagen?

Nach Übung 7 im Kursbuch

Ich schlage Ihnen vor	Können Sie mir einen Rat geben?
Was kann ich für Sie tun?	Welchen Wunsch haben Sie?
Haben Sie an etwas Bestimmtes gedacht?	Was halten Sie von ...?
Womit kann ich Ihnen helfen?	Was würden Sie mir raten?
Ich empfehle Ihnen	Haben Sie eine bestimmte Idee?
Was denken Sie über ...?	Ich gebe Ihnen den Rat
Kann ich etwas für Sie tun?	Was könnte ich tun?

a) Kann ich Ihnen helfen?

____

____

____

b) Was haben Sie für Vorstellungen?

____

____

____

c) Was können Sie mir empfehlen?

____

____

____

d) Ich rate Ihnen, ... zu werden

______________________________, ... *zu werden.*

______________________________, ... *zu werden.*

______________________________, ... *zu werden.*

e) Wie finden Sie ...?

____

____

7. Wo passen die Wörter am besten?

Nach Übung 8 im Kursbuch

wirklich herstellen verschlechtern Verkauf finden gelingen Mitglied
Unternehmen Lösung Mitarbeiter Stuhl Student Anfang Pech öffentlich

a) Glück ____________
b) Sessel ____________
c) Einkauf ____________
d) privat ____________
e) tatsächlich ____________
f) verbessern ____________
g) Firma ____________
h) Teilnehmer ____________
i) Kollege ____________
j) klappen ____________
k) suchen ____________
l) produzieren ____________
m) Ende ____________
n) Lehrling ____________
o) Problem ____________

Nach Übung 9 im Kursbuch

8. Wer macht was in einer Firma?

Unternehmensfinanzen kontrollieren
~~Firma nach außen repräsentieren~~
Verkaufsaktionen planen und organisieren
Unternehmensstrategien entwickeln
Verkauf organisieren
Prospekte gestalten
Produkte herstellen
mit Kunden kommunizieren
Waren versenden
die Zusammenarbeit der Abteilungen kontrollieren und organisieren
Bestellungen/Aufträge/Anfragen bearbeiten
die Entwicklung des Unternehmens planen
Material und Geräte für die Produktion bestellen
Lieferanten auswählen
Werbung planen und Werbeaktionen realisieren
Lager verwalten und organisieren
Eingangs- und Ausgangsrechnungen verwalten
Geschäftsbilanzen erstellen
Produktherstellung organisieren und kontrollieren

a) Die Geschäftsführung …
repräsentiert die Firma nach außen;

b) Die Abteilung Einkauf …

c) Der Vertrieb …

d) Die Abteilung Marketing …

e) Das Lager/die Auslieferung …

f) Die Buchhaltung ...

g) Die Produktion ...

9. „Selbst machen" oder „machen lassen"? Bilden Sie Sätze.

Nach Übung 10 im Kursbuch

a) meine Wohnung putzen
Ich putze meine Wohnung selbst. *Ich lasse meine Wohnung putzen.*

b) meine Wäsche waschen

c) das Geschirr abwaschen

d) meine Küche aufräumen

e) meine Wäsche bügeln

f) kochen

10. Sagen Sie es anders.

Nach Übung 10 im Kursbuch

In der Juniorfirma

a) dürfen die Jugendlichen die Firma selbst leiten.
lässt man die Jugendlichen die Firma selbst leiten.

b) darf ich eigene Produktideen entwickeln.

c) dürfen wir die Kalkulationen selbst machen.

____

d) dürfcn Maria und Rolf sclbst Vcrkaufsaktionen planen.

____

e) dürfen wir selbst Geräte und Material einkaufen.

____

f) dürfen die Jugendlichen die Produktion selbst organisieren.

____

Nach Übung 11 im Kursbuch

11. Zu welchen Ausdrücken passen die Wörter (aus dem Text S. 60)?

qualifiziert erfahren betriebseigen Führerschein teamfähig Abschlusszeugnis Zukunft Bewerbung Kenntnisse Hausmeister Reinigungsarbeiten erforderlich Arbeitsplatz Bezahlung der nächstmögliche Zeitpunkt Kopie freundlich Arbeitsklima Lebenslauf Team Mitarbeiter Gast Ausrüstung Aktivitäten

a) gehört zum Betrieb ______________________________
b) der früheste Termin ______________________________
c) hat schon mehrere Jahre im Beruf gearbeitet ______________________________
d) Zeugnis am Ende der Ausbildung ______________________________
e) nicht das Original ______________________________
f) Lebensgeschichte ______________________________
g) Mannschaft ______________________________
h) Angestellter eines Betriebs ______________________________
i) gut mit anderen Menschen zusammenarbeiten können ______________________________
j) die Person, die man eingeladen hat ______________________________
k) Zeit, die noch nicht da ist ______________________________
l) sich vorstellen, um (z. B.) eine Stelle zu bekommen ______________________________
m) Erlaubnis, ein Auto zu fahren ______________________________
n) die Person, die sich um ein Wohnhaus kümmert ______________________________
o) das Wissen, wie man etwas macht/tut ______________________________
p) notwendig ______________________________
q) Putzarbeiten ______________________________
r) gut ausgebildet ______________________________
s) Geräte, die man für einen bestimmten Zweck braucht ______________________________
t) Tätigkeit ______________________________
u) nett und höflich ______________________________
v) die Stimmung am Arbeitsplatz ______________________________
w) Gehalt ______________________________
x) Stelle ______________________________

12. Ordnen Sie die Sätze zu einem Text. (Es gibt verschiedene Lösungen.)

Nach Übung **15** im Kursbuch

- Wir sorgen auch für Geschirr, Stühle, Tische, Partyzelte, Grillgeräte, Dekorationen und sogar Servicepersonal.
- Wir sind Spezialisten für Feste aller Art, für kleine und große.
- Wir erfüllen Ihre Wünsche.
- Wenn Sie wollen, kochen wir nicht nur für Sie.
- Rufen Sie uns einfach an, Tel. (0441) 66 73 98, oder informieren Sie sich auf unseren Seiten über unsere Angebote.
- Probieren Sie es einmal aus!
- Ob kaltes oder warmes Essen, einfach oder luxuriös.
- Lassen Sie sich von uns individuell und persönlich beraten.
- ~~Ein tolles Fest verlangt eine tolle Organisation.~~
- Denn Feste organisieren muss man können.
- Das kann nicht jeder.
- Damit Ihr Fest ein Erfolg wird, bieten wir Ihnen unseren Partyservice.

wir planen – SIE FEIERN

PARTYSERVICE

KLINGER

... und Ihr Fest wird ein Erfolg

Ein tolles Fest verlangt eine tolle Organisation. ...

13. Beschreiben Sie die zwei Personen.

Nach Übung **19** im Kursbuch

Martin Norz

35 Jahre alt – aus Oberammergau in Oberbayern – der Ort, in dem die weltbekannten Passionsspiele alle 10 Jahre stattfinden – Glück haben – schon zum zweiten Mal die Rolle des Jesus spielen – im wirklichen Leben im Bauamt der Gemeinde angestellt – sich um Dinge wie Baurecht und Straßenverkehrsrecht kümmern

Martin Norz ...

Hans Draga

seit fast 40 Jahren Pferdepfleger – sich um die Pferde von wohlhabenden Münchener Bürgern kümmern – den Stall sauber machen – die Tiere füttern, pflegen und reitfertig machen – Arbeitstag beginnt um 7 Uhr – Arbeit sehr anstrengend – kann arbeiten, wie er will

Hans Draga ...

Nach Übung 19 im Kursbuch

14. Ergänzen Sie.

a) Schauspiel : Schauspieler – Konzert : ______________
b) 12 Uhr : Mittag – 24 Uhr : ______________
c) Sport : Mannschaft – Konzert : ______________
d) heute : Auto – früher : ______________
e) schlecht : Pech – gut : ______________
f) alt : Erwachsener – jung : ______________
g) funktionieren : gesund – kaputt sein : ______________
h) Kino : Film – Radio : ______________
i) Menschen : Wohnung – Tiere : ______________
j) 2003, 2004, 2005, ... : jedes Jahr – 2003, 2013, 2023, ... : ______________
k) Sänger : singen – Schauspieler : ______________
l) Frau : Mädchen – Mann : ______________
m) schlecht : hassen – gut : ______________
n) Mann : Bruder – Frau : ______________
o) groß : See – klein : ______________
p) heiß : Herd – kalt : ______________
q) lernen : Schüler – erklären : ______________

Nach Übung 19 im Kursbuch

15. Ergänzen Sie die Verben.

stehen erhalten vergessen wissen beginnen treffen schicken
erkennen versuchen spielen liegen verlieren finden
tragen vorstellen überzeugen sich kümmern beschließen

a) __________: (Rudi) im Bett ~ / (die Hose) im Schrank ~ / (das Haus) in der Altstadt ~ / (die Stadt) an einem Fluss ~
b) __________: ~ um den Garten ~ / ~ um ihr Geschäft ~ / ~ um die Kunden ~ / ~ um den Einkauf ~
c) __________: ganz vorne links ~ / (das Auto) in der Garage ~ / (das Telefon) auf dem Tisch ~ / (die Nachricht) in der Zeitung ~ / (der Pullover) dir gut ~
d) __________: eine Brille ~ / gerne Jeans ~ / die schwere Einkaufstasche ~ / einen Ring ~
e) __________: ~, ihm die Rolle zu geben / ~, dass wir nach Hause gehen / ~, Schauspieler zu werden
f) __________: meinem Freund meine Kollegin ~ / sich nicht ~ können, dass die Geschichte wahr ist / sich ihn als Sänger ~ / sich den Urlaub anders ~
g) __________: (Bernd) auf der Straße ~ / sich am Eingang ~ / (der Ball) ihn am Kopf ~
h) __________: Schach ~ / ausgezeichnet ~ / Theater ~ / Klavier ~
i) __________: (Jörg) von meiner Erfindung ~ / den Chef völlig ~ / ihn ~, mit uns ins Kino zu gehen
j) __________: ~, ihn anzurufen / ~, das Gerät zu reparieren / den Kuchen ~
k) __________: die Adresse ~ / ~, das Handy mitzunehmen / den Termin ~
l) __________: ein Fax ~, ein Paket ~ / eine E-Mail ~

m) __________: (die Veranstaltung) um 20 Uhr ~ / (ich) mit der Arbeit um 9 Uhr ~ / ~ zu weinen / das Gespräch ~
n) __________: Unterricht ~ / Besuch ~ / kein Geld ~ / ein Schreiben ~
o) __________: eine Person nicht ~ / nicht ~ können, was das ist / einen Fehler ~
p) __________: den Weg ~ / ein Mittel gegen Kopfschmerzen ~ / nicht ~, was passiert ist / etwas über eine Person ~
q) __________: den Film ganz toll ~ / keinen Parkplatz ~ / eine Lösung ~ / ~, dass wir uns treffen sollten
r) __________: den Schlüssel ~ / ein Spiel ~ / Geld ~ / die Haare ~

16. „Was wäre gewesen, wenn ...". Bilden Sie Sätze.

Nach Übung 21 im Kursbuch

a) seine Tochter: nicht in den Teich fallen – Herr Markewitz die Schwimmflügel nicht erfinden

Wenn seine Tochter nicht in den Teich gefallen wäre, hätte Herr Markewitz die Schwimmflügel nicht erfunden.

b) wir: die Verkaufsaktion nicht machen – weniger Erfolg haben

____

c) ich: in der Juniorfirma nicht arbeiten – wichtige Dinge nicht lernen

____

d) unsere Firma: besseres Material bekommen – die Produkte eine höhere Qualität haben

____

e) wir: in der Firma weniger diskutieren – zu Entscheidungen kommen

____

f) Herr Draga: mehr Geld haben – ein gesundes Pferd kaufen

____

g) Herr Norz: nicht in Oberammergau geboren sein – nicht an den Passionsspielen teilnehmen dürfen

____

h) ein Lehrer: das Talent von Frau Mährle nicht erkennen – nicht Paukistin werden

____

17. Ergänzen Sie.

Nach Übung 21 im Kursbuch

a) Familie : Angehörige – Betrieb : ______________
b) ja : nein – Erlaubnis : ______________
c) Meter : Raum – Minute : ______________
d) Hausbau : Arbeit – Fußball : ______________
e) Spiel : Regeln – Staat : ______________
f) Anfang : einstellen – Ende : ______________

Nach Übung **21** im Kursbuch

18. Wahrscheinlichkeit. Ordnen Sie die Ausdrücke.

ziemlich sicher	wohl nicht	wahrscheinlich nicht	vielleicht	sicher nicht
sehr wahrscheinlich	möglicherweise	höchstwahrscheinlich	kaum	ganz sicher
ganz bestimmt nicht	ganz bestimmt	eventuell	~~auf keinen Fall~~	auf jeden Fall

Wenn ich nicht studiert hätte, wäre ich

0% **100%**

a) *auf keinen Fall* __________ __________

c) __________ __________ __________

e) __________ __________ __________

b) __________ __________ __________

d) __________ __________ __________

Musiker geworden.

Nach Übung **22** im Kursbuch

19. In jedem Satz ist ein Verb falsch. Welches? Finden Sie das richtige.

drohen	erlauben	verhandeln	aufhören	beachten	kündigen	benutzen
	entscheiden		vermuten	erledigen		

a) __________ Die Chefin hat Computerspiele auf den PCs wieder verboten. Jetzt dürfen die Mitarbeiter wieder spielen.

b) __________ Ich werde gleich mit der Arbeit anfangen. Ich habe keine Lust mehr weiterzuarbeiten.

c) __________ Schön, dass Sie die Arbeit schon begonnen haben. Dann haben Sie ja Zeit, mir zu helfen.

d) __________ 50 Mitarbeitern wurden geärgert. Sie sind seit vier Wochen arbeitslos.

e) __________ Ich habe das Gerät nie bekommen. Ich weiß nicht, wie man es bedient.

f) __________ Ich weiß, dass die Festplatte des PCs kaputt ist. Es könnte aber auch ein anderer Defekt sein.

g) __________ Du musst die Gebrauchsanweisung genau erklären. Nur dann funktioniert das Gerät.

h) __________ Der Richter hat gegen die Firma gekämpft. Sie durfte dem Mitarbeiter nicht kündigen.

i) __________ Seine Chefin hat versprochen, Jens zu kündigen. Seitdem hat er Angst, seine Stelle zu verlieren.

j) __________ Wir haben mehrere Monate gespielt. Trotzdem konnten wir uns nicht einigen.

Kernwortschatz

Verben

anbieten *THA 2*, 29
anmelden *THA 2*, 54
erinnern *THA 2*, 101
erwarten *THA 2*, 126
freuen 72
interessieren 73
mitgehen *THA 2*, 71
mitkommen 71
reservieren *THA 2*, 85
setzen *THA 2*, 65
trennen *THA 2*, 54
verbringen *THA 2*, 66
verlangen *THA 2*, 123
verlieben *THA 2*, 42
weggehen *THA 2*, 65
weglaufen 68

Nomen

s Alter, - *THA 2*, 16
e Anmeldung, -en 76
r Ausflug, ¨-e *THA 2*, 76
e Bedingung, -en *THA 2*, 112
r Druck 71
r Ehemann, ¨-er *THA 2*, 11
s Ereignis, -se *THA 2*, 99
r Erfolg, -e *THA 2*, 54
s Ergebnis, -se *THA 2*, 16
e Erlaubnis, -se *THA 2*, 27
r/e Erwachsene, -n 68
s Gegenteil, -e *THA 2*, 120
e Geschwister (Plural) 69
s Gewitter, - *THA 2*, 75
e Gitarre, -n *THA 2*, 86
e Großeltern (Plural) *THA 2*, 67
e Großmutter, ¨- *THA 2*, 59
e Heimat, -en *THA 2*, 91
r Humor *THA 2*, 61
r Job, -s *THA 2*, 17
e Klasse, -n *THA 2*, 22
s Klassenzimmer, - 69
e Lehre, -n *THA 2*, 21
r Lehrer, - 70
e Mahlzeit, -en 75
e Mathematik *THA 2*, 27
r Mitschüler, - 72
e Musikgruppe, -n *THA 2*, 44
r Mut *THA 2*, 13
e Note, -n *THA 2*, 21
e Rolle, -n *THA 2*, 124
r Schüler, - 69
r Schultag, -e 68
e Schultüte, -n 69
r Sprachkurs, -e *THA 2*, 90
r Teilnehmer, - 73
e Vergangenheit 68
s Zeugnis, -se *THA 2*, 21
s Ziel, -e *THA 2*, 101
r Zoo, -s *THA 2*, 110

Adjektive

ängstlich 79
arbeitslos *THA 2*, 17
ärgerlich *THA 2*, 66
einsam *THA 2*, 118
fröhlich *THA 2*, 125
hübsch *THA 2*, 7
humorlos 70
jung *THA 2*, 8
klug *THA 2*, 12
kompliziert *THA 2*, 53
laut 75
männlich 73
nass *THA 2*, 58
ordentlich *THA 2*, 84
sauer *THA 2*, 128
schmutzig *THA 2*, 24
spannend 68
sportlich *THA 2*, 11
stolz *THA 2*, 117
traurig *THA 2*, 7
unfreundlich *THA 2*, 60
uninteressant *THA 2*, 39
unmodern 70
unsympathisch *THA 2*, 8
weiblich 73
weich *THA 2*, 13
zufällig 81

Adverbien

anfangs *THA 2*, 104
damals *THA 2*, 70
nun *THA 2*, 34
tatsächlich *THA 2*, 46

Funktionswörter

als 68
nachdem 68
wann? 72
was? 73
wenn 68
wer? 72
wie? 72
wo? 72

LEKTION 6

Redemittel

Mündliche Prüfung Teil 2: über ein Bild / eine Tabelle/Grafik sprechen

Die Frau auf dem Bild ist bestimmt ... 70
Stimmt. 70
Der Lehrer ... wirkt ... 70
Das finde ich nicht, er sieht eher ... aus. 70
Die Lehrerin ... macht bestimmt einen ... Unterricht. 70
Genau. Das glaube ich auch.
Die Tabelle zeigt, dass/wie / wie viele ... 74
In der Tabelle sind ... zusammengestellt. 74
Bei dieser Tabelle geht es um ... 74
Man sieht, dass ... 74
Ich hätte nicht erwartet, dass ... 74
Ich finde es ziemlich überraschend, dass ... 74
Vielleicht liegt es daran, dass ... 74
Ein Grund dafür dürfte sein, dass ... 74

Kerngrammatik

Konjunktionen: „als" und „wenn" (§ 33b)

Als wir oben ankamen, waren wir sehr stolz.
Als ich ein kleiner Junge war, hörte man noch auf alte Menschen.

Wenn meine Mutter nicht zu Hause war, saßen wir vor dem Fernseher.
Ich fand es ziemlich spannend, wenn meine Mutter sich schminkte.

Konjunktionen: „bevor" und „nachdem" (§ 33b)

Bevor ich in die Schule kam, hatte ich nur wenige Freunde.
Nachdem meine Großeltern gestorben waren, zogen wir in ihr Haus.

Plusquamperfekt (§ 22)

Die Probleme fingen an, nachdem mein Vater ausgezogen war.
Ich hatte mich so oft mit ihm gestritten.
Ich war sehr stolz, als wir oben auf dem Berg angekommen waren.

Adjektive aus Nomen (§ 5)

-voll	humorvoll	-los	gefühllos
	liebevoll		fantasielos

Adjektive: Antonyme mit „-un" (§ 8)

modern	unmodern
freundlich	unfreundlich
interessant	uninteressant

Satzstrukturen: Besetzung des Nachfelds (§ 32)

Für uns waren die Fünfer reserviert und die Sechser.
Wenn er ein Problem hatte mit jemandem, nahm er sich Zeit.
Wir waren alle traurig, als er wegzog in eine andere Stadt.

Satzstrukturen: Subjunktoren (*THA 2* § 24) / Nebensatz im Vorfeld (*THA 2* § 23)

Dass so viele Leute Spanisch lernen wollen, hätte ich nicht gedacht.
Weil ich Probleme mit der Aussprache habe, mache ich noch einen Französischkurs.
Während sie den Aufbaukurs Fliegen besucht, lerne ich „Englisch für Pantomimen".

Nach Übung **3** im Kursbuch

1. Welche der beiden Kurzbeschreibungen passt zu den Berichten, die Sie gehört haben?

a) Bericht 1

[A] Der Mann erzählt vor allem von seiner Mutter, die sehr streng war. Trotzdem hörte er immer auf ihren Rat.

[B] Der Mann denkt bei dem Foto vor allem an seine Urgroßmutter, die er sehr bewundert hat. Sie war eine kluge alte Frau, die in ihrem Leben viel gearbeitet hat.

b) Bericht 2

[A] Die Frau berichtet von ihrem ersten Schultag. Alle Erwachsenen sprachen vom Ernst des Lebens, der nun beginnen würde. In der Schule saß sie dann zufällig neben einem Jungen mit dem Namen Ernst und glaubte, dass er dieser „Ernst des Lebens" sei.

[B] Die Frau erzählt von ihrer ersten Lehrerin, die sie sehr hübsch fand. Alle Kinder durften ihre Schultüten ins Klassenzimmer mitnehmen und Schokolade essen. Dann musste jedes Kind seinen Namen nennen.

c) Bericht 3

[A] Die Frau erinnert sich daran, dass ihre Mutter sich oft über sie ärgerte, weil sie viel Zeit im Badezimmer verbrachte. Dabei hat sie immer die Schminksachen ihrer Mutter kaputt gemacht, die dort lagen.

[B] Die Frau fand ihre Mutter sehr schön und hat als kleines Mädchen immer zugeschaut, wenn sie sich schminkte. Danach hat sie sich auch geschminkt, obwohl sie das natürlich nicht sollte.
Aber ihre Mutter fand es meistens lustig.

d) Bericht 4

[A] Der Mann hätte als kleiner Junge gern einmal im Meer gebadet, aber seine Eltern wollten immer nur in den Bergen Urlaub machen. Das Foto zeigt ihn bei einer Wanderung in der Schweiz. Er hat diesen Tag in schrecklicher Erinnerung.

[B] Der Mann erinnert sich noch ganz genau an den Tag, an dem das Foto gemacht wurde. Da war er mit seinen Eltern in Österreich auf einen Berg gestiegen und sehr stolz, weil er es geschafft hatte, den Gipfel zu erreichen.

e) Bericht 5

[A] Das Foto ist etwa 15 Jahre alt und zeigt den Mann mit seinem jüngeren Bruder. Damals lebten die Geschwister bei ihrer Mutter, die aber wenig Zeit für sie hatte, weil sie als erfolgreiche Architektin viel unterwegs war. Deshalb schauten die Jungen viel fern oder spielten Fußball.

[B] Der Mann erzählt von seinem Bruder, mit dem er sich gut verstanden hat. Auf dem Foto waren die Geschwister 15 Jahre alt und kamen kurze Zeit später in ein Internat. Dort haben sie die meiste Zeit vor dem Fernseher gesessen.

f) Bericht 6

[A] Die Frau war damals 14 Jahre alt und in einen jungen Mann verliebt, der in einer Musikgruppe spielte. Weil ihre Eltern nicht wollten, dass sie einen Freund hatte, lief sie von zu Hause weg. Wenige Tage später wurde sie aber von der Polizei gefunden und zurückgebracht.

[B] Die junge Frau hatte damals ein Problem mit ihren Eltern, weil alle ihre Freundinnen zu Popkonzerten gehen durften, sie aber nicht. Eines Tages besuchte sie deshalb ohne die Erlaubnis ihrer Eltern ein Konzert. Danach durfte sie dann öfter alleine ausgehen.

Nach Übung 4 im Kursbuch

2. Ergänzen Sie „wenn" oder „als".

„als" = etwas passierte einmal oder zu einem bestimmten Zeitpunkt in der Vergangenheit
„wenn" = etwas passierte mehrmals oder regelmäßig in der Vergangenheit

a) _______ ich meine Lehrerin zum ersten Mal sah, gefiel sie mir sofort.
b) _______ meine Lehrerin morgens in die Klasse kam, lächelte sie immer.
c) Das war jedes Mal ein tolles Erlebnis, _______ wir endlich oben auf dem Berg waren.
d) Ich war sehr stolz, _______ ich an diesem Tag oben auf dem Berg ankam.
e) Ich habe meiner Mutter jeden Tag zugeschaut, _______ sie sich im Bad schminkte.
f) Einmal war meine Mutter sehr ärgerlich, _______ ich mich mit ihren Sachen geschminkt hatte.
g) _______ ich in ein Internat kam, hat sich mein Bruder oft einsam gefühlt.
h) Mein Bruder und ich haben oft Fußball gespielt, _______ meine Mutter nicht zu Hause war.
i) _______ ich 14 Jahre alt war, begann ich mich für Jungen zu interessieren.
j) Ich durfte nie mitgehen, _______ meine Freundinnen ein Popkonzert besuchten.

Nach Übung 4 im Kursbuch

3. Analysieren Sie. Welches „als" kommt in den Sätzen vor?

I. Ich bin jünger als meine Schwester. (Vergleich)
II. Er hat einen Job als Taxifahrer. (Rolle, Beruf, Funktion)
III. Als wir heirateten, schneite es. (Zeitpunkt in der Vergangenheit)

a) Als Ehemann kann ich ihn mir gar nicht vorstellen. *II*
b) Er ist älter als sein Bruder. ____
c) Als Arzt muss ich oft am Wochenende arbeiten. ____
d) Das Mädchen trägt lieber die Schuhe seiner Mutter als seine eigenen. ____
e) Mein Sohn macht gerade eine Lehre als Automechaniker. ____
f) Sie kam in die Küche, als er gerade ein Ei aß. ____
g) Morgens trinkt er öfter Tee als Kaffee. ____
h) Als Kind musste ich abends immer früh ins Bett gehen. ____
i) Meine Freundin kam ein Jahr früher zur Schule als ich. ____
j) Das Foto wurde gemacht, als meine Großmutter 80 Jahre alt war. ____

Nach Übung 4 im Kursbuch

4. Wiederholen Sie, in welchen Funktionen „wenn" noch vorkommt.

I. Wenn ich doch Urlaub hätte! (Wunsch)
II. Wenn er nicht arbeiten muss, kommt er zu meiner Feier. (Bedingung)
III. Wenn er mehr Zeit hätte, würde er eine Fremdsprache lernen. (irreale Aussage)

a) Morgen gehen wir ins Schwimmbad, wenn es nicht regnet. ____
b) Ich kann dich nur dann abholen, wenn mein Vater mir sein Auto gibt. ____
c) Wenn es draußen nicht so kalt wäre, würden wir einen Spaziergang machen. ___
d) Wenn ich doch nur die gleiche Haarfarbe wie meine Schwester hätte! ____
e) Wenn doch nur das Wetter besser wäre! ____
f) Ich wäre glücklich, wenn meine Urgroßmutter noch leben würde. ____

g) Es wäre schöner auf der Welt, wenn es keine Kriege gäbe. ____
h) Wenn es ihm morgen besser geht, will er wieder zur Arbeit gehen. ____
i) Wenn die Kinder doch endlich mal ihre Hausaufgaben ordentlich machen würden! ____

5. Schreiben Sie die Sätze anders. Verwenden Sie „als".

Nach Übung 4 im Kursbuch

a) Ich möchte später Arzt werden. Dann arbeite ich im Krankenhaus.
Ich möchte später als Arzt im Krankenhaus arbeiten.
b) Gestern war es kalt. Heute ist es noch kälter.
Heute ist es noch ________________________ .
c) Die Lehrerin war sehr nett. Das hatte ich nicht erwartet.
Die Lehrerin war netter ________________________ .
d) Ich habe einen Bruder. Er ist zwei Jahre jünger.
Mein Bruder ________________________ .
e) Mein Mann ist Lehrer. Er arbeitet in Kenia.
Mein Mann arbeitet ________________________ .
f) Wenn man ein Kind ist, muss man auf die Erwachsenen hören.
________________________ auf die Erwachsenen hören.

6. Was passt? Ergänzen Sie „wenn" oder „wann".

Nach Übung 4 im Kursbuch

a) _______ kommen die Kinder heute aus der Schule?
b) Ich weiß noch ganz genau, _______ ich meine Schultüte bekommen habe.
c) _______ ich abends nicht einschlafen kann, lese ich ein Buch.
d) Meine Mutter hat meistens nur gelacht, _______ ich ihre Schminksachen benutzt habe.
e) Ich habe ihn nicht gefragt, _______ er heute nach Hause kommt.
f) _______ man eine Bergtour machen will, muss man früh aufstehen.
g) Wir wissen noch nicht genau, _______ wir die nächste Bergtour machen.
h) Ich hatte als Kind immer Angst, _______ ich in den Keller gehen musste.
i) Können Sie mir sagen, _______ das Fußballspiel beginnt?
j) _______ fährt der nächste Zug nach Berlin?
k) Sie würde sich sehr freuen, _______ sie zu einem Popkonzert gehen dürfte.

7. Schreiben Sie.

Nach Übung 5 im Kursbuch

a) Nachdem sich meine Eltern getrennt hatten, musste meine Mutter das Geld verdienen.
Was passierte zuerst? *Meine Eltern trennten sich.*
Was passierte dann? *Meine Mutter musste das Geld verdienen.*
b) Bevor ich zur Schule ging, schenkten mir meine Großeltern eine Schultüte.
Was passierte zuerst? *Meine Großeltern* ________________________ .
Was passierte dann? *Ich ging* ________________________ .
c) Ich erzählte meinen Eltern von Ernst, nachdem ich aus der Klasse gekommen war.
Was passierte zuerst? ________________________ .
Was passierte dann? ________________________ .

d) Wir mussten eine Stunde warten, bevor die Lehrerin kam.
Zuerst? ______________________________.
Dann? ______________________________.

e) Bevor sie auf ein Popkonzert ging, fragte sie ihre Eltern um Erlaubnis.
Zuerst? ______________________________.
Dann? ______________________________.

f) Nachdem er seine Bergschuhe angezogen hatte, setzte er seinen Hut auf.
Zuerst? ______________________________.
Dann? ______________________________.

g) Die Kinder schliefen ein, nachdem die Mutter eine Geschichte erzählt hatte.
Zuerst? ______________________________.
Dann? ______________________________.

Nach Übung **5** im Kursbuch

8. Ergänzen Sie die Verben im Plusquamperfekt.

a) (ankommen) Ich war sehr stolz, als wir oben auf dem Berg *angekommen waren.*
b) (arbeiten) Meine Großmutter ________ in ihrem langen Leben viel ________.
c) (schreiben) Als es Abend wurde, ________ die Sekretärin zwanzig Briefe ________.
d) (wissen) Die Eltern ________ nicht ________, wo ihre Tochter war.
e) (essen) Nachdem er seine Suppe ________ ________, rief er den Kellner.
f) (weglaufen) Sie hatte ein schlechtes Gewissen, weil sie von zu Hause ________ ________.
g) (aufhören) Sie blieben im Restaurant sitzen, bis der Regen ________ ________.
h) (besitzen) Bevor er zehn Jahre alt war, ________ er nie ein Fahrrad ________.
i) (rasieren) Als seine Freunde zur Party kamen, ________ er sich noch nicht ________.
j) (trainieren) Nachdem der Sportler drei Stunden ________ ________, ging er unter die Dusche.
k) (wachsen) Die Tochter meiner Freundin ________ in einem Jahr so sehr ________, dass ich sie nicht mehr erkannte.

Nach Übung **5** im Kursbuch

9. Schreiben Sie die Sätze im Plusquamperfekt.

a) Meine Eltern schenkten mir eine Schultüte.
Meine Eltern hatten mir eine Schultüte geschenkt.

b) Die Lehrerin fragte mich nach meinem Namen.
______________________________.

c) Ich fuhr mit meinen Eltern in die Berge.
______________________________.

d) Wir stiegen in einen Zug nach Österreich ein.
______________________________.

e) Meine Großmutter starb kurz nach ihrem 90. Geburtstag.
______________________________.

f) Und an Weihnachten zog mir meine Mutter immer ein weißes Kleid an.
______________________________.

g) Meine Freundin nahm mich zu einem Popkonzert mit.
______________________________.

h) Eines Tages vergaß ich meine Hausaufgaben.
______________________________.

10. Ihre Grammatik. Ergänzen Sie die Zeitformen in der Vergangenheit.

Nach Übung 8 im Kursbuch

	liegen	weggehen	begrüßt werden
ich	lag habe gelegen hatte gelegen	ging ... weg bin weggegangen war weggegangen	wurde begrüßt bin begrüßt worden war begrüßt worden
du			
er/sie/ es/man			
wir			
ihr			
sie/Sie			

Nach Übung 8 im Kursbuch

11. Fragen zur Kindheit. Welche Antwort passt nicht?

a) Erinnern Sie sich noch an Ihren ersten Schultag?
- A Ja, ich weiß noch ganz genau, wie aufgeregt ich damals war.
- B Nicht mehr genau, aber ich glaube, dass ich eine rote Schultüte hatte.
- C In der dritten Klasse haben wir einen Ausflug in den Zoo gemacht.

b) Welche Erinnerungen haben Sie an Ihre Großeltern?
- A Mit 12 Jahren war ich größer als meine Eltern.
- B Ich kannte nur meine beiden Großmütter, weil meine Großväter früh gestorben waren.
- C Meinen Opa habe ich sehr geliebt, weil er immer fröhlich war.

c) Hatten Sie als Kind viele Freunde?
- A Ja, aber erst nachdem ich in die Schule gekommen war.
- B Leider nicht, weil ich immer mit meinen Geschwistern spielen musste.
- C Ich war ein fröhliches Kind und habe viel gelacht.

d) Wohin sind Sie mit Ihren Eltern im Urlaub gefahren?
- A Meistens waren wir in Italien und da immer am gleichen Ort.
- B Zum Geburtstag hat mir meine Mutter immer einen Kuchen gebacken.
- C Weil mein Vater gerne wanderte, sind wir immer in die Berge gefahren.

e) Was haben Sie als Kind am liebsten gespielt?
- A Meistens waren wir auf der Straße und haben Fußball gespielt.
- B Ich habe es gehasst, wenn meine Mutter meine Haare gewaschen hat.
- C Die meiste Zeit habe ich mich mit meinen Puppen beschäftigt.

f) Sind Sie als Kind gerne in die Schule gegangen?
- A Ja, aber nur in den ersten Jahren.
- B Ich bin immer mit dem Fahrrad zur Schule gefahren.
- C Anfangs nicht, weil wir einen sehr strengen Lehrer hatten.

g) Können Sie sich noch an Ihre erste Lehrerin oder Ihren ersten Lehrer erinnern?
- A In Mathematik hatte ich immer gute Noten.
- B In der ersten Klasse hatte ich eine ziemlich alte Lehrerin, aber sie war sehr freundlich und hat jeden Tag mit uns gesungen.
- C Ich weiß nur noch, dass mein erster Lehrer immer einen Anzug mit Krawatte getragen hat.

12. Schreiben Sie auf, welche Erinnerungen Sie an Ihren ersten Schultag haben.

Diese Fragen können Ihnen helfen:

Hatten Sie Angst?
Waren Sie aufgeregt?
Haben Sie sich auf die Schule gefreut?
Wer ist an diesem Tag mitgekommen (Eltern, Großeltern, Geschwister ...)?
War es ein weiter Weg zur Schule?
Sind Sie zu Fuß gegangen oder gefahren?

Welche Kleidung haben Sie getragen?
Kannten Sie schon Kinder, die in Ihrer Klasse waren?
Wie war das Wetter an diesem Tag?
Wie fanden Sie Ihren Lehrer / Ihre Lehrerin?
Hatten Sie eine Schultüte?
Gab es in der Schule eine Feier?
Was haben Sie am Nachmittag gemacht?

13. Wie heißt das Gegenteil? Ergänzen Sie die Adjektive.

Nach Übung 9 im Kursbuch

a) Ist das Kleid modern? Nein, es ist *unmodern.*
b) Ist dein Chef _____________ ? Nein, er ist unsympathisch.
c) Bist du sportlich? Nein, ich bin leider ziemlich _____________ .
d) Sind Ihre Nachbarn _____________ ? Nein, sie sind immer sehr unfreundlich.
e) Ist der Tee gesüßt? Nein, er ist _____________ .
f) Waren die Kinder in der Kirche ruhig? Nein, sie waren leider _____________ .
g) Ist die Rechenaufgabe kompliziert? Nein, sie ist zum Glück ganz _____________ .
h) Ist der Film _____________ ? Nein, er ist völlig uninteressant.
i) Findest du diesen Koffer praktisch? Nein, ich glaube, dass er _____________ ist.
j) Warst du an deinem ersten Schultag glücklich? Nein, an diesem Tag war ich _____________ .
k) Ist die Verkäuferin höflich? Nein, sie ist meistens _____________ .
l) Warst du dir in der Prüfung bei allen Fragen sicher? Nein, bei manchen war ich _____________ .
m) Ist dieses Gemüse gesund? Gemüse ist doch nie _____________ .

14. Welches Adjektiv passt?

Nach Übung 9 im Kursbuch

arbeitslos ratlos ereignislos lustlos traumlos mühelos heimatlos humorlos ziellos erfolglos zahnlos gefühllos problemlos herzlos kraftlos elternlos schutzlos fleischlos ergebnislos fehlerlos wertlos

a) Sie hat keinen Fehler gemacht; ihre Arbeit war __________ .
b) Nachdem beide Eltern gestorben waren, war das Kind __________ .
c) Der alte Mann hat keine Zähne mehr; sein Mund ist __________ .
d) Wer keine Arbeit hat, ist _____________ .
e) Es gab kein Fleisch zu essen; die Mahlzeit war __________ .
f) Ein Mensch ohne Humor ist __________ .
g) Heute habe ich keine Kraft; ich fühle mich __________ .
h) In dieser Nacht hatte ich keinen Traum; mein Schlaf war __________ .

i) Als er seine Heimat verlassen musste, war er ___________ .
j) Diese Münzen haben keinen Wert mehr; sie sind _________ .
k) Sie hatte keine Lust zu arbeiten. Weil es aber sein musste, machte sie es _______ .
l) Die Konferenz endete ohne Ergebnis; die Gespräche waren ___________ .
m) Sie wussten keinen Rat; alle waren völlig _________ .
n) Wenn ein Mensch kein Herz und keine Gefühle hat, ist er ________ und _________ .
o) Er hatte kein Ziel, als er mit dem Auto durch die Stadt fuhr. Die Fahrt war _________ .
p) Es gab keine besonderen Ereignisse heute; der Tag war ___________ .
q) Es macht mir keine Mühe, einen Kuchen zu backen. Das geht wirklich __________ .
r) Leider hatten wir keinen Erfolg; wir waren __________ .
s) Ich hatte keine Probleme, mein Auto zu verkaufen. Das ging schnell und ___________ .
t) Sie fanden keinen Schutz vor dem Gewitter, deshalb mussten sie _________ weiterlaufen.

Nach Übung **9** im Kursbuch

15. Wie heißt das Gegenteil? Ordnen Sie.

mutig ~~kalt~~ richtig hässlich schwer fleißig verheiratet leise klein traurig schwach krank jung weich nervös lang trocken teuer dünn reich nah hell schmutzig sauer langweilig

a) warm : *kalt*
b) dick : __________
c) weit : __________
d) groß : __________
e) lustig : __________
f) spannend : __________
g) alt : __________
h) arm : __________
i) billig : __________
j) leicht : __________
k) stark : __________
l) ledig : __________
m) dunkel : __________
n) falsch : __________
o) ängstlich : __________
p) faul : __________
q) nass : __________
r) gesund : __________
s) hart : __________
t) hübsch : __________
u) kurz : __________
v) laut : __________
w) ruhig : __________
x) sauber : __________
y) süß : __________

Nach Übung **12** im Kursbuch

16. Welcher Satz hat eine ähnliche Bedeutung?

a) Unser Lehrer hatte seine Lieblinge.
[A] Unser Lehrer war zu bestimmten Schülern immer viel netter als zu anderen.
[B] Unser Lehrer liebte alle seine Schüler.

b) Für unseren Lehrer waren wir die Verlierer.
[A] In den Augen unseres Lehrers hatten wir keine Chance.
[B] Wir haben unseren Lehrer immer geärgert.

c) Viele Schüler konnten im Unterricht nicht mitkommen.
[A] Viele Schüler kamen morgens nicht zum Unterricht.
[B] Viele Schüler haben nicht verstanden, was im Unterricht verlangt wurde.

d) Für uns waren die Fünfer reserviert.
[A] In der Klasse mussten immer fünf Schüler an einem Tisch sitzen.
[B] Wir bekamen als Note immer eine Fünf.

e) Schwachen Schülern muss man Mut machen.
[A] Schülern mit schlechten Noten muss man Mut machen.
[B] Man muss Mut haben, um ein schlechter Schüler zu sein.

f) Schüler lernen nur unter Druck.
[A] Schüler sollten immer Spaß am Lernen haben.
[B] Man muss Schülern Angst machen, damit sie lernen.

17. Was passt? Ergänzen Sie die Wörter im Text.

Nach Übung 12 im Kursbuch

zuerst zehnten besten erster tatsächlich schlechtere bald damals

Den __________ Lehrer, den ich in meiner Schulzeit hatte, bekam ich in der __________ Klasse. __________ hatten viele meiner Mitschüler Probleme in Mathematik. Als Herr P. zu uns kam, war sein __________ Satz: „Bei mir gibt es keine __________ Note als Vier." Natürlich fanden wir das __________ sehr lustig, aber __________ merkten wir, dass Herr P. es ernst meinte. Am Ende des Schuljahres gab es __________ keine Fünfen und Sechsen im Zeugnis.

18. Aussagen über die Kursstatistik auf Seite 73 im Kursbuch. Sind sie richtig oder falsch?

Nach Übung 16 im Kursbuch

a) Der Kurs „Schulprobleme bei Kindern" wurde vor allem von Frauen im mittleren Alter besucht. R/F
b) An dem Computerkurs „Windows und WORD" nahmen viel mehr Männer als Frauen teil. R/F
c) Die meisten Kurse wurden für die Wochenenden angeboten. R/F
d) Am teuersten war der Kurs „Gitarre für Anfänger". R/F
e) An dem Kurs „Einführung ins Internet" hatten vor allem junge Männer Interesse. R/F
f) Der Kurs „Englisch für Kinder" fand immer dienstags statt und kostete € 56. R/F
g) Insgesamt gab es fünf Sprachkurse im Programm der Volkshochschule. R/F
h) Es wurden zwei Kochkurse angeboten, für die sich aber nur Frauen interessiert haben. R/F
i) Die beiden Spanischkurse hatten mehr weibliche als männliche Teilnehmer. R/F
j) Am besten von allen Angeboten war der Kurs „Step-Aerobic" besucht. R/F
k) An dem Englischkurs für Kinder nahmen mehr Jungen als Mädchen teil. R/F
l) Es gab vier Kurse, die schon vormittags begonnen haben. R/F
m) Keiner der Kurse endete später als 21.30 Uhr. R/F

Nach Übung **17** im Kursbuch

19. Schreiben Sie die Sätze anders, indem Sie mit dem Nebensatz beginnen.

a) Ich hätte nicht gedacht, dass so viele Leute Spanisch lernen wollen.
Dass so viele Leute Spanisch lernen wollen, hätte ich nicht gedacht.

b) Ich mache einen Sprachkurs, weil ich noch etwas lernen will.
Weil ______

c) Ich werde Französisch lernen, wenn meine Kinder größer sind.
______

d) Es ist nicht sicher, ob ich noch einen Platz im Kurs bekomme.
______

e) Italienisch macht mir viel Spaß, obwohl ich Probleme mit der Aussprache habe.
______

f) Meine Freundin lernt Deutsch, damit sie in Berlin studieren kann.
______

g) Ich habe mich sofort angemeldet, als ich das Programm der Volkshochschule bekam.
______

h) Ich besuche einen Kurs, während meine Kinder in der Schule sind.
______

Nach Übung **19** im Kursbuch

20. Wiederholen Sie Datum und Monatsnamen. Wann findet der Kurs statt?

a) 14. 1. *am vierzehnten Januar*
b) 16. 2. ______
c) 11. 3. ______
d) 29. 4. ______
e) 22. 5. ______
f) 30. 6. ______
g) 3. 7. ______
h) 1. 8. ______
i) 13. 9. ______
j) 7. 10. ______
k) 24. 11. ______
l) 17. 12. ______

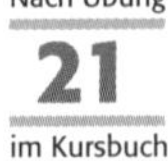

Nach Übung **21** im Kursbuch

21. Wiederholen Sie Fragewörter.

wer	wie	was	wo	wohin	woher	warum	wann

a) ______ beginnt der Deutschkurs? Um 17 Uhr.
b) ______ findet der Computerkurs statt? Im Schillergymnasium, erster Stock.
c) ______ kostet der Tanzkurs? Pro Stunde zehn Euro.
d) ______ muss man die Anmeldung schicken? An das Büro der Volkshochschule.
e) ______ leitet den Erste-Hilfe-Kurs? Herr Dr. Gütlich vom Roten Kreuz.
f) ______ gibt es keinen Kochkurs? Weil sich zu wenig Teilnehmer angemeldet haben.
g) ______ kommt man am schnellsten zur Volkshochschule? Mit dem Bus.
h) ______ kommt unsere neue Englischlehrerin? Aus London, glaube ich.

22. Wiederholen Sie Zahlen. Wie viel Euro sind das?

Nach Übung 22 im Kursbuch

a) € 12,35 *zwölf Euro und fünfunddreißig Cent*
b) € 93,14 ____________________
c) € 165,94 ____________________
d) € 333,10 ____________________
e) € 654,91 ____________________
f) € 745,23 ____________________
g) € 963, 78 ____________________
h) € 1324,50 ____________________
i) € 8678,98 ____________________

23. Wiederholen Sie die Uhrzeiten. Wie viel Uhr ist es?

Nach Übung 22 im Kursbuch

a) Es ist Viertel nach drei am Nachmittag. *15.15 Uhr*
b) Es ist drei Minuten vor Mitternacht. ________
c) Es ist halb neun am Morgen. ________
d) Es ist zwanzig nach zehn am Abend. ________
e) Es ist Viertel nach zwei in der Nacht. ________
f) Es ist fünf nach halb vier am Nachmittag. ________
g) Es ist zwanzig vor sieben am Morgen. ________
h) Es ist fünf vor sechs am Morgen. ________
i) Es ist Viertel vor sieben am Abend. ________

24. Wiederholen Sie die Wochentage.

Nach Übung 22 im Kursbuch

a) Was ist heute, wenn vorgestern Dienstag war? *Donnerstag*
b) Was ist morgen, wenn heute Sonntag ist? ____________
c) Heute ist Mittwoch. Welchen Tag haben wir übermorgen? ____________
d) Welcher Tag kommt vor Mittwoch? ____________
e) Welcher Tag liegt zwischen Samstag und Montag? ____________
f) Welcher Tag war gestern, wenn heute Donnerstag ist? ____________
g) Wie heißt der Tag, der auf einen Freitag folgt? ____________

LEKTION 7

Kernwortschatz

Verben

achten 82
beginnen *THA 2*, 29
bringen 88
erlauben *THA 2*, 120
erschrecken 79
erwarten *THA 2*, 126
festhalten 82
fühlen *THA 2*, 69
gehören 81
interessieren *THA 2*, 20
leiden *THA 2*, 61
lügen *THA 2*, 18
merken 82
pflegen *THA 2*, 54
streiten *THA 2*, 59
überraschen *THA 2*, 78
unterhalten *THA 2*, 61
verabreden *THA 2*, 118
versprechen *THA 2*, 31
verstehen *THA 2*, 82
versuchen *THA 2*, 501
weinen *THA 2*, 43
zahlen *THA 2*, 18
ziehen *THA 2*, 43

Nomen

r Anfang, ¨-e *THA 2*, 63
r/e Angestellte, -n *THA 2*, 17
r Anzug, ¨-e *THA 2*, 14
s Aussehen *THA 2*, 17
r Bart, ¨-e *THA 2*, 43
r Bruder, ¨- *THA 2*, 15
r Charakter, -e 80
r Eindruck, ¨-e 80
r Fall, ¨-e *THA 2*, 33
e Figur, -en 85
s Gesicht, -er *THA 2*, 10
s Glas, ¨-er *THA 2*, 81
s Haar, -e *THA 2*, 13
r Himmel, - *THA 2*, 41
r Humor *THA 2*, 61
r Hunger *THA 2*, 124
r Kontakt, -e *THA 2*, 31
r Krimi, -s *THA 2*, 35
e Laune, -n *THA 2*, 61
r Mitmensch, -en 81
r Moment, -e *THA 2*, 115
r Onkel, - *THA 2*, 71
r Pullover, - *THA 2*, 86
e Regel, -n *THA 2*, 91
e Rolle, -n *THA 2*, 124
e Stimme, -n *THA 2*, 101
e Tochter, ¨- *THA 2*, 16
r Typ, -en *THA 2*, 16
s Versprechen, - *THA 2*, 31
r Vorteil, -e *THA 2*, 28
e Wiederholung, -en *THA 2*, 36
r Witz, -e 86
s Ziel, -e *THA 2*, 101

Adjektive

ängstlich 79
ärgerlich *THA 2*, 66
blond *THA 2*, 7
böse 84
dumm *THA 2*, 8
faul 84
frech 84
fröhlich *THA 2*, 125
höflich *THA 2*, 61
humorvoll 84
intelligent *THA 2*, 8
klug *THA 2*, 12
langweilig *THA 2*, 8
mager 84
negativ *THA 2*, 30
ordentlich *THA 2*, 84
persönlich *THA 2*, 40
positiv *THA 2*, 93
pünktlich *THA 2*, 16
rund *THA 2*, 10
schlimm *THA 2*, 28
schmutzig *THA 2*, 24
sportlich *THA 2*, 11
sympathisch *THA 2*, 8
traurig *THA 2*, 7
unangenehm 86
unfreundlich *THA 2*, 60
unkompliziert 84
unsympathisch *THA 2*, 8
vernünftig 84
weiblich *THA 2*, 113
wütend 89
zuverlässig *THA 2*, 93

Adverbien

angenehm *THA 2*, 16
dauernd *THA 2*, 61
selten *THA 2*, 12

Funktionswörter

damit 87
um ... zu 87

Redemittel

Szenario: „um einen Gefallen bitten"

Könnten Sie ... ? 83
Seien Sie doch so nett und ... 83
Hättest du ... ? 83
Würde es Ihnen etwas ausmachen, wenn ...? 83
Na gut! 83

Ja (klar)! 83
Selbstverständlich! 83
Aber natürlich! 83
Schade! Da kann man nichts machen. 83
Darf ich Sie etwas fragen? 83
Ich habe eine Frage: ... 83

Das geht leider nicht! 83
Tut mir leid, ich kann nicht ... 83
Das ist wirklich sehr nett von Ihnen! 83
Das ist sehr freundlich von Ihnen! 83

Szenario: „Konsensfindung"

Ich finde, du solltest ... 85
Das ist keine gute Idee. 85
Nein, wirklich nicht. 85
Warum musstest du ...? 85

Das geht doch nicht! 85
Du weißt doch, dass ... 85
Das ist mir egal. 85
Meinetwegen. 85

Wie wäre es, wenn ...? 85
Super! Das ist ein guter Vorschlag! 85
Okay, das machen wir. 85

Kerngrammatik

Nomen aus Adjektiven: „-heit" und „-keit" (§ 3b)

-keit	ängstlich	die Ängstlich<u>keit</u>	-heit	gesund	die Gesund<u>heit</u>
	freundlich	die Freundlich<u>keit</u>		schön	die Schön<u>heit</u>
	traurig	die Traurig<u>keit</u>		interessiert	Interessiert<u>heit</u>

Imperativ (*THA 1*, § 26)

Machen Sie sich mehr Gedanken über andere.
Zieh dich anders an!
Seid aufmerksam!

Konjunktiv II: Höfliche Bitte/Aufforderung (§ 25, § 27d)

Könntest du mit dem Hund spazieren gehen?
Dürfte ich Sie etwas fragen?
Würde es Ihnen etwas ausmachen, mich vorzulassen?

Adjektive: attributiver Gebrauch (*THA 1*, § 20; *THA 2*, § 5)

Ich finde Frauen mit <u>langen</u> Haaren am schönsten.

Ein <u>guter</u> Charakter ist doch viel wichtiger!

Finalsätze: „um ... zu" und „damit" (§ 33; *THA 2*, § 31)

Wir sollen uns „klein" fühlen, <u>damit</u> er sich „groß" fühlen kann.
Er geht zur Toilette, <u>damit</u> er nicht bezahlen muss.

Das alles tue ich, <u>um</u> dich <u>zu</u> verstehen.
<u>Um</u> seine eigene Unsicherheit <u>zu</u> verstecken, legt er sich mit allen an.

Modalverben: Präsens (*THA 1*, § 25)

Wir <u>sollen</u> seine wahren Interessen nicht bemerken.
Er <u>muss</u> Witze erzählen.
Du <u>darfst</u> keinen Kaffee mehr trinken!

Genitiv (*THA 2*, § 4)

Er ist der Onkel <u>meines Nachbarn.</u>
Herbert ist der Name <u>ihres Mannes</u>.

LEKTION 7

Nach Übung 1 im Kursbuch

1. Was passt? Ergänzen Sie.

a) Plötzlich kam ein großer Hund um die Ecke. Er hat mir nichts getan, aber im ersten Moment war ich doch sehr (erschrocken / fröhlich / wütend) ________________ .
b) Mein Chef ist ein Mensch, der sich schnell ärgert. Wenn jemand einen Fehler macht, wird er immer gleich (traurig / arrogant / wütend) ________________ .
c) Meine kleine Schwester fürchtet sich sehr vor Gewittern. Im Sommer schaut sie jeden Tag (fröhlich / ängstlich / interessiert) ________________ zum Himmel.
d) Als mein Großvater starb, war ich so (aufgeregt / überrascht / traurig) ________________ , dass ich tagelang nicht essen wollte.
e) Ich freue mich immer, wenn ich meine Nachbarin treffe. Sie hat viel Humor und ist immer (fröhlich / egoistisch / pünktlich) ________________ .
f) Mit meinem Bruder kann ich mich nicht vernünftig unterhalten. Wir streiten uns ständig, weil er immer (meiner Meinung / anderer Meinung / ohne Worte) ________________ ist.
g) Dieser Mensch glaubt wohl, dass er der Schönste und Klügste auf der Welt sei. Jedenfalls ist er schrecklich (angenehm / arrogant / sympathisch) ________________ und redet nur schlecht über andere Leute.
h) Mit meiner Chefin habe ich wirklich Glück. Sie hat immer gute Laune und ist zu allen Mitarbeitern (freundlich / frech / friedlich) ________________ .

Nach Übung 1 im Kursbuch

2. Welches Adjektiv passt zu welcher Äußerung?

arrogant | freundlich | fröhlich | erschrocken | wütend | ängstlich | interessiert | traurig

a) „Nein, ich gehe jetzt nicht durch den Park. Das ist mir viel zu gefährlich am Abend."
b) „Mit diesen Leuten rede ich nicht. Die sind mir viel zu dumm!"
c) „Bitte erzählen Sie doch weiter; darüber möchte ich gerne noch mehr wissen."
d) „Huch, was machst du denn plötzlich hier? Ich habe gar nicht gehört, dass jemand gekommen ist."
e) „Bitte, mein Herr, nehmen Sie doch Platz. Ich bringe Ihnen gleich eine Tasse Kaffee."
f) „Meine Katze ist so krank, dass ihr auch der Tierarzt nicht mehr helfen kann. Ich weine schon seit Tagen."
g) „Geh sofort weg von hier! Ich will dich nie mehr sehen!"
h) „Ich habe gerade einen Witz gehört; der war total lustig. Warte, ich erzähle ihn dir ..."

Nach Übung 4 im Kursbuch

3. Was kann man auch sagen?

a) Ob ein Mensch schön ist, finde ich gar nicht wichtig.
[A] Schönheit ist für mich das Wichtigste bei einem Menschen.
[B] Es spielt für mich keine Rolle, ob ein Mensch gut aussieht.
[C] Es gibt nur wenige Menschen, die ich schön finde.

b) Für mich ist es weniger wichtig, ob ein Mensch humorvoll ist.
[A] Ob ein Mensch Humor hat, steht für mich nicht an erster Stelle.
[B] Ich finde es besonders wichtig, dass ein Mensch Humor hat.
[C] Wenn ein Mensch keinen Humor hat, finde ich ihn unsympathisch.

c) Am wichtigsten ist für mich, dass ein Mensch fröhlich ist.
[A] Ich bin immer fröhlich, wenn ich mit Menschen zusammen bin.
[B] Ich finde es langweilig, wenn jemand immer nur fröhlich ist.
[C] Fröhlichkeit ist für mich die wichtigste Eigenschaft bei einem Menschen.

d) Ich finde es schrecklich, wenn jemand arrogant ist.
[A] Arroganz ist eine nette Eigenschaft in meinen Augen.
[B] Arrogante Menschen kann ich überhaupt nicht leiden.
[C] Ein Mensch muss arrogant sein, damit er mir gefällt.

e) Der Charakter eines Menschen ist für mich genauso wichtig wie sein Aussehen.
[A] Für mich ist der Charakter eines Menschen viel wichtiger als sein Aussehen.
[B] Menschen mit einem guten Charakter sehen immer hübsch aus.
[C] Das Aussehen und der Charakter einer Person sind für mich gleich wichtig.

4. Zu jedem Nomen passt ein Adjektiv. Ergänzen Sie. Finden Sie dann eine Regel, wann das Nomen mit „heit" und wann mit „keit" am Ende gebildet wird.

Nach Übung 4 im Kursbuch

frech interessiert berühmt herzlich traurig klug faul ängstlich
~~ärgerlich~~ verrückt schön ehrlich dumm natürlich freundlich
fröhlich zufrieden schlank gesund höflich

a) die Ärgerlichkeit *ärgerlich*
b) die Ängstlichkeit __________
c) die Berühmtheit __________
d) die Dummheit __________
e) die Ehrlichkeit __________
f) die Faulheit __________
g) die Frechheit __________
h) die Freundlichkeit __________
i) die Fröhlichkeit __________
j) die Gesundheit __________
k) die Herzlichkeit __________
l) die Höflichkeit __________
m) die Interessiertheit __________
n) die Klugheit __________
o) die Natürlichkeit __________
p) die Schlankheit __________
q) die Schönheit __________
r) die Traurigkeit __________
s) die Verrücktheit __________
t) die Zufriedenheit __________

Nach Übung 6 im Kursbuch

5. In welchen Sätzen hat „halten" die gleiche Bedeutung?

a) Halt! Gehen Sie nicht weiter! (= Stopp!)
b) Ich kann meinen Koffer nicht mehr halten; er ist zu schwer. (= tragen, festhalten)
c) Was hältst du von diesem Politiker? (= denken, meinen)
d) Halten Sie das Bild für echt? (= glauben)
e) Der Zug hält hier nicht. (= anhalten, stoppen)
f) Er hat einen Vortrag gehalten. (= reden)
g) Die Milch hält nur ein paar Tage. (= frisch bleiben)
h) Wir müssen uns an die Vorschriften halten. (= beachten)

A Mein Chef wird morgen eine Rede halten.
B Der Bus hält in fünf Minuten.
C Was halten Sie von diesem Wein?
D Ein Versprechen soll man halten.
E Halt! Was machen Sie hier?
F Frischer Fisch hält nicht lange.
G Könnten Sie mal kurz mein Paket halten?
H Hältst du das Essen für gut?

Nach Übung 7 im Kursbuch

6. Schreiben Sie die Imperativsätze in die Du-Form und die Ihr-Form um.

a) Achten Sie genauer auf Ihre Mitmenschen.
Achte genauer auf deine Mitmenschen.
Achtet genauer auf eure Mitmenschen.
____

b) Zeigen Sie nicht jedem gleich Ihre Gefühle.
____
____
____

c) Machen Sie ein freundliches Gesicht.
____
____
____

d) Seien Sie immer natürlich.
____
____
____

e) Stellen Sie anderen Menschen keine persönlichen Fragen.
____
____
____

f) Finden Sie Ihren persönlichen Stil.
____
____
____

g) Lernen Sie aus Ihren Fehlern.
____
____
____

7. Achtung: unregelmäßige Imperativformen. Einige Verben mit dem Vokal „e" im Stamm bilden den Imperativ in der Du-Form mit „i".

Nach Übung 7 im Kursbuch

a) (essen) ________________ doch noch ein paar Kartoffeln!
b) (vergessen) ________________ deinen Termin heute nicht!
c) (geben) ________________ mir bitte mal die Butter!
d) (helfen) ________________ mir bitte, die Wohnung aufzuräumen!
e) (nehmen) ________________ dir ein Stück Kuchen, wenn du Hunger hast!
f) (versprechen) ________________ mir, dass du pünktlich nach Hause kommst!
g) (lesen) ________________ nicht mehr so lange; du sollst schlafen!
h) (sprechen) ________________ nicht mit vollem Mund!
i) (sehen) ________________ mal nach, wer gerade an der Tür geklingelt hat!
j) (treffen) ________________ deine Entscheidung erst, wenn du nachgedacht hast!

8. Welche Äußerung ist positiv, welche negativ? Ordnen Sie.

Nach Übung 9 im Kursbuch

positiv	***negativ***
Diese Person ...	Diese Person ...
gefällt mir.	*ist mir unsympathisch.*

... mag ich nicht.
... finde ich attraktiv.
... ist hübsch angezogen.
... macht einen netten Eindruck.
... hat bestimmt keinen guten Charakter.
... hat eine unangenehme Stimme.
... sieht süß aus.
... interessiert mich.
... möchte ich bestimmt nicht näher kennenlernen.
... hat wunderschöne Augen.
... ist bestimmt sehr arrogant.
... finde ich sehr sympathisch.
... ist irgendwie komisch.
... redet einfach zu viel.
... hat ein schönes Lachen.

9. Welche Äußerung ist weniger direkt und dadurch freundlicher?

Nach Übung 10 im Kursbuch

a) [A] Trink nicht so viel von dem Rotwein.
[B] Wenn du den Rotwein langsamer trinkst, kannst du ihn bestimmt mehr genießen.

b) [A] Dein Buch ist sicher spannend, aber ich kann mit Licht schlecht einschlafen.
[B] Mach das Licht aus, bitte. Ich will schlafen.

c) [A] Der Film nervt mich. Lass uns nach Hause gehen.
[B] Sicher gefällt dir der Film auch nicht. Wollen wir es uns nicht lieber zu Hause gemütlich machen?

d) [A] Ruf den Kellner, damit wir bezahlen können.
[B] Sicher kommt der Kellner gleich wieder. Wollen wir dann bezahlen?

e) [A] Unser Hund bräuchte noch einen kleinen Spaziergang. Hast du Lust, mit ihm noch ein bisschen zu laufen?
[B] Geh bitte mit dem Hund spazieren; er muss raus.

f) [A] Zieh den roten Pullover an; der ist schöner.
[B] Ich finde, dass dir der rote Pullover besser steht. Möchtest du den nicht lieber anziehen?

g) [A] Ich habe meine Brille vergessen. Könntest du mir deine bitte mal kurz geben, damit ich die Speisekarte besser lesen kann?
[B] Gib mir mal deine Brille; ich kann die Speisekarte nicht lesen.

Nach Übung 13 im Kursbuch

10. Jeweils ein Wort passt nicht. Welches?

a) Haare: lang, kurz, nervös, blond, rot, dunkel, gesund
b) Bart: grau, lang, kurz, gepflegt, traurig, schwarz
c) Brille: rund, groß, dunkel, chic, stark, vergesslich, praktisch, teuer
d) Charakter: natürlich, ehrlich, lieb, hübsch, gut, schlimm, schlecht, bescheiden
e) Augen: blau, braun, groß, schön, mager, müde, freundlich
f) Kleidung: chic, modern, klug, einfach, hässlich, praktisch, sportlich
g) Figur: grün, dick, dünn, schlank, weiblich, mager, gut, schlecht
h) Familienstand: verheiratet, verlobt, ledig, geschieden, intelligent
i) Hobbys: tanzen, Rad fahren, Fußball spielen, Wäsche waschen, schwimmen

Nach Übung 13 im Kursbuch

11. Adjektiv als Attribut. Wiederholen Sie.

a) (Haare / lang) Ich finde Frauen mit *langen Haaren* am schönsten.
b) (Bart / kurz) Mein Partner sollte einen ________________ tragen.
c) (Figur / schlank) Für mich ist eine ________________ sehr wichtig.
d) (Witze / dumm) Er sollte nie ________________ erzählen.
e) (Charakter / gut) Auf jeden Fall muss sie einen ________________ haben.
f) (Gesicht / hübsch) Mein Freund sollte ein ________________ haben.
g) (Ideen / verrückt) Ich möchte einen Freund, der ________________ hat.
h) (Mensch / langweilig) Es darf kein ________________ sein.
i) (Stimme / laut) Ich mag es nicht, wenn jemand eine ________________ hat.
j) (Brille / stark) Ich möchte keinen Partner mit einer ________________ haben.

Nach Übung 13 im Kursbuch

12. Beschreiben Sie einen Freund / eine Freundin. Was gefällt Ihnen an dieser Person besonders und was mögen Sie nicht so gern?

Mein Freund / meine Freundin ist sehr ... Das finde ich ... Manchmal ist sie / er aber auch ...

ist lustig
ist immer fröhlich
kann sehr gut kochen
hat die gleichen Hobbys wie ich
ist sehr freundlich
kann gut Klavier spielen
ist sehr ordentlich
kann gut Witze erzählen
isst sehr gern Schokolade

telefoniert nicht gern
redet immer sehr viel
kommt immer zu spät
ist oft nervös
arbeitet zu viel
geht immer sehr früh schlafen
tanzt nicht gern
interessiert sich nicht für Bücher

13. Welche Eigenschaft passt zu den Beschreibungen?

Nach Übung 14 im Kursbuch

kühl	bescheiden	vergesslich	zuverlässig	ehrlich	natürlich	unkompliziert	korrekt	egoistisch

a) Herr M. ist ein Mensch, der nur an sich selbst denkt. Er macht nur Dinge, die zu seinem Vorteil sind. Wie es seinen Mitmenschen geht, ist ihm völlig egal.
b) Frau P. legt keinen Wert auf Luxus und will auch nie im Mittelpunkt stehen. Sie ist immer mit einfachen Dingen zufrieden.
c) Auf meinen Freund Olaf kann ich mich immer verlassen. Wenn er etwas verspricht, dann macht er es auch. Und wenn wir verabredet sind, kommt er nie zu spät.
d) Ich habe eine Kollegin, zu der ich keinen persönlichen Kontakt bekommen kann. Sie ist zwar nicht unfreundlich, aber sie zeigt keine Gefühle.
e) Herr S. sagt immer, was er denkt. Man kann ihm vertrauen, weil er nie lügt.
f) Im Leben von Frau D. gibt es keine falschen Probleme. Sie nimmt das Leben immer positiv und macht sich keine unnötigen Gedanken.
g) Mein Bruder kann sich einfach nichts merken.
h) Herr A. kommt jeden Tag mit Anzug und Krawatte ins Büro. Seine Arbeiten und sein Verhalten sind immer so, wie man es erwartet.
i) Meine Freundin ist ein sportlicher Typ und schminkt sich nie. Sie ist einfach so, wie sie ist.

14. Welcher Satz hat die gleiche Bedeutung?

Nach Übung 17 im Kursbuch

a) Warum kannst du niemanden leiden?
A Warum magst du alle anderen Menschen nicht?
B Warum tut dir nie etwas leid?

b) Du könntest wirklich mehr auf deine Figur achten.
A Du müsstest dir mal wieder ein neues Kleid kaufen.
B Du solltest aufpassen, dass du nicht zu dick wirst.

c) Was machst du denn für ein Gesicht?
A Wie hast du dich denn heute geschminkt?
B Warum schaust du denn so ärgerlich?

d) Jetzt reicht es mir aber!
A Jetzt habe ich aber genug!
B Jetzt brauche ich nichts mehr.

e) Lass mich doch mal ausreden.
A Lass mich meine Sätze doch mal zu Ende sagen.
B Lass uns doch mal miteinander sprechen.

Nach Übung **17** im Kursbuch

15. Welche Sätze sind aggressiv/beleidigend (A)? Welche sind entschuldigend/liebevoll? (B)

a) Du gehst mir schrecklich auf die Nerven. [A]
b) Ich könnte ohne dich nicht leben. [ ]
c) Bitte verzeih mir, was ich gesagt habe. [ ]
d) Du bist dümmer, als die Polizei erlaubt. [ ]
e) Sei mir bitte nicht mehr böse. [ ]
f) Du redest doch immer nur Unsinn. [ ]
g) Ich frage mich wirklich, warum ich dich geheiratet habe. [ ]
h) Ich finde dich einfach lächerlich. [ ]
i) Ich liebe dich noch wie am Anfang. [ ]
j) Mit dir rede ich kein Wort mehr. [ ]
k) Du bist ein schrecklicher Egoist. [ ]
l) Es tut mir wirklich leid, dass wir gestritten haben. [ ]
m) Lass uns wieder gut miteinander sein. [ ]

Nach Übung **18** im Kursbuch

16. Welche Definition passt?

a) Ein „Geizkragen“ ist ein Mensch,
A der eigentlich für nichts Geld ausgeben möchte und deshalb immer versucht, alle Dinge umsonst oder möglichst billig zu bekommen.
B der anderen Menschen heimlich Geld stiehlt, weil er zu faul ist, sich eine Arbeit zu suchen.
C der immer sehr viel Geld ausgibt und allen Leuten Geschenke macht, weil man ihn für reich halten soll.

b) Ein „Scherzkeks“ ist eine Person,
A die einen wirklich schönen Humor hat und wunderbar Witze erzählen kann.
B der man immer alle Witze erklären muss, weil sie zu dumm ist, um sie zu verstehen.
C die ihren Mitmenschen dadurch auf die Nerven geht, dass sie ständig dumme Witze macht.

c) Ein „Schleimer“ ist jemand,
A der gar nicht auf sein Aussehen achtet, seine Haare selten wäscht und immer schmutzige Kleidung trägt.
B der seine Ziele zu erreichen versucht, indem er anderen Menschen ständig die schönsten, aber unehrliche Komplimente macht.
C der immer nur Komplimente hören will und keine Kritik verträgt.

d) Ein „Streithammel“ ist ein Mensch,
A der sehr ängstlich ist und deshalb mit allen Mitteln versucht, einem Streit mit seinen Mitmenschen aus dem Weg zu gehen.
B der sich nicht für die Meinung von anderen interessiert. Er will immer nur selbst reden und nie zuhören.
C der ständig mit anderen Menschen Streit anfängt. Im Gespräch widerspricht er jeder anderen Meinung, um seine Mitmenschen zu ärgern.

e) Ein „Snob" ist jemand,
[A] der sich selbst für klüger, wichtiger und besser als seine Mitmenschen hält. Seine typischste Eigenschaft ist Arroganz.
[B] der sich nur wohlfühlt, wenn er alleine ist. Seine einzigen und besten Freunde sind Bücher.
[C] der mit seinem Beruf verheiratet ist. Er arbeitet nur und kennt weder Freizeit noch Urlaub.

17. Welche Äußerungen sind positiv (+), welche negativ (–)?

Nach Übung 20 im Kursbuch

a) Es geht mir auf die Nerven, wenn jemand dauernd Witze erzählt. [–]
b) Ich bin ganz begeistert, wenn jemand lustige Witze erzählen kann. [+]
c) Ich finde es toll, wenn ein Mensch immer gute Laune hat. [ ]
d) Ich liebe es, wenn Leute zuhören können, anstatt dauernd selbst zu reden. [ ]
e) Ich kann es überhaupt nicht leiden, wenn mir jemand dauernd Komplimente macht. [ ]
f) Ich finde es sympathisch, wenn … [ ]
g) Es macht mich wütend, wenn … [ ]
h) Ich finde es schrecklich, wenn … [ ]
i) Es gefällt mir gut, wenn … [ ]
j) Ich hasse es, wenn … [ ]
k) Es ärgert mich immer, wenn … [ ]
l) Ich finde es sehr nett, wenn … [ ]

18. Verändern Sie den Satz, indem Sie „um … zu" verwenden.

Nach Übung 21 im Kursbuch

a) Er beginnt ein Gespräch, damit er sich streiten kann.
Er beginnt ein Gespräch, *um sich streiten zu können.*
b) Er geht zur Toilette, damit er nicht bezahlen muss.
Er geht zur Toilette, ______________________ .
c) Er macht Komplimente, damit er seine Ziele erreichen kann.
Er macht Komplimente, ______________________ .
d) Er ist arrogant, damit er sich wichtig fühlen kann.
Er ist arrogant, ______________________ .
e) Sie streitet mit ihren Eltern, damit sie ins Kino gehen darf.
Sie streitet mit ihren Eltern, ______________________ .
f) Der kleine Junge weint, damit er nicht ins Bett gehen muss.
Der kleine Junge weint, ______________________ .
g) Die Sekretärin arbeitet schneller, damit sie früher nach Hause fahren darf.
Die Sekretärin arbeitet schneller, ______________________ .
h) Er trinkt ein Glas Milch mit Honig, damit er besser schlafen kann.
Er trinkt ein Glas Milch mit Honig, ______________________ .

Nach Übung
21
im Kursbuch

19. Wiederholen Sie die Personalformen der Modalverben im Präsens.

	können	dürfen	sollen	müssen	wollen
ich	*kann*				
du					
er/sie/es/man					
wir					
ihr					
sie/Sie					

Nach Übung
21
im Kursbuch

20. Was ist richtig?

a) Ein Mann hat in einem Restaurant gegessen und bekommt die Rechnung. Da merkt er, dass er sein Geld zu Hause vergessen hat.
A Der Mann will nicht bezahlen.
B Der Mann darf nicht bezahlen.
C Der Mann kann nicht bezahlen.

b) Eine Frau geht wegen ihrer Magenschmerzen zum Arzt. Der Arzt rät ihr, keinen Kaffee mehr zu trinken.
A Die Frau kann keinen Kaffee mehr trinken.
B Die Frau soll keinen Kaffee mehr trinken.
C Die Frau muss keinen Kaffee mehr trinken.

c) Ein Angestellter möchte Urlaub nehmen. Das geht aber nicht, weil zu viele Kollegen krank sind.
A Der Angestellte muss auf seinen Urlaub verzichten.
B Der Angestellte will auf seinen Urlaub verzichten.
C Der Angestellte darf auf seinen Urlaub verzichten.

d) Im Fernsehen läuft ein spannender Krimi. Die sechsjährige Tochter möchte ihn anschauen, aber die Eltern erlauben es nicht.
A Das Mädchen will den Film nicht sehen.
B Das Mädchen muss den Film nicht sehen.
C Das Mädchen darf den Film nicht sehen.

e) Ein kleiner Junge bekommt von seiner Mutter einen Teller mit Suppe, aber er hat keinen Hunger.
A Der Junge will die Suppe nicht essen.
B Der Junge kann die Suppe nicht essen.
C Der Junge soll die Suppe nicht essen.

21. Schreiben Sie die Zahlen

Nach Übung 23 im Kursbuch

a) 4.878 km *viertausendachthundertachtundsiebzig Kilometer*
b) 6.167 km ______________________________
c) 9.975 km ______________________________
d) 12.335 km ______________________________
e) 36.217 km ______________________________
f) 57.863 km ______________________________
g) 98.351 km ______________________________
h) 122.972 km ______________________________
i) 444.865 km ______________________________
j) 725.991 km ______________________________

22. Wiederholung: Maß- und Zeiteinheiten. Ergänzen Sie.

Nach Übung 23 im Kursbuch

Zentimeter	Meter	Minuten	Gramm	Pfund	Tag	Monate

a) Ein Jahr hat zwölf __________ .
b) Eine Stunde hat 60 ___________ .
c) Ein Pfund sind 500 ___________ .
d) Ein Kilo sind zwei ________ .
e) Ein Kilometer sind tausend ________ .
f) 24 Stunden sind ein ________ .
g) Ein Meter hat hundert _____________ .

23. Wiederholung: Ergänzen Sie die Vorgaben im Genitiv.

Nach Übung 23 im Kursbuch

a) Er ist der Onkel (mein Mann) *meines Mannes.*
b) Das ist das Haus (unser Nachbar) _________________ .
c) Der Preis (das Auto) ___________ ist höher, als ich dachte.
d) Die Farbe (dein Kleid) _______________ ist sehr hübsch.
e) (Peter) _______ Witze sind nie zum Lachen.
f) Der Hund (Ihre Freundin) ________________ macht mir Angst.
g) Die Komplimente (mein Chef) ________________ gefallen mir nicht.
h) Wegen (das schlechte Wetter) ________________________________ bleiben wir heute zu Hause.
i) Er ist trotz (seine schlimme Erkältung) ________________________________ zur Arbeit gegangen.
j) Die Schwester (mein bester Freund) __________________________ heiratet morgen.

LEKTION 8

Kernwortschatz

Verben

anhängen 95
anprobieren 93
ärgern *THA 2*, 17
aussehen *THA 2*, 17
aussuchen *THA 2*, 27
bedeuten *THA 2*, 41
beschließen *THA 2*, 101
besitzen 95
bestehen 95
bewerben *THA 2*, 31
hängen *THA 2*, 62
hoffen *THA 2*, 63
kosten 88
planen *THA 2*, 89
riechen *THA 2*, 84
schlagen *THA 2*, 67
schließen *THA 2*, 104
stehen *THA 2*, 13
steigen *THA 2*, 95
stellen *THA 2*, 56
streiken *THA 2*, 98
umtauschen 93
verbrauchen *THA 2*, 49
verbringen 97
vorschlagen *THA 2*, 104
zählen *THA 2*, 122
zumachen *THA 2*, 86

Nomen

s Angebot, -e *THA 2*, 33
e Bedeutung, -en *THA 2*, 94
r Bleistift, -e *THA 2*, 89
e Bluse, -n *THA 2*, 7
e Briefmarke, -n *THA 2*, 89
r Briefumschlag, ¨-e *THA 2*, 99
e Dose, -n *THA 2*, 81
r Enkel, - *THA 2*, 59
e Fabrik, -en *THA 2*, 54
s Gas, -e *THA 2*, 54
e Gastfamilie, -n 97
s Geburtsdatum, -daten 100
s Gefühl, -e *THA 2*, 93
e Geldbörse, -n 96
s Geschäft, -e *THA 2*, 54
s Geschenk, -e 100
s Gesetz, -e *THA 2*, 68
s Gewitter, - *THA 2*, 75
e Gitarre, -n *THA 2*, 86
e Heimat, -en *THA 2*, 91
r Hof, ¨-e *THA 2*, 114
e Jacke, -n *THA 2*, 13
r Kassenzettel, - 93
e Konferenz, -en *THA 2*, 100
e Kundennummer, -n 100
r Kuss, ¨-e *THA 2*, 120
r Laden, ¨ *THA 2*, 44
e Landschaft, -en *THA 2*, 36
s Leder, - 93
e Liebe *THA 2*, 16
r Marktpreis, -e 99
e Meinung, -en *THA 2*, 13
s Netz, -e 99
r Ofen, ¨ *THA 2*, 114
e Panne, -n *THA 2*, 47
s Papier, -e *THA 2*, 81
r Pullover, - *THA 2*, 86
r Regen *THA 2*, 74
r Rock, ¨-e *THA 2*, 7
s Salz, -e *THA 2*, 89
r Sänger, - 84
r Schirm, -e *THA 2*, 86
r Schlüssel, - *THA 2*, 86
e Seife, -n *THA 2*, 86
s Sofa, -s *THA 2*, 69
e Sonnenbrille, -n 92
r Strumpf, ¨-e *THA 2*, 7
e Wiederholung, -en *THA 2*, 36
e Zahnpasta, -pasten *THA 2*, 86

Adjektive

bequem 100
durchschnittlich *THA 2*, 48
freundlich *THA 2*, 8
gelb *THA 2*, 11
jung *THA 2*, 8
kompliziert *THA 2*, 53
pünktlich *THA 2*, 16
regelmäßig *THA 2*, 43

Adverbien

allerdings *THA 2*, 105
hinten *THA 2*, 51
neulich 95
vorgestern 48

Redemittel

Szenario: „Dienstleistungsgespräche"

Guten Tag. Ich habe im Schaufenster ... gesehen. 93
Haben Sie auch ... ? 93
Ja, bitte, selbstverständlich. Hier bitte. 93
Möchten Sie ... mal anprobieren/ausprobieren? 93
Also, ich weiß nicht, das gefällt mir nicht so. 93
Das ist zu ... 93
Ja, was soll ... denn kosten? 93
Kann man das ... umtauschen? 93
Sicherlich. 93
Also gut, dann nehme ich ... 93
Das macht dann ... 93
Zahlen Sie bar? 93
Ich würde gerne mit Karte bezahlen. 93

Kerngrammatik

Komparation (*THA 1*, § 21)

jung – jünger – am jüngsten
gut – besser – am besten
viel – mehr – am meisten
gern – lieber – am liebsten

Wortbildung: zusammengesetzte Nomen (§ 1), nominalisierte Verben (§ 2)

die Drogerie + der Markt	der Drogeriemarkt
waschen + das Pulver	das Waschpulver
groß + die Stadt	die Großstadt
anrufen	der Anrufer / die Anruferin
singen	der Sänger / die Sängerin

Verben mit trennbarem Verbzusatz – Perfekt (§ 30)

Sie hat sich eine neue Jacke ausgesucht.
Wir sind in den Bus eingestiegen.

Generalisierende Relativpronomen: „wer" (§ 12b)

Wer sich heute etwas kaufen will, sollte die Preise vergleichen.
Wer einen Gegenstand zur Auktion ins Internet stellt, kann davon nicht so einfach zurücktreten.

„werden" bei Passiv und Futur (§ 24)

+ Mein Pullover muss mal wieder gewaschen werden! (*Passiv*)
– Also gut, morgen werde ich ihn in die Waschmaschine stecken! (*Futur: Versprechen*)

Mein altes Auto wird hoffentlich nächste Woche verkauft. (*Passiv*)
Morgen werde ich mein altes Auto verkaufen. (*Futur: Plan, Absicht*)

LEKTION 8

Nach Übung 1 im Kursbuch

1. Wiederholung zu Komparativ und Superlativ. Schreiben Sie.

a) Rote Autos gefallen mir gut.
Blaue Autos gefallen mir allerdings noch *besser* als rote.
Aber eigentlich finde ich nur weiße Autos wirklich schön. Die gefallen mir *am besten.*

b) Helle Jacken mag ich gern.
Dunkle Jacken mag ich aber noch gutter als helle.
Bunte Jacken mag ich allerdings an gutten.

c) Heute hat es ziemlich viel geregnet.
Gestern hat es allerdings noch vieler geregnet als heute.
Vorgestern war das Wetter ganz schrecklich. Da hat es an vielten. geregnet.

d) Den Stuhl finde ich schön.
Den Sessel finde ich aber noch schöner als den Stuhl.
Das Sofa ist fantastisch. Das finde ich an schönten.

e) Der Pullover ist dick.
Die Jacke ist etwas dickeer als der Pullover.
Damit ich nicht friere, ziehe ich aber den Mantel an. Er ist an dickten.

f) Der Möbelverkäufer war freundlich.
Der Schuhverkäufer war noch freundlicher als der Möbelverkäufer.
Der Autoverkäufer, der mir ein teures Auto verkaufen wollte, war aber an freundlichten.

Nach Übung 1 im Kursbuch

2. Ergänzen Sie die Adjektivformen im Komparativ oder im Superlativ. (Vergleichen Sie Themen aktuell 2, § 5, 6, 7)

a) Ich habe zwei (alt) *ältere* Brüder.
b) Frau Maier war die (nett) nettere Lehrerin, die ich in meiner Schulzeit hatte.
c) Alle meine Geschwister waren älter als ich. Ich war das (jung) jungere Kind bei uns zu Hause.
d) Meine Freundin hat die (schön) schönere Augen, die ich je gesehen habe.
e) Mein Kollege ärgert sich immer, weil ich einen (neu) neuere Computer habe als er.
f) Mein Chef ist 205 cm groß. Er ist der (groß) großere Mensch, den ich kenne.
g) Die Kirche ist fast immer das (hoch) hochere Gebäude in einem Dorf.
h) Süddeutschland hat ein (warm) warmere Klima als Norddeutschland.
i) Die Verkäuferin wollte mir den (teuer) teuerere Mantel verkaufen, der im Geschäft war.
j) Im Winter trägt man (dunkel) dunkelere Kleidung als im Sommer.
k) Der Film ist nicht schlecht, aber gestern habe ich im Kino einen (spannend) spannendere. gesehen.

Nach Übung 1 im Kursbuch

3. Ordnen Sie die Nomen.

Tee Brille Brot Kaffee Gitarre Marmelade Fahrrad Honig Waschpulver Kleid Apfel Käse Fernseher Radio Auto Lampe Ball Wecker Salz Mineralwasser Bier Blume Kartoffel Teppich Bluse Limonade Buch Gemüse Butter Ei Kühlschrank Tisch Zitrone Wurst Zwiebel Strumpf

der/ein	die/eine	das/ein
Tee	*Brille*	Brot
Kaffee	Gitarre	Fahrrad
Honig	Marmelade	Waschpulver
Apfel	Lampe	Kleid.
Käse	Blume.	Fernseher.
Radio	Kartoffel.	Auto
Ball.	Bluse	Salz.
Wecker	Limonade	Mineralwasser.
Teppich	Butter	Bier.
Kühlschrank	Zitrone.	Buch
Tisch	Wurst.	Gemüse
Strumpf	Zwiebel	Ei.

Nach Übung **2** im Kursbuch

4. Was kann man in einem Geschäft kaufen? Was nicht? (Wortschatzwiederholung)

einen Gedanken einen Ball ein Schnitzel ein Gefühl Angst einen Apfel eine Bitte Bauchschmerzen ein Getränk Appetit eine Landschaft eine Hose einen Kellner einen Berg ein Geschenk einen Bruder einen Dieb ein Ei ein Klavier eine Gitarre einen Kuss Möbel eine Lampe einen Ingenieur eine Hoffnung eine Birne Meinungen einen Enkel ein Gewitter einen Anzug eine Kamera einen Fernseher einen Hammer eine Illustrierte eine Puppe Fieber einen Fisch ein Gesetz einen Fluss eine Gabel eine Heimat einen Kühlschrank

kann man in einem Geschäft kaufen	kann man nicht in einem Geschäft kaufen
einen Ball	*einen Gedanken*
ein Schnitzel	ein Gefühl
einen Apfel	Angst
ein Getränk	eine Bitte
eine Hose	Bauchschmerzen.
ein Geschenk	Appetit
ein Ei	eine Landschaft
ein Klavier	einen Kellner
eine Gitarre	einen Berg
Möbel	einen Bruder
eine Lampe.	einen Dieb
eine Birne	einen Kuss
eine Kamera	einen Ingenieur
einen Fernseher	eine Hoffnung
einen Hammer	Meinungen
eine Puppe	einen Enkel
einen Fisch	ein Gewitter
eine Gabel	einen Anzug
eine Heimat	eine Illustrierte
einen Kühlschrank.	Fieber
	ein Gesetz
	einen Fluss

Nach Übung **4** im Kursbuch

5. Jeweils eine Sache kann man in den Geschäften nicht kaufen. Welche?

a) Bäckerei: Brot, Brötchen, Kuchen, Waschpulver, Torte
b) Metzgerei: Wurst, Schinken, Radio, Schnitzel, Würstchen, Fleisch
c) Gemüseladen: Gurke, Tomate, Kartoffel, Salat, Karotte, Zwiebel, Stiefel
d) Drogerie: Fisch, Seife, Shampoo, Zahnpasta, Waschpulver, Pflaster
e) Apotheke: Hustensaft, Kopfschmerztabletten, Verbandszeug, Uhr, Medikamente
f) Kleidergeschäft: Pullover, Hose, Pizza, Rock, Bluse, Jacke, Schal
g) Schreibwarenladen: Briefumschlag, Tee, Bleistift, Papier, Schreibheft, Kugelschreiber
h) Getränkemarkt: Saft, Limonade, Cola, Bier, Mineralwasser, Telefon
i) Supermarkt: Mehl, Salz, Penizillin, Kaffee, Käse, Joghurt, Reis, Nudeln, Milch
j) Möbelgeschäft: Schreibtisch, Couch, Zucker, Bett, Schrank, Spiegel

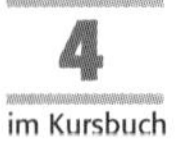

Nach Übung **4** im Kursbuch

6. Schreiben Sie.

a) ein Laden, in dem man Blumen kauft: *ein Blumenladen*
b) ein Professor, der Politik unterrichtet: ein Politikprofessor
c) eine Soße, die aus Tomaten gekocht wird: eine Tomatensoße.
d) ein Tisch, auf dem ein Computer steht: ein Computertisch.
e) ein Schlüssel, der zu einer Haustür passt: ein Haustürschlüssel
f) ein Berg, der aus Eis besteht: ein Eisberg
g) ein Salat, der aus Gurken gemacht wird: ein Gurkensalat.
h) eine Gruppe, die Musik macht: eine Musikgruppe
i) ein Fest, das man im Sommer feiert: ein Sommerfest
j) ein Platz, auf dem man Tennis spielt: ein Tennisplatz
k) eine Pflanze, die im Zimmer steht: eine Zimmerpflanze
l) ein Ofen, der mit Gas brennt: ein Gasofen
m) eine Suppe, in der viel Gemüse ist: eine Gemüsesuppe.
n) ein Händler, der Gemüse verkauft: ein Gemüsehändler.

Nach Übung **4** im Kursbuch

7. Was ist richtig?

a) Eine Kaffeetasse ist
[A] eine Tasse, aus der man Kaffee trinkt. ✓
[B] ein Kaffee, den man aus einer Tasse trinkt.

b) Eine Gastfamilie ist
[A] eine Familie, bei der man zu Gast ist. ✓
[B] ein Gast, der eine Familie besucht.

c) Ein Parkplatz ist
[A] ein Park, der viel Platz hat.
[B] ein Platz, auf dem man sein Auto parken kann. ✓

d) Ein Gemüsehändler ist
[A] ein Gemüse, das es nur beim Händler gibt.
[B] ein Händler, der Gemüse verkauft. ✓

e) Eine Lesebrille ist
A eine Brille, die man zum Lesen aufsetzt. ✓
B ein Leser, der eine Brille braucht.

f) Ein Möbelhaus ist
A ein Möbel, das in allen Häusern steht.
B ein Haus, in dem Möbel verkauft werden. ✓

g) Ein Familienfoto ist
A ein Foto, auf dem eine Familie zu sehen ist. ✓
B eine Familie, die gerne fotografiert.

8. Nominalisierte Verben. Ergänzen Sie. (Achtung: Nicht alle Formen sind regelmäßig.)

Nach Übung 5 im Kursbuch

a) anrufen: der Anrufer / die Anruferin
b) benutzen: der Benutzer / die Benuzerin
c) beraten: der Berater / die Beraterin
d) besitzen: der Besitzer / die Besitzerin
e) erfinden: der Erfinder / die Erfinderin
f) erzählen: der Erzähler / die Erzählerin
g) fahren: der Fahrer / die Fahrerin
h) gewinnen: der Gewinner / die Gewinnerin
i) handeln: der Händler / die Händlerin
j) herstellen: der Hersteller / die Herstellerin
k) kaufen: der Käufer / die Käuferin
l) laufen: der Läufer / die Läuferin
m) leiten: der Leiter / die Leiterin
n) lesen: der Leser / die Leserin
o) malen: der Maler / die Malerin
p) planen: der Planer / die Planerin
q) rauchen: der Raucher / die Raucherin
r) singen: der Sänger / die Sängerin
s) spielen: der Spieler / die Spielerin
t) sprechen: der Sprecher / die Sprecherin
u) verbrauchen: der Verbraucher / die Verbraucherin
v) verlieren: der Verlierer / die Verliererin
w) Verkaufen: der Verkäufer / die Verkäuferin
x) zeichnen: der Zeichner / die Zeichnerin
y) zuhören: der Zuhörer / die Zuhörerin
z) zuschauen: der Zuschauer / die Zuschauerin

9. Wo? Ergänzen Sie die Ortsangaben.

Nach Übung 6 im Kursbuch

auf der Post — beim Bäcker — im Möbelgeschäft — an der Universität — auf dem Hof — bei einem Fahrradhändler — auf der Bank — an einem Kiosk — in einer Apotheke — auf dem Bahnhof — bei einem Popkonzert

a) Gestern war ich auf der Post, um Briefmarken zu kaufen.
b) Die Kinder spielen draußen auf dem Hof.
c) Gerade war ich auf der Bank, um eine Rechnung zu bezahlen.
d) Brot kaufe ich immer beim Bäcker und nie im Supermarkt.
e) Ein Fahrrad würde ich nur bei einem Fahrradhändler kaufen, weil man da den besten Service hat.
f) Nach dem Abitur will er an der Universität studieren.
g) Die Geschäfte haben alle schon geschlossen, aber wir können noch etwas im Möbelgeschäft einkaufen.

h) Medikamente kann man nur __________ bekommen.
i) Letzte Woche habe ich __________ einen alten Freund getroffen, als ich gerade mit dem Zug nach Hannover fahren wollte.
j) Ich werde mir das Bett kaufen, das ich neulich __________ gesehen habe.
k) Meinen Freund habe ich __________ kennengelernt, als die Musiker gerade eine Pause machten.

Nach Übung 7 im Kursbuch

10. Was passt zusammen?

a) Gibt es das Kleid eine Nummer größer?
b) Könnte ich die Schuhe umtauschen, wenn sie meinem Mann nicht passen?
c) Haben Sie die Hose auch in einer helleren Farbe?
d) Kann man den Pullover in der Maschine waschen?
e) Was kostet diese Bluse?
f) Wo kann ich den Rock anprobieren?
g) Meinen Sie nicht, dass der Rock für mich zu kurz ist?
h) Kann die Lederjacke Regen vertragen?

A 65 Euro, glaube ich. Ach nein, 69.
B Ja, das ist kein Problem. Sie bekommt keine Flecken davon.
C Nein, warum denn? Sie haben doch schöne Beine.
D Ja, natürlich, aber bringen Sie den Kassenzettel mit.
E Ja, ich habe es auch noch in Größe 42 da.
F Nein, besser mit der Hand und nur in kaltem Wasser.
G Ja, die gibt es auch in Weiß und in Gelb.
H Hier hinter der roten Tür; da ist frei.

Nach Übung 7 im Kursbuch

11. Welche Äußerungen eines Kunden sind positiv (p)? Welche negativ (n)?

a) Die Hose passt mir nicht. ( )
b) Die Bluse ist mir viel zu weit. ( )
c) Die Äpfel sehen herrlich aus. ( )
d) Dieser Teddybär sieht ja süß aus. ( )
e) Diesen Fotoapparat finde ich viel zu kompliziert. ( )
f) Die Tomaten sind mir zu teuer. ( )
g) Der Pullover ist sehr bequem. ( )
h) Das Kleid gefällt mir nicht. ( )
i) Nach diesem Kleid habe ich schon lange gesucht. ( )
j) Dieser Koffer ist wirklich sehr praktisch. ( )
k) Ich bezahle doch keine 100 Euro für eine Sonnenbrille. ( )
l) Fantastisch, wie diese Blumen riechen. ( )
m) Der Mantel steht mir nicht. ( )
n) Der Salat ist ja wunderbar frisch. ( )
o) Ich finde diesen Preis sehr günstig. ( )

12. Trennbare und untrennbare Verben. Unterstreichen Sie alle trennbaren Verben.

Nach Übung 13 im Kursbuch

verkaufen bekommen aussuchen entscheiden entdecken anhängen abfahren bewerben anfangen erzählen aufhören vergessen aufwachen entlassen einkaufen einsteigen unterrichten erfinden fernsehen verdienen festhalten verbessern nachdenken umdrehen verlieren übernehmen vorschlagen zumachen erklären zuschauen

13. Perfekt bei trennbaren und untrennbaren Verben: Ergänzen Sie „ge" oder „ – ".

Nach Übung 12 im Kursbuch

a) er hat ver___kauft
b) er hat aus___sucht
c) er hat ver___loren
d) er hat vor___schlagen
e) er ist ein___stiegen
f) er hat ein___kauft
g) er hat unter___richtet
h) er hat er___funden
i) er hat er___zählt
j) er ist ab___fahren
k) er hat fest___halten
l) er hat ver___gessen
m) er ist auf___wacht
n) er hat ver___dient
o) er hat an___fangen
p) er hat zu___schaut
q) er hat ent___deckt
r) er hat be___kommen
s) er hat nach___dacht
t) er hat auf___hört
u) er hat fern___sehen
v) er hat er___klärt
w) er hat zu___macht
x) er hat ver___bessert
y) er hat ent___schieden
z) er hat an___hängt

14. Verben mit Vorsilbe „be". Was passt? Achten Sie auch auf die richtige Personalform.

Nach Übung 13 im Kursbuch

a) suchen / besuchen
A Morgen ______________ ich meine Tante und bringe ihr einen Blumenstrauß mit.
B Ich ______________ schon seit zwei Stunden meine Autoschlüssel.

b) arbeiten / bearbeiten
A Morgen muss ich den ganzen Tag im Büro ______________ .
B Das Leder wird in der Fabrik ______________ , bevor daraus Jacken gemacht werden.

c) finden/befinden
A Der Chef ______________ sich gerade in einer Konferenz.
B Ich kann meine Brille nicht ______________ .

d) kommen / bekommen
A Sie ______________ jeden Tag einen Brief von ihrem Freund.
B Heute Abend ______________ ein guter Film im Fernsehen.

e) sitzen / besitzen
A Im Kino ______________ ich am liebsten ganz hinten.
B Meine Kollegin ______________ ein Ferienhaus in Spanien.

f) schließen / beschließen
A Die Arbeiter ______________ heute, ob sie streiken wollen.
B Bevor ich aus dem Haus gehe, ______________ ich immer alle Fenster.

g) halten/behalten
[A] Könntest du bitte mal kurz meine Tasche haltest ?
[B] Kann ich dein Buch noch eine Woche behalte ?

?

h) stellen/bestellen
[A] Im Restaurant bestelle ich mir meistens eine Suppe vor dem Essen.
[B] Wir müssen noch die Milch in den Kühlschrank stellen .

i) achten/beachten
[A] Wir müssen darauf achten , dass die Kinder immer ihre Zähne putzen.
[B] Das ist eine gefährliche Kreuzung; da muss man genau die Vorfahrt beachtet .

Nach Übung 13 im Kursbuch

15. Das gleiche Verb mit verschiedenen Vorsilben. Ergänzen Sie.

mitmachen	zumachen	ausmachen	nachmachen	aufmachen	anmachen

a) Sag den Kindern, dass sie den Fernseher ausmachen sollen, bevor sie ins Bett gehen.
b) Heute Nachmittag gehen wir Fußball spielen. Frag doch mal deinen Bruder, ob er nicht mitmachen will.
c) Die Sportlehrerin zeigt den Kindern Übungen, die sie später nachmachen sollen.
d) Ich habe Holz geholt, damit wir im Ofen ein Feuer anmachen können.
e) Es ist viel zu warm hier im Zimmer; lass uns mal alle Fenster aufmachen .
f) Wir müssen immer schnell die Haustür zumachen, weil sonst die Katze unserer Nachbarn hereinkommt.

Nach Übung 16 im Kursbuch

16. Vier E-Mails. Wie passen die Teile zusammen? Schreiben Sie.

A Sehr geehrter Herr Meier,
B Liebe Claudia,
C Hallo, süßer Schatz,
D Liebe Freunde,

B – hast Du Lust, am Samstag mit mir in die Stadt zu gehen?
A – vielen Dank für Ihr Angebot. Leider liegt der genannte Preis über meinen Vorstellungen.
D – wie geht es euch? Ich habe schon lange nichts mehr von euch gehört.
C – ich denke Tag und Nacht an Dich, weil ich Dich so sehr liebe.

C – Ich zähle die Stunden, bis wir uns am Wochenende wiedersehen.
B – Ich möchte mir einen neuen Pullover kaufen, und Du brauchst doch bestimmt auch etwas.
A – Schreibt mir doch mal wieder eine E-Mail.
D – Ich hoffe, Sie können mir hier noch etwas entgegenkommen.

C – Tausend Küsse von Deinem Teddybär
B – Gib mir schnell Antwort. Gruß, Deine Lisa
D – Es grüßt euch herzlich euer Thomas
A – Mit freundlichen Grüßen Ihr Joachim Freulich

17. Schreiben Sie eine E-Mail an eine Person, die Sie im Urlaub kennengelernt haben.

Nach Übung 16 im Kursbuch

Lieber (Liebe) ....,
ich bin jetzt seit einer Woche wieder zu Hause ....

Sie können schreiben:
- wie Ihre Heimreise war
- welche Probleme Sie hatten (Panne mit dem Auto, Koffer im falschen Flugzeug, ...)
- was Sie zu Hause zuerst gemacht haben (gleich ins Bett gegangen, mit Freunden telefoniert, Wäsche gewaschen, alle Blumen gegossen, Einkäufe gemacht, ...)
- was Sie heute gemacht haben (gearbeitet, gelernt, Sport, ...)
- wie es Ihnen geht (gut, erkältet, Kopfschmerzen, ...)
- wo Sie Ihren nächsten Urlaub verbringen wollen
- dass Sie sich freuen würden, wenn er/sie Sie mal anrufen (besuchen, ...) würde
- wie Ihre Urlaubsfotos geworden sind
- dass Sie ihm/ihr bald ein paar Bilder schicken

18. Schreiben Sie.

Nach Übung 17 im Kursbuch

a) Sehen Sie den Schirm und die Jacke?
Ich sehe einen Schirm, aber ich finde keine Jacke.

b) Sehen Sie den Ball und den Fernseher?
Ich sehe einen Ball, aber ich finde keinen ... Fernseher.

c) Sehen Sie die Spritze und die Taschenlampe?
Ich sehe eine ... Spritze, aber ich finde keine Taschenlampe.

d) Sehen Sie den Koffer und die Handtasche?
Ich sehe einen Koffer, aber ich finde keine Handtasche.

e) Sehen Sie das Kissen und den Wecker?
Ich sehe ein Kissen, aber ich ~~sehe~~ finde keinen Wecker.

f) Sehen Sie die Uhr und die Schere?
Ich sehe eine Uhr, aber ich ~~sehe~~ finde keine Schere.

g) Sehen Sie die Geldbörse und das Telefon?
Ich sehe eine Geldbörse, aber ich finde keine Telefon.

h) Sehen Sie den Teppich und die Haarbürste?
Ich sehe eine Teppisch, aber ich finde keine Haarbürste.

i) Sehen Sie den Hammer und das Buch?
Ich sehe einen Hammer, aber ich finde kein Buch.

j) Sehen Sie das Fahrrad und das Besteck?
Ich sehe ein Fahrrad, aber ich ~~sehe~~ finde kein Besteck.

k) Sehen Sie das Radio und die Bluse?
Ich sehe ein Radio, aber ich finde keine Bluse.

l) Sehen Sie das Handy und die Gitarre?
Ich sehe ein Handy, aber ich finde keine Gitarre.

m) Sehen Sie die Dose und die Flasche?
Ich sehe eine Dose, aber ich finde keine Flasche.

n) Sehen Sie die Halskette und das Foto?
Ich sehe eine Halskette, aber ich finde kein Foto.

LEKTION 8

Nach Übung **20** im Kursbuch

19. Welcher Satz hat die gleiche Bedeutung?

a) Er bewahrte Ruhe.
[A] Er wurde nicht nervös, sondern blieb ganz ruhig. ✓
[B] Er ruhte sich nach der Arbeit aus.

b) Die Verwirrung ist perfekt.
[A] Jeder findet die Lösung ideal.
[B] Niemand versteht, was das zu bedeuten hat. ✓

c) Der normale Preis war das Dreifache.
[A] Der durchschnittliche Handelspreis war dreimal so hoch. ✓
[B] Für die Ware wurden drei Preise genannt.

d) Er fiel aus allen Wolken.
[A] Er war völlig überrascht.
[B] Er hat endlich eine Lösung für sein Problem gefunden. ✓

e) Das hätte er sich nicht träumen lassen.
[A] Das hätte er nicht für möglich gehalten. ✓
[B] Nachts träumt er immer schlecht.

f) Das ist weit unter Marktpreis.
[A] Das ist viel weniger als der normale Preis. ✓
[B] Auf dem Gemüsemarkt ist das viel billiger.

Nach Übung **20** im Kursbuch

20. Schreiben Sie die Sätze anders. Beginnen Sie mit „wer". *habt

a) Jemand will sich einen Computer kaufen. Er sollte die Preise vergleichen.
Wer sich einen Computer kaufen will, sollte die Preise vergleichen.

b) Jemand möchte eine Ware billiger haben. Er sollte sich informieren.
Wer sich eine Ware billiger haben mögen, sollte sich informieren.

c) Jemand hat Probleme mit der Gesundheit. Er sollte zu einem Arzt gehen.
Wer sich mit der Gesundheit ein Problem*, sollte zu einem Arzt gehen.

d) Jemand ist auf der Suche nach einem neuen Auto. Er sollte mal ins Internet schauen.
Wer sich

e) Jemand bekommt eine E-Mail von einer Person, die er nicht kennt. Er sollte vorsichtig sein.

f) Jemand hat oft Kopfschmerzen, wenn er am Computer sitzt. Er sollte oft Pausen machen und an die frische Luft gehen.

Nach Übung **23** im Kursbuch

21. Was passt zusammen?

a) Guten Tag, was kann ich für Sie tun? E
b) Können Sie mir bitte Ihre Kundennummer sagen? B

A Nein, aber meine Tochter ist da.
B Ja, natürlich. Das ist die 319 13864

c) Ihr Geburtsdatum? F
d) Wohnen Sie in der Blumenstraße 12 in Stuttgart? H
e) Ist das Kleid zu klein oder zu groß? G
f) Soll ich Ihnen das Kleid in Größe 40 zuschicken? C
g) Das Paket wird übermorgen geliefert. Sind Sie da morgens zu Hause? A
h) Haben Sie noch weitere Wünsche? D

C Ein Kleid, das heute geliefert wurde, passt mir leider nicht.
D Nein, danke, das ist alles.
E Ja, das wäre nett.
F 17. 12. 1975.
G Es ist zu klein. Ich brauche eine Nummer größer.
H Ja, das ist meine Adresse.

22. Wann sind die Personen geboren? Schreiben Sie.

Nach Übung **23** im Kursbuch

a) 30. 7. 1985 *am dreißigsten siebten neunzehnhundertfünfundachtzig*
b) 4. 2. 1977 *am vierten zweiten neunzehnhundertsiebenundsiebzig*
c) 16. 11. 1968 am sechszehnten elften neunzehnhundertachtundsechszig
d) 12. 4. 1975 am zwölften vierten neunzehnhundertfünfundsiebzig
e) 27. 9. 1983 am siebenundzwanzigten neunten neunzehnhundertdreiundachtzig
f) 9. 12. 1970 am neunten zwölften neunzehnhundertzwanzig
g) 19. 1. 1964 am neunzehnten einten neunzehnhundertvierundsechszig
h) 13. 8. 1979 am dreizehnten achten neunzehnhundertneunundsiebzig
i) 24. 12. 1960 am vierundzwanzigten zwölften neunzehnhundertsechszig
j) 7. 3. 1981 am siebten dreiten neunzehnhunderteinundachtzig
k) 17. 5. 1972 am siebenundzwanzigten fünften neunzehnhundertzweiundsiebzig

23. Vergleichen Sie die Sätze. Welcher steht im Passiv (P), welcher im Futur (F)? (Vergleichen Sie § 24 Zertifikatsband.)

Nach Übung **23** im Kursbuch

a) Ein Pullover muss mit dem richtigen Waschmittel gewaschen werden. [P]
Morgen werde ich meinen Pullover mit dem richtigen Waschmittel waschen. [F]
b) Alle Waren werden pünktlich geliefert. [P]
Unser Geschäft wird alle Waren pünktlich liefern. [F]
c) Wir werden Ihnen eine Rechnung schicken. [P]
Die Rechnung wird Ihnen zugeschickt. [F]
d) Ich werde morgen einen Kuchen backen. [P]
Der Kuchen wird eine Stunde bei 170 Grad gebacken. [F]
e) Wir werden jeden Tag von unseren Nachbarn besucht. [P]
Nächste Woche werden wir unsere Nachbarn besuchen. [F]
f) Der Präsident wird eine Rede zum Thema Weltfrieden halten. [F]
Die Rede zum Thema Weltfrieden wurde vom Präsidenten gehalten. [P]
g) Die Opposition wird die nächsten Wahlen bestimmt gewinnen. [F]
Die Wahlen werden sicher von der Opposition gewonnen. [P]
h) Morgen werde ich mein altes Auto verkaufen. [P]
Mein altes Auto wird vom Händler verkauft. [F]

LEKTION 9

Kernwortschatz

Verben

annehmen *THA 2*, 101
ärgern *THA 2*, 17
benutzen *THA 2*, 42
bleiben *THA 2*, 42
einstellen *THA 2*, 51
entwickeln *THA 2*, 82
finden 107
gehören 111
leisten *THA 2*, 55
melden 105
organisieren *THA 2*, 119
pflegen *THA 2*, 54
planen *THA 2*, 89
retten *THA 2*, 89
schmecken *THA 2*, 84
setzen *THA 2*, 65
sparen *THA 2*, 62
stecken *THA 2*, 16
töten *THA 2*, 64
überraschen *THA 2*, 78
überweisen 103
unterhalten *THA 2*, 61
verabreden *THA 2*, 118
verbinden 108
vermuten 109
verteilen 103
vorbereiten *THA 2*, 54
vorstellen *THA 2*, 9
wünschen *THA 2*, 51
zählen *THA 2*, 122
zurückrufen 110

Nomen

e Anleitung, -en 108
r Anrufbeantworter, - 104
e Ansage, -n 101
r Arbeitgeber, - *THA 2*, 17
s Attest, -e 105
e Aufgabe, -n *THA 2*, 32
r Auftrag, ¨-e *THA 2*, 51
r Augenblick, -e *THA 2*, 24
e Bedienung, -en *THA 2*, 91
s Blatt, ¨-er *THA 2*, 89
r Briefträger, - 103
r Briefumschlag, ¨-e *THA 2*, 99
r Bürgermeister, - *THA 2*, 106
r Drucker, - 103
r Erfolg, -e *THA 2*, 54
s Ergebnis, -se *THA 2*, 16
r Ernst *THA 2*, 91
s Fax, -e 103
s Formular, -e 103
e Gefahr, -en *THA 2*, 38
s Gerät, -e *THA 2*, 57
s Handy, -s 103
s Hotelzimmer, - 103
s Internet 107
e Internetseite, -n 108
e Konferenz, -en *THA 2*, 100
r Kopierer, - 103
r Lautsprecher, - *THA 2*, 44
e Maus, ¨-e 103
r Moment, -e *THA 2*, 115
e Nachricht, -en *THA 2*, 35
r Ofen, ¨ *THA 2*, 114
e Ordnung, -en *THA 2*, 44
s Papier, -e *THA 2*, 81
e Papiere (Plural) 103
e Quittung, -en 103
e Reaktion, -en *THA 2*, 81
r Schreibtisch, -e 103
e Sorge, -n *THA 2*, 12
e Suche 108
e Tastatur, -en 103
s Telefongespräch, -e 114
e Verabredung, -en 104
s Wetter *THA 2*, 36
e Zukunft *THA 2*, 24

Adjektive

dringend *THA 2*, 31
einsam *THA 2*, 118
erreichbar 108
geschickt 104
klug *THA 2*, 12
kompliziert *THA 2*, 53
neugierig *THA 2*, 61
nützlich 107
persönlich *THA 2*, 40
schlimm *THA 2*, 28
schwierig *THA 2*, 36

Adverbien

ab und zu 104
häufig 104
manchmal 104
nämlich *THA 2*, 46
nie 104
oft 104
samstags *THA 2*, 33
selten 104
unterwegs 116

Funktionswörter

denn 107
weil 107

Redemittel

Szenario: „Diskussion"

Ich bin sicher, ... 109
Ich glaube nicht, dass ... 109
Ich kann mir vorstellen, dass ... 106
Das ist schon richtig, aber ... 107
Ich bin eigentlich anderer Meinung. 107
Es ist doch klar, dass ... 106
Das ist doch Unsinn! 107
Ich nehme an, dass ... 106
Das ist richtig. / Das stimmt. 107
Es wundert mich, dass ... 106
Ich frage mich wirklich, ob ... 109
Das hätte ich nicht erwartet. 106

Kerngrammatik

Gründe: „weil", „denn", „deshalb" (§ 33c)

Computer sind nützlich, weil sie das Leben erleichtern.
Wir brauchen Computer, denn sie erleichtern das Leben.
Computer erleichtern das Leben. Deshalb sind sie nützlich. / Sie sind deshalb nützlich.

Konjunktionen: „dass" und „ob" (§ 33a)

Ich glaube, dass die Meldung über Horntal wahr ist.
Ich kann mir nicht vorstellen, dass Hunde Handys bekommen sollen.

Ich weiß nicht, ob ich Urlaub in Horntal machen möchte.
Ich frage mich, ob der Papst tatsächlich eine eigene Internetseite hat.

Wortbildung: Nomen aus Verben (§ 2b)

-ung	landen	die Landung
	retten	die Rettung
	erfinden	die Erfindung

LEKTION 9

Nach Übung **1** im Kursbuch

1. Wie heißen die Nomen?

a) das H_ndy
b) das F_xg_rät
c) das R_di_
d) der B_ldsch_rm
e) die M_us
f) das M_dem
g) der Dr_cker
h) die T_stat_r
i) der C_mp_ter
j) der Lautspr_cher
k) der K_gelschre_ber
l) der _rdner

Nach Übung **1** im Kursbuch

2. Was ist das?

a) ________: Ein Telefon, das man in die Tasche stecken und mitnehmen kann.
b) ________: Hat Ähnlichkeit mit einem Fernseher. Man sieht darauf, was man auf dem Computer gerade schreibt.
c) ________: Teil des Computers, das man ähnlich wie eine Schreibmaschine benutzt.
d) ________: Dieses Gerät braucht man bei einer Stereoanlage, damit man etwas hört.
e) ________: Ein kleines Teil, das einen Tiernamen hat und die Bedienung eines Computers erleichtert.
f) ________: Ein kleines Gerät, das die Verbindung des Computers zum Internet möglich macht.
g) ________: Indem man ein Blatt Papier einlegt und eine Nummer wählt, kann man damit Texte und Zeichnungen sekundenschnell in die ganze Welt verschicken.
h) ________: Damit bringt man das, was man mit dem Computer geschrieben hat, auf Papier.

Nach Übung **2** im Kursbuch

3. Jeweils ein Nomen passt nicht. Welches?

a) schreiben: einen Brief, ein Gedicht, einen Text, ein Modem, ein Fax
b) ordnen: Papiere, Hefte, Post, Fotos, Licht, Formulare
c) planen: einen Termin, einen Kugelschreiber, ein Treffen, eine Konferenz
d) verschicken: eine E-Mail, ein Fax, eine SMS, einen Flug, ein Paket
e) erledigen: die Post, eine Arbeit, ein Getränk, eine Aufgabe, einen Auftrag
f) buchen: einen Flug, ein Buch, ein Hotelzimmer, eine Reise, eine Bahnfahrt
g) einschalten: einen Computer, einen Drucker, einen Schreibtisch, ein Radio, ein Faxgerät
h) aufräumen: ein Büro, einen Schreibtisch, ein Zimmer, ein Telefongespräch

Nach Übung **2** im Kursbuch

4. Jeweils ein Verb passt nicht. Welches?

a) einen Mitarbeiter: entlassen, einstellen, loben, verteilen, kritisieren
b) am Computer: arbeiten, spielen, klettern, schreiben, sitzen, rechnen
c) die Post: erledigen, abschicken, ordnen, erfinden, lesen, bearbeiten, holen
d) das Faxgerät: einschalten, ausschalten, benutzen, bedienen, rasieren
e) eine Arbeit: erledigen, organisieren, überweisen, machen, ablehnen, leisten
f) eine Konferenz: planen, vorbereiten, organisieren, leiten, besitzen
g) eine Auskunft: besuchen, geben, notieren, erfragen, brauchen
h) Geld: überweisen, abheben, zählen, bezahlen, korrigieren, ausgeben

5. Alles Unsinn. Notieren Sie die passenden Verben.

Nach Übung 2 im Kursbuch

abgehoben	gelesen	gebucht	notiert	~~geschrieben~~	~~gehört~~	~~gegeben~~	~~bedient~~

a) Heute habe ich beim Frühstück Radio gelesen.
b) Nach dem Mittagessen habe ich eine Stunde meine Zeitung gehört.
c) Ich habe mich heute in den Garten gesetzt und meiner Tante in den USA einen langen Brief aufgeräumt.
d) Weil ich Geld brauchte, bin ich zur Bank gegangen und habe welches von meinem Konto bedient.
e) Mein Briefträger hat mir heute Morgen ein Paket gebracht, und ich habe ihm dafür eine Quittung eingeschaltet.
f) Der neue Kopierer in unserem Büro ist ziemlich kompliziert. Als ich ihn zum ersten Mal notiert habe, musste ich einen Kollegen zu Hilfe holen.
g) Gestern habe ich auf einem Zettel schnell eine Telefonnummer gebucht, aber ich finde ihn nicht mehr.
h) Mein Chef muss nächste Woche nach New York fliegen. Deshalb habe ich heute für ihn einen Flug eingestellt.

a) *gehört*	b) ______	c) *geschreiben.*	d) *bedient ?*
e) ______	f) ______	g) *gegeben ??*	h) ______

6. Was stimmt nicht?

Nach Übung 3 im Kursbuch

a) Mit einem Faxgerät kann man
[A] einem Freund in wenigen Sekunden schicken, was man gerade geschrieben hat.
[B] hören, wie das Wetter in den nächsten Tagen sein wird.
[C] nur den Menschen eine Nachricht schicken, die auch ein Faxgerät haben. ✓

b) Mit einem Handy
[A] kann man Briefe kopieren.
[B] kann man auch dann angerufen werden, wenn man unterwegs ist.
[C] darf man nicht telefonieren, wenn man in einem Flugzeug sitzt. ✓

c) Eine E-Mail ist eine Nachricht,
[A] die man auf seinem Computer liest.
[B] die man nur bekommen kann, wenn man an das Netz angeschlossen ist.
[C] die man in einen Briefumschlag steckt und mit der Post verschickt.

d) Eine SMS
[A] ist eine kurze Textnachricht, die man per Handy verschickt. ✓
[B] ist eine Nachricht am Telefon, die von einer Computerstimme gesprochen wird.
[C] wird auch dann von einem Handy angenommen, wenn es ausgeschaltet ist.

LEKTION 9

Nach Übung **3** im Kursbuch

7. Wo ist die Abfolge von „immer" bis „nie" richtig?

a) immer – fast immer – oft – manchmal – selten – nie ✓
b) immer – oft – manchmal – fast immer – selten – nie
c) immer – selten – oft – manchmal – fast immer – nie
d) immer – manchmal – oft – fast immer – selten – nie

Nach Übung **3** im Kursbuch

8. Ergänzen Sie.

~~nie~~	~~ab und zu~~	~~oft~~	~~täglich~~	~~fast nie~~

a) Ich telefoniere jeden Tag mit meiner Mutter.
Ich rufe meine Mutter ab und zu an.
b) Ich habe noch niemals eine SMS verschickt.
Eine SMS habe ich noch täglich an jemanden geschickt.
c) Es passiert häufig, dass ich ein Fax bekomme.
Ich bekomme nie ein Fax.
d) Mein Handy benutze ich nur manchmal.
Mit meinem Handy telefoniere ich nur oft .
e) Es kommt selten vor, dass ich einen Brief schreibe.
Briefe schreibe ich fast nie.

Nach Übung **6** im Kursbuch

9. Was ist richtig? (Nur jeweils eine Antwort stimmt.)

a) Welchen Fehler hat Monika aus Dresden gemacht?
A Sie hat vergessen, die Briefe an ihre Freundinnen abzuschicken.
B Sie hat falsche Adressen auf die Briefumschläge geschrieben.
C Sie hat aus Versehen die Briefe verwechselt.
D Sie hat nur einer Freundin geantwortet und die andere vergessen.

b) Welchen Fehler hat Franz aus Augsburg gemacht?
A Er hat eine sehr persönliche Mail aus Versehen an die falsche Adresse geschickt.
B Er hat seiner Kollegin eine Mail geschickt, über die sie sich geärgert hat.
C Er sollte seinem Chef eine Mail schicken und hat es vergessen.
D Er hat die Mail nicht gelesen, die ihm ein Kollege geschickt hat.

c) Welchen Fehler hat Wolfgang aus Essen gemacht?
A Er hatte eine falsche Nummer gewählt und am Anfang nicht gemerkt, dass er mit einer fremden Person sprach.
B Er glaubte mit seiner Freundin zu telefonieren, aber es war ihre Schwester, mit der er sich die ganze Zeit unterhielt.
C Er hat nicht gemerkt, dass die Anruferin, mit der er längere Zeit telefonierte, ihn für einen Mitbewohner hielt.
D Er sollte für seinen Mitbewohner mehrere Anrufe erledigen und hat dabei die Telefonnummern verwechselt.

d) Welcher Fehler hat der Bekannte von Sarah aus Hamburg gemacht?
[A] Er hat seiner Freundin aus Versehen ein ärztliches Attest geschickt.
[B] Er hat versehentlich für seinen Chef einen Flug auf die Seychellen gebucht.
[C] Er hat vergessen, seinem Arbeitgeber eine Krankmeldung zu schicken.
[D] Er hat seinem Arbeitgeber aus Versehen ein Fax geschickt, das für seine Freundin bestimmt war.

10. Welche Reaktion auf die Äußerungen passt nicht?

Nach Übung 14 im Kursbuch

a) „Computer helfen den Menschen Zeit zu sparen."
[A] Das ist völlig richtig.
[B] Da bin ich nicht sicher, ob das stimmt.
[C] Das schmeckt aber wirklich nicht.

b) „Irgendwann werden Computer die Welt beherrschen."
[A] Diese Gefahr sehe ich auch.
[B] Davon halte ich nichts.
[C] Das kann ich mir nicht vorstellen.

c) „Der Computer ist die schrecklichste Erfindung unserer Zeit."
[A] Das ist eine gute Idee.
[B] Das ist doch Unsinn.
[C] Genau. Das ist auch meine Meinung.

d) „Ich kann mir mein Leben ohne Computer gar nicht mehr vorstellen."
[A] Genauso geht es mir auch.
[B] Das ist eine schwierige Frage.
[C] Das finde ich aber schlimm.

e) „Kinder sollten Bücher lesen, anstatt vor dem Computer zu sitzen."
[A] Das macht mich nervös.
[B] Das ist auch meine Einstellung.
[C] Das sehe ich genauso.

11. „Denn" und „weil". Ergänzen Sie den fehlenden Teilsatz.

Nach Übung 14 im Kursbuch

a) Computer sind nützlich,
– *denn sie machen die Büroarbeit leichter.*
– *weil sie die Büroarbeit leichter machen.*

b) Jedes Kind sollte einen Computer haben,
– denn es braucht das Wissen für die Zukunft.
– ______________________________

c) Das Internet ist eine tolle Erfindung,
– denn man hat Kontakt zur ganzen Welt.
– ______________________________

d) Man sollte nicht jeden Tag am Computer sitzen,
– ____
– weil das für die Augen nicht gesund ist.

e) Das Internet ist gut für einsame Menschen,
– ____
– weil sie damit neue Freunde finden können.

f) Alte Leute mögen meistens keine Computer,
– denn sie haben Probleme mit der neuen Technik.
– ____

g) Man sollte den Computer nicht so wichtig nehmen,
– ____
– weil es viel interessantere Dinge im Leben gibt.

Nach Übung 17 im Kursbuch

12. Zu den Texten auf Seite 108 im Kursbuch. Nur ein Satz passt. Welcher?

a) zu Text 1
[A] Nachdem sich der Pilot während des Flugs erschossen hatte, musste ein Passagier das Flugzeug landen.
[B] Nachdem ein Luftpirat alle Passagiere getötet hatte, zwang er den Piloten, das Flugzeug zu landen.
[C] Nachdem ein Luftpirat beide Piloten erschossen hatte, gelang es einem Passagier, das Flugzeug zu landen.

b) zu Text 2
[A] Weil sich niemand für die Internetadresse des Papstes interessierte, gab der Vatikan das neue Computerprojekt wieder auf.
[B] Der Vatikan musste die Internetseite des Papstes schließen, weil ihm zu viele Menschen eine E-Mail schicken wollten.
[C] Der Papst wollte seine E-Mails nicht lesen, weil er kein Freund der modernen Technik ist und lieber Gespräche führt.

c) zu Text 3
[A] Weil in Horntal Handys nicht funktionieren, kommen keine Touristen mehr in die kleine Gemeinde.
[B] Der Horntaler Bürgermeister wirbt erfolgreich damit, dass in seiner Gemeinde kein Urlauber durch Handys gestört werden kann.
[C] In Horntal dürfen keine Handys benutzt werden, weil das den Bürgermeister in seiner Ruhe stört.

d) zu Text 4
[A] Um die Suche nach verschwundenen Hunden und Katzen zu erleichtern, wird zurzeit in Japan ein Handy für Tiere entwickelt.
[B] Weil sich viele Hunde und Katzen ein Handy wünschen, arbeiten jetzt zwei japanische Firmen an seiner Entwicklung.
[C] In Japan werden zurzeit Hunde und Katzen darauf trainiert, Handys wiederzufinden, die jemand verloren hat.

e) zu Text 5
[A] In Creppesheim dürfen Gefangene jeden Donnerstag eine E-Mail an ihre Familie oder an Freunde schreiben.
[B] Strafgefangene in Rheinland-Pfalz müssen 100 Stunden pro Woche an Computern arbeiten, damit sie Kontakt zu ihren Familien halten können.
[C] In einer Justizvollzugsanstalt in Rheinland-Pfalz dürfen Gefangene per Internet ständig Kontakt zu ihrer Familie und zu Freunden pflegen.

13. Welcher Satz hat die gleiche Bedeutung?

Nach Übung 17 im Kursbuch

a) Die Gefangenen können rund um die Uhr das Internet benutzen.
[A] Die Gefangenen können 24 Stunden am Tag ins Internet gehen.
[B] Die Gefangenen können zu bestimmten Uhrzeiten das Internet nutzen.

b) Handys sind in Flugzeugen tabu.
[A] Handys gehen in Flugzeugen kaputt.
[B] In Flugzeugen sind Handys verboten.

c) Das kann fatale Folgen haben.
[A] Da kann etwas Schlimmes passieren.
[B] Da kommt man zu einem guten Ergebnis.

d) Die Experten zeigen sich optimistisch.
[A] Die Experten machen sich große Sorgen.
[B] Die Experten sehen die Sache positiv.

e) Die Menschen sollen sich an ihren Pfarrer wenden.
[A] Die Menschen sollen zu ihrem Pfarrer gehen.
[B] Die Menschen sollen sich einen anderen Pfarrer suchen.

f) Man will sie in die Lage versetzen, soziale Kontakte zu pflegen.
[A] Man will es ihnen verbieten, dass sie miteinander sprechen.
[B] Man will ihnen die Möglichkeit geben, Kontakt mit anderen Menschen zu halten.

Nach Übung **17** im Kursbuch

14. Was passt? Ergänzen Sie.

a) Natürlich kann man nicht sicher sein, (wenn / weil / ob) __________ sich für die Tier-Handys Käufer finden lassen.
b) Die Gefangenen können einen Computer benutzen, (obwohl / ob / wenn) __________ sie Kontakt zu ihrer Familie haben möchten.
c) Der Passagier konnte das Flugzeug landen, (weil / wenn / ob) __________ er eine Anleitung über Handy bekam.
d) Es kommen viele Touristen nach Horntal, (bevor / obwohl / wenn) __________ man dort keine Handys benutzen kann.
e) Passagiere konnten den Luftpiraten überwältigen, (ob / nachdem / wenn) __________ er die beiden Piloten erschossen hatte.
f) Man kann sein Handy ruhig zu Hause lassen, (wenn/ob/dass) __________ man nach Horntal fährt.

Nach Übung **18** im Kursbuch

15. Schreiben Sie passende Nebensätze mit „ob".

a) Machst du Urlaub in Horntal?
Ich weiß noch nicht, *ob ich Urlaub in Horntal mache.*
b) Wird es auch Handys für Pferde geben?
Ich habe keine Ahnung, ______________________________ .
c) Gibt es genug Computer für alle Gefangenen?
Ich bin nicht sicher, ______________________________ .
d) Könntest du im Notfall ein Flugzeug landen?
Ich weiß wirklich nicht, ______________________________ .
e) Sollte man im Urlaub auf sein Handy verzichten?
Das ist wirklich eine gute Frage, ______________________________ .
f) Ist die Entwicklung von Tier-Handys eine gute Idee?
Ich frage mich wirklich, ______________________________ .

Nach Übung **18** im Kursbuch

16. Schreiben Sie passende Nebensätze mit „dass".

a) Mögen Hunde ein Handy am Halsband?
Ich glaube nicht, *dass Hunde ein Handy am Halsband mögen.*
b) Freuen sich die Gefangenen über ihre Kontaktmöglichkeiten?
Ich glaube schon, ______________________________ .
c) Sind die Luftpiraten ins Gefängnis gekommen?
Ich bin sicher, ______________________________ .
d) Hat sich der Papst über die vielen E-Mails gefreut?
Ich denke schon, ______________________________ .
e) Ist der Bürgermeister von Horntal ein kluger Mann?
Ich bin ganz sicher, ______________________________ .
f) Hatten die Passagiere bei der Landung große Angst?
Ich vermute schon, ______________________________ .

17. Was passt? Ergänzen Sie „dass" oder „ob".

Nach Übung 18 im Kursbuch

a) Ich habe keine Ahnung, _____ die Geschichten wirklich passiert sind.
b) Ich kann nicht glauben, _____ ein normaler Passagier die Landung geschafft hat.
c) Das ist doch Unsinn, _____ Hunde Handys bekommen sollen.
d) Ich bin sicher, _____ der Text über das indische Flugzeug erfunden ist.
e) Ich frage mich, _____ jemand wirklich ein Handy für seinen Hund kaufen würde.
f) Man kann nie wissen, _____ eine verrückte Idee zum Erfolg wird oder nicht.
g) Ich glaube nicht, _____ es die Gemeinde Horntal überhaupt gibt.
h) Ich kann mir nicht vorstellen, _____ Gefangene rund um die Uhr am Computer sitzen dürfen.
i) Es würde mich wirklich interessieren, _____ die Geschichte vom Vatikan stimmt.
j) Ich möchte wissen, _____ der Papst wirklich eine Internetseite hat.

18. Verben, aus deren Stamm man ein Nomen mit der Endung „ung" bilden kann (land/en; Landung). Ergänzen Sie Verbformen und Nomen.

Nach Übung 19 im Kursbuch

Ordnung	Entwicklung	Rettung	Überraschung	Störung	Heizung
~~Landung~~	Meinung	Buchung	Wohnung	Erfindung	Verbindung

a) landen: Das Flugzeug ist *gelandet*________ .
Die *Landung*________ war problemlos.
b) entwickeln: In Japan werden Handys für Hunde ________________ .
Manche Leute finden diese ________________ verrückt.
c) stören: Wir möchten nicht ________________ werden.
Wir möchten bitte keine ________________ .
d) heizen: Dieser Ofen ________________ sehr gut.
Im Winter braucht man eine ________________ .
e) erfinden: Von wem wurde das Handy ________________ ?
Das Handy ist eine tolle ________________ .
f) meinen: Wie haben Sie das ________________ ?
Dazu habe ich keine ________________ .
g) ordnen: Die Sekretärin hat alle Briefe ________________ .
Auf dem Schreibtisch muss mal wieder ________________ gemacht werden.
h) buchen: Der Angestellte hat eine Reise nach Mallorca ________________ .
Er ist wegen der ________________ ins Reisebüro gegangen.
i) retten: Alle Passagiere konnten ________________ werden.
Die ________________ der Unfallopfer dauerte nur wenige Minuten.
j) überraschen: Er hat seine Freundin mit einer Reise ________________ .
Sie hat sich sehr über die ________________ gefreut.
k) wohnen: Ich habe zwei Jahre in Berlin ________________ .
Die ________________ war klein und teuer.
l) verbinden: Ich glaube, Sie sind falsch ________________ .
Ich kann Sie kaum verstehen, weil die ________________ so schlecht ist.

Nach Übung **21** im Kursbuch

19. Ansagen auf Anrufbeantwortern. Welche sind geschäftlich (g)? Welche sind privat (p)?

a) Hallo, liebe Freunde. Ich bin nicht zu Hause. Ihr könnt mir aber trotzdem erzählen, wer ihr seid und was ihr wollt. Ich bin nämlich neugierig. ☐
b) Guten Tag. Sie hören den Anrufbeantworter der Gaststätte Akropolis. Wir haben vom 7. bis zum 15. Januar geschlossen. Danach freuen wir uns wieder über Ihren Besuch. ☐
c) Herzlich willkommen im Hotel Krause. Sie sind mit unserem Anrufbeantworter verbunden, denn zurzeit ist keine Leitung frei. Bitte haben Sie einen Augenblick Geduld. Sie werden gleich verbunden. ☐
d) Hier ist der Anrufbeantworter von Sabine, Klaus und Petra Meier. Bitte nennen Sie nach dem Signalton Ihren Namen und Ihre Telefonnummer. Wir rufen Sie bald zurück. ☐
e) Sie haben die Buchhandlung Lesespaß angerufen. Im Moment haben wir geschlossen. Unsere Geschäftszeiten sind Montag bis Freitag von 10 Uhr bis 18 Uhr und samstags von 9 bis 14 Uhr. Vielen Dank für Ihren Anruf. ☐

Nach Übung **22** im Kursbuch

20. Texte auf dem Anrufbeantworter. Ordnen Sie zu.

a) Wer will eine Verabredung absagen?
b) Wer hat Langeweile?
c) Wer hat sich verwählt?
d) Wer will sich verabreden?
e) Wer hat ein Problem?
f) Wer bittet dringend um einen Rückruf?

A Hallo! Ich bin es, dein Freund Ernst. Hast du morgen Zeit? Ich möchte mit dir ins Kino gehen. Es gibt einen tollen Film. Bitte melde dich!
B Hier ist Ute. Ich kann morgen nicht mit dir Tennis spielen. Tut mir wirklich leid, aber ich muss länger im Büro bleiben. Ich rufe dich wieder an, damit wir einen neuen Termin machen können.
C Wer ist da? Oh, das ist ein Anrufbeantworter... Ich wollte mit Frau Küpker sprechen. Aber da bin ich wohl falsch. Entschuldigen Sie bitte.
D Hallo, hier ist Petra. Ich muss unbedingt mit dir reden. Bitte ruf mich sofort an, wenn du nach Hause kommst. Es ist wichtig.
E Hallo? Bist du's? Ach nein, das ist ja nur dein Anrufbeantworter. Hier ist Manfred. Ich brauche deine Hilfe, weil mein Computer mal wieder verrückte Sachen macht. Bitte komm zu mir, sobald du kannst. Ich bin zu Hause.
F Ich bin's, Kurt. Schade, dass du nicht zu Hause bist. Es gibt nichts Wichtiges, aber ich hätte gern ein bisschen mit dir geredet. Ich bin heute Abend alleine und weiß nicht richtig, was ich machen soll. Na ja, vielleicht fällt mir noch was ein.

21. Welcher Satz hat die gleiche Bedeutung?

Nach Übung 23 im Kursbuch

a) Ich bin ab heute Abend erreichbar.
A Heute Abend kann man mich wieder anrufen.
B Am Abend funktioniert mein Telefon wieder.

b) Rufe mich so bald wie möglich an.
A Lass dir Zeit mit deinem nächsten Anruf.
B Rufe mich an, so schnell es geht.

c) Sie können mich unter meiner Handy-Nummer erreichen.
A Wenn Sie mit mir sprechen wollen, können Sie auf meinem Handy anrufen.
B Bitte rufen Sie nie auf meinem Handy an.

d) Würden Sie mich bitte zurückrufen?
A Bitte geben Sie mir mein Telefon zurück.
B Es wäre nett, wenn Sie sich telefonisch bei mir melden.

e) Ich rufe später noch mal an.
A Ich telefoniere am liebsten spät am Abend.
B Ich probiere es in ein paar Stunden noch einmal.

Kernwortschatz

Verben

abnehmen *THA 2*, 60
achten 126
ändern *THA 2*, 19
ansprechen 119
ärgern *THA 2*, 17
benutzen *THA 2*, 42
bleiben *THA 2*, 42
erfahren 119
erwarten *THA 2*, 126
fühlen *THA 2*, 69
leisten *THA 2*, 55
öffnen *THA 2*, 54
reden *THA 2*, 20
schaffen *THA 2*, 29
verbringen *THA 2*, 66
verpassen 119
verreisen *THA 2*, 106
vorbereiten *THA 2*, 54
ziehen *THA 2*, 43

Nomen

s Abitur *THA 2*, 26
r Anzug, ¨-e *THA 2*, 14
e Bedeutung, -en *THA 2*, 94
e Eisenbahn, -en 116
e Erde 123
e Erfahrung, -en *THA 2*, 29
e Ferien (Plural) 121
e Fremdsprache, -n *THA 2*, 91
s Hemd, -en *THA 2*, 7
s Hotelzimmer, - 118
r Job, -s *THA 2*, 17
r Kollege, -n *THA 2*, 12
e Konferenz, -en *THA 2*, 100
r Kontakt, -e *THA 2*, 31
r Kuss *THA 2*, 120
e Ordnung, -en *THA 2*, 44
r Plan, ¨-e *THA 2*, 93
r Punkt, -e *THA 2*, 16
s Raumschiff, -e 116
r Schlüssel, - *THA 2*, 86
e Straßenbahn, -en *THA 2*, 98
e Strecke, -n *THA 2*, 81
s Verkehrsmittel, - *THA 2*, 57
s Wetter *THA 2*, 36
r Zug, ¨-e *THA 2*, 52

Adjektive

bequem 120
braun *THA 2*, 10
höflich *THA 2*, 61
hübsch *THA 2*, 7
offen *THA 2*, 16
schmutzig *THA 2*, 24
toll *THA 2*, 24
warm 124

Adverbien

möglich *THA 2*, 44
normalerweise *THA 2*, 88
unterwegs 116

Funktionswörter

als *THA 2*, 9
wegen 120
weil 120
um ... zu 120

Redemittel

Szenario: „sich beschweren"

Kann ich Ihnen helfen? 118
Ja, es gibt da ein Problem: ... 118
Ich finde, das geht nicht. 118
Bitte tun Sie etwas dagegen. 118
Darf ich Sie bitten, mir zu helfen? 118
Unternehmen Sie sofort etwas! 118
Das tut mir schrecklich leid. 118
Wir werden sofort etwas unternehmen. 118
Ich verstehe, dass Sie verärgert sind. 118
Wir tun, was wir können! 118
Leider kann ich da gar nichts machen. 118
Könnten Sie denn nicht wenigstens ... 118
Gut, in Ordnung. 118

Kerngrammatik

Futur I: Vermutungen über die Zukunft (§ 21)

Touristen werden zum Mond fliegen.
Ein Baby wird im Weltraum zur „Welt" kommen.

Funktionen von „werden" (§ 24)

Hauptverb: Veränderung
Entwicklung: Heute werden die Menschen älter als früher.
beruflich: Mein Sohn wird später mal Astronaut.
Alter: Nächstes Jahr werde ich 33!

Hilfsverb:
Futur (*Plan, Absicht*): Ich werde mir ein Fahrrad kaufen.
Futur (*Versprechen*): Wir werden zusammen Fußball spielen.
Passiv: Mein Fußball wurde gerade gestohlen!

Gründe: „weil", „da", „wegen", „um ... zu" (§ 33c, § 33e)

Ich wandere nicht aus, weil ich Familie habe.
Da ich Familie habe, wandere ich nicht aus.
Ich wandere nicht aus, wegen meiner Familie hier.
Ich wandere aus, um bessere Berufschancen zu haben.

Genitiv bei „wegen" (*THA 2*, § 15)

Ich möchte wegen des schlechten Wetters auswandern.
Ich kann wegen meiner Familie nicht auswandern.

LEKTION 10

Nach Übung **3** im Kursbuch

1. Ergänzen Sie.

U-Bahn	Motorrad	Cabrio	Kutsche	Hubschrauber	Zug	Fähre	Lastwagen	Raumschiff

a) Wenn man mit dem ________________ verreisen will, geht man zum Bahnhof.
b) Als es noch keine Autos gab, reisten die Menschen in der ________________ .
c) Ein Auto, bei dem man das Dach öffnen kann, nennt man ________________ .
d) Unter der Erde fährt man mit der ________________ .
e) Ein ________________ ist ein Fahrzeug mit zwei Rädern.
f) Mit einem ________________ kann man in den Weltraum fliegen.
g) Ein Schiff, das immer die gleiche Strecke hin- und zurückfährt, nennt man ________________ .
h) Ein ________________ ist wie ein kleines Flugzeug, das wenig Platz zum Starten und Landen braucht.
i) ________________ sind die größten Fahrzeuge auf der Autobahn und transportieren Waren.

Nach Übung **5** im Kursbuch

2. Welche Antwort passt zu welcher Frage?

a) Fliegt ein Hubschrauber schneller als ein Flugzeug?
b) Welches Verkehrsmittel ist am langsamsten?
c) Verreisen Sie gern mit einem Bus?
d) Was ist das älteste Verkehrsmittel?
e) Ist die Eisenbahn moderner als das Auto?
f) Fahren Sie lieber mit der U-Bahn als mit der Straßenbahn?
g) Womit verreisen Sie am liebsten?

A Ein Fahrrad, glaube ich.
B Nein, sie wurde einige Jahre früher erfunden.
C Entweder das Schiff oder die Kutsche; aber ich glaube, dass das Schiff älter ist.
D Ja, weil sie schneller ist.
E Mit meinem Auto, weil ich mich da nicht an Fahrpläne halten muss.
F Nein, ich finde das Zugfahren bequemer.
G Nein, er ist langsamer.

Nach Übung **7** im Kursbuch

3. Schreiben Sie die Sätze im Futur.

a) Bald fliegen die Menschen zum Mars.
Bald werden die Menschen zum Mars fliegen.
b) Nächstes Jahr macht meine Tochter Abitur.
____
c) Ich fahre im nächsten Jahr nach Spanien.
____
d) Du schaffst die Prüfung ganz bestimmt.
____
e) Am Wochenende müssen wir die Wohnung putzen.
____
g) Morgen regnet es bestimmt.
____

Nach Übung **7** im Kursbuch

4. Schreiben Sie die Präteritum-Sätze im Präsens, im Perfekt und im Futur.

a) Ich fuhr mit dem Bus nach Hause.
Ich fahre mit dem Bus nach Hause.
Ich bin mit dem Bus nach Hause gefahren.
Ich werde mit dem Bus nach Hause fahren.

b) Er kaufte ein neues Auto.

c) Wir holten die Kinder von der Schule ab.

d) Sie spielten zusammen Fußball.

e) Wo warst du an Weihnachten?

Nach Übung **7** im Kursbuch

5. In welchen Sätzen ist „werden" ein eigenständiges Vollverb (A)? In welchen ein Hilfsverb, das das Futur bildet (B)?

a) Heute werden die Menschen älter als früher. [A]
b) Ich werde mir ein Fahrrad kaufen. [B]
c) Von Schokolade wird mir schlecht. [ ]
d) Meine Tochter ist gestern krank geworden. [ ]
e) Ich werde eine Fremdsprache lernen. [ ]
f) Wenn er ein hübsches Mädchen sieht, wird er immer rot. [ ]
g) Eva wird in Amerika studieren. [ ]
h) Wir werden ihm ein spannendes Buch schenken. [ ]
i) Meine Schwester will Lehrerin werden. [ ]
j) Wenn wir nicht gleich essen, wird die Suppe kalt. [ ]
k) Plötzlich wurde das Wetter schlechter. [ ]
l) Ich werde meine Großmutter nie vergessen. [ ]

Nach Übung **9** im Kursbuch

6. Ärger im Hotel. Jeweils ein Satz ist keine Beschwerde. Welcher?

a) Das Bett ist viel zu hart.
Die Dusche ist schmutzig.
Die Toilette funktioniert nicht richtig.
Das Fenster lässt sich nicht öffnen.
Das Zimmer ist sehr gemütlich.
Das Licht ist kaputt.
Die Heizung wird nicht warm.

b) Das gefällt mir nicht.
Das mag ich nicht.
Das ist wundervoll.
Das stört mich.
Das geht mir auf die Nerven.
Das finde ich schrecklich.
Das ist nicht in Ordnung.

c) Bitte tun Sie etwas dagegen.
Finden Sie bitte eine Lösung.
Da müssen Sie etwas machen.
Bitte unternehmen Sie etwas.
Bringen Sie das bitte in Ordnung.
Das haben Sie sehr gut gemacht.
Das möchte ich geändert haben.

Nach Übung **10** im Kursbuch

7. Welcher Satz ist höflicher?

a) A Ich habe ein Problem mit der Dusche in meinem Zimmer. Könnten Sie da bitte etwas tun?
B Die blöde Dusche in meinem Zimmer funktioniert nicht. Tun Sie sofort etwas dagegen.

b) A Was haben Sie mir eigentlich für einen Schlüssel gegeben? Der passt ja gar nicht!
B Ich kann leider meine Zimmertür nicht öffnen. Könnte es sein, dass Sie mir aus Versehen einen falschen Schlüssel gegeben haben?

c) A Wäre es vielleicht möglich, dass ich noch zwei Handtücher bekomme?
B Es gibt hier zu wenig Handtücher im Bad. Bringen Sie mir gleich noch zwei.

d) A Ich will ein anderes Zimmer haben. Das ist mir zu klein.
B Ich habe eine Bitte. Es wäre sehr schön, wenn ich ein größeres Zimmer haben könnte.

e) A Haben Sie noch nicht gemerkt, dass in meinem Zimmer der Fernseher kaputt ist?
B Ich wollte nur sagen, dass mein Fernseher nicht funktioniert. Könnten Sie da etwas tun?

8. Was steht im Text auf Seite 119 im Kursbuch? Richtig (r) oder falsch (f)?

Nach Übung 11 im Kursbuch

a) Urs schreibt, dass er nur deshalb so gerne Fahrrad fährt, weil er fit und gesund bleiben will. ☐
b) Urs macht immer mit dem Fahrrad Urlaub, weil er sich kein Auto leisten kann. ☐
c) Urs fährt auch im Ausland mit dem Fahrrad. ☐
d) Urs hat die Erfahrung gemacht, dass man durch das Fahrradfahren viel mehr mit Menschen in Kontakt kommt. ☐
e) Urs benutzt sein Fahrrad nur dann, wenn das Wetter schön ist. ☐
f) Urs meint, dass man leicht nervös wird, wenn man lange in der Natur unterwegs ist. ☐
g) Urs fühlt sich frei und ungebunden, wenn er mit dem Fahrrad Urlaub macht. ☐
h) Urs ärgert sich nicht, wenn er beim Reisen einen Zug oder eine Fähre verpasst. ☐

9. Welcher Satz hat die gleiche Bedeutung?

Nach Übung 11 im Kursbuch

a) Ich bin viel mit dem Fahrrad unterwegs.
A Ich fahre oft und gern Fahrrad.
B Ich benutze mein Fahrrad nur auf Wegen.

b) Nur zu Fuß kann man ein Land erfahren.
A Mit den Füßen kann man nur laufen und nicht fahren.
B Wenn man zu Fuß geht, lernt man über ein Land am meisten.

c) Ich werde oft von Menschen angesprochen.
A Es gibt Menschen, mit denen ich oft reden möchte.
B Es passiert häufig, dass Menschen mit mir reden wollen.

d) Ich bin für das Spontane offen.
A Ich lebe nicht nach einem festen Plan.
B Ich habe Angst vor neuen Erfahrungen.

e) In der Natur bekomme ich eine innere Ruhe.
A Wenn ich in der Natur bin, will ich meine Ruhe haben.
B Ich werde innerlich ganz ruhig, wenn ich in der Natur bin.

f) Mich kann nichts erschüttern.
A Ich behalte immer die Ruhe.
B Ich habe schlechte Nerven.

10. Schreiben Sie die Sätze richtig. Achten Sie auf Groß- und Kleinschreibung, Punkte und Kommas.

Nach Übung 11 im Kursbuch

a) ichfahreamliebstenmitdemzugweildaseinsicheresverkehrsmittelist
Ich fahre ______________________________
b) imurlaubwillichnurmeineruhehabendennmeinberufistsehranstrengend
____
c) indenferienfahreichmeistensansmeerumzubadenundindersonnezuliegen
____
d) imurlaubmöchteichkeinfestesprogrammhabensonderntunundlassenwasmirgefällt
____
e) ichreisegernmitgutenfreundenweilgemeinsamallesvielmehrspaßmacht
____
f) ichfindedassmaneinenurlaubgenauplanensolltedamitmandannnichtenttäuschtist
____

Nach Übung **12** im Kursbuch

11. Schreiben Sie die Sätze mit „weil" im Nebensatz.

a) Da ich kein Geld habe, wandere ich nicht aus.
Ich wandere nicht aus, weil ich kein Geld habe.

b) Da meine Kinder noch zur Schule gehen, muss ich hier bleiben.
Ich muss ______________________________

c) Da ich hier sehr zufrieden bin, will ich nicht weggehen.
____

d) Da meine Großeltern in Australien leben, kann ich leicht auswandern.
____

e) Da ich noch studiere, fehlt mir das Geld zum Reisen.
____

Nach Übung **14** im Kursbuch

12. Ergänzen Sie.

a) (das Wetter / schlecht) Ich möchte wegen *des schlechten Wetters* auswandern.
b) (meine Eltern / alt) Ich kann wegen ______________ nicht weggehen.
c) (die Sprache / schön) Ich möchte wegen ______________ in Frankreich leben.
d) (die Universitäten / gut) Ich möchte wegen ______________ in England studieren.
e) (meine Freundin / neu) Ich werde wegen ______________ nach Rom ziehen.
f) (meine Flugangst / groß) Ich kann wegen ______________ nicht viel reisen.

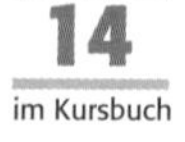

13. Schreiben Sie Nebensätze mit „um... zu".

a) Ich möchte ins Ausland gehen, (neue Fremdsprache lernen) *um eine neue Fremdsprache zu lernen.*
b) Er ist ausgewandert, (neue Erfahrungen machen) ______________
c) Sie lebt jetzt am Meer, (täglich baden können) ______________
d) Wir sind durch Südamerika gereist, (Land und Leute kennenlernen) ______________
e) Meine Schwester fliegt nach Kanada, (dort ein Jahr arbeiten) ______________
f) Ich werde gleich meinen Chef anrufen, (meinen Job kündigen) ______________

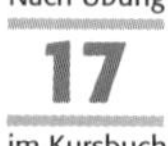

14. Wer macht welchen Urlaub?

a) Wer macht Urlaub am Meer?
b) Wer fährt zum Wandern in die Berge?
c) Wer will Campingurlaub machen?
d) Wer will eine Woche in New York verbringen?
e) Wer fährt in den Skiurlaub?

A Peter F. fährt morgen in den Urlaub. Er holt seine Skier und seine Skischuhe aus dem Keller, packt seinen Skianzug ein und sucht vier Paar dicke Socken. Warme Unterwäsche muss er auch mitnehmen. Außerdem braucht er Handschuhe und einen Schal. Zum Schluss legt er noch zwei Mützen in seinen Koffer.

B Angelika M. will verreisen. Sie packt zwei Badeanzüge ein und einen Bikini, dazu zwei große Handtücher und fünf kleine. Sonnencreme und eine Sonnenbrille nimmt sie auch mit. Und Bücher darf sie nicht vergessen.

C Claudia B. packt für die Ferien ihren Rucksack. Sie braucht ihre Bergschuhe, zwei bequeme Hosen und dicke Kniestrümpfe. Auch an Regenkleidung denkt sie, falls das Wetter schlecht wird. Dann holt sie noch die Wanderkarten, die sie schon besorgt hat.

D Walter R. fährt mit dem Auto in Urlaub, weil er sehr viel mitnehmen muss. Zuerst bringt er sein Zelt in den Wagen und dann seinen Schlafsack und seine Luftmatratze. Er packt einige Lebensmittel ein, dazu einen Topf, eine Pfanne und Essgeschirr. Auch einen Gaskocher braucht er.

E Hartmut P. macht eine Flugreise. Er nimmt zwei Anzüge mit, fünf Hemden und zwei Krawatten. Dann packt er noch einen Schlafanzug ein und Unterwäsche. Den Reiseführer legt er nicht in den Koffer, weil er ihn im Flugzeug lesen will.

15. Was haben Sie im Urlaub gemacht?

Nach Übung 18 im Kursbuch

a) viele Bücher lesen
Ich habe viele Bücher gelesen.
b) auf einen hohen Berg steigen
Ich ______________________
c) im Meer baden
____
d) viel mit dem Fahrrad fahren
____
e) schöne Museen besichtigen
____
f) meinen Freunden Karten schreiben
____

16. Was sind typische Beschäftigungen im Urlaub (A)? Was macht man normalerweise nicht im Urlaub / in den Ferien (B)?

Nach Übung 19 im Kursbuch

a) mit einem Kollegen eine Arbeitssitzung vorbereiten ☐
b) für eine Prüfung lernen ☐
c) in der Sonne liegen ☐
d) morgens lange schlafen ☐
e) Büroarbeiten erledigen ☐
f) Texte kopieren ☐
g) dicke Bücher lesen ☐
h) stundenlang frühstücken ☐
i) eine Konferenz leiten ☐
j) jeden Tag ein anderes Restaurant ausprobieren ☐
k) an einer Arbeitssitzung teilnehmen ☐
l) Geschäftspartner treffen ☐
m) mit den Kindern am Strand Ball spielen ☐
n) jeden Abend in der Disco tanzen ☐
o) Schüler unterrichten ☐
p) Museen und Kirchen besichtigen ☐
q) Geld verdienen ☐
r) im Hotelpool baden ☐

Nach Übung 19 im Kursbuch

17. Schreiben Sie einen kurzen Text über Ihren schönsten Urlaub.

- vor fünf (drei, zwei ...) Jahren
- in Griechenland, Spanien, den USA, Australien ...
- zum Wandern, Schwimmen, Segeln, Tauchen, Reiten, ...
- mit meinem Freund, meinen Eltern, einer Freundin, meiner Schwester, ...
- mit dem Schiff, Auto, Flugzeug, ...
- für eine Woche, vierzehn Tage, vier Wochen, ...
- viel gesehen, erlebt, gelernt, ...
- Wetter, Klima
- oft / viel / gut geschwommen, gelaufen, geritten, getaucht, gegessen, geschlafen, getanzt, gelacht, gewandert, ...
- interessante / nette Leute, Menschen, Touristen,... kennengelernt, getroffen, ...

Nach Übung 20 im Kursbuch

18. Ergänzen Sie.

Tourist	Ruhe	Urlaub	Strand	Koffer	Hotel	Flug	Klima	Reise	Freizeit

a) Man kann nur so viel mitnehmen, wie in den __________ passt.
b) Im letzten Jahr haben wir eine ________ durch die USA gemacht.
c) Dieses Jahr werde ich meinen ________ zu Hause verbringen.
d) Es war so heiß, dass man mittags nicht am ________ liegen konnte.
e) Als _______ sollte man nicht erwarten, dass man das gleiche Essen wie zu Hause bekommt.
f) Wir wohnen immer im gleichen _______, weil es direkt am Meer liegt.
g) Ich würde sehr gern mal Brasilien besuchen, aber ich glaube, dass ich das _______ nicht vertragen würde.
h) Ein _____ nach New York dauert nur sieben Stunden.
i) In meiner ________ sitze ich meistens vor dem Fernseher.
j) In den Ferien brauche ich kein Handy; da will ich meine _______ haben.

19. Ein Urlaubsgruß. Ergänzen Sie.

Nach Übung 20 im Kursbuch

Strand	Restaurants	Türkei	Frühstück	Wetter	satt	Fisch
Tag	frisch	zufrieden	braun	zu Hause		

Lieber Klaus,

ich bin jetzt schon seit einer Woche in der _______ . Das _______ ist herrlich und es hat noch keinen _______ geregnet. Auch mit meinem Hotelzimmer bin ich sehr _________ . Jeden Morgen gibt es ein tolles ________ und davon bin ich dann so _______, dass ich erst abends wieder etwas esse. In der Nähe sind drei __________ , die alle sehr gut sind. Du weißt ja, dass ich so gerne _______ mag. Der ist hier immer ganz _______, und deshalb habe ich noch gar kein Fleisch bestellt. Natürlich gehe ich jeden Tag an den _______ . Ich bin auch schon ziemlich _______ geworden. Du wirst es ja sehen, wenn ich wieder __________ bin.

Gruß und Kuss

Deine Maria

20. Wie war denn der Urlaub? Welche Antwort passt?

Nach Übung 20 im Kursbuch

a) Wie war denn dein Urlaub?
b) Hast du dich gut erholt?
c) Hattest du gutes Wetter?
d) Warst du mit dem Hotel zufrieden?
e) Was hast du abends immer gemacht?
f) Hast du nette Leute kennengelernt?
g) Hast du viel gebadet?
h) Wie war denn das Essen?
i) Wie lange hat der Flug gedauert?

A Sechs Stunden, aber es gab eine Zwischenlandung.
B Meistens war ich früh im Bett, weil ich vom Schwimmen müde war.
C Der war wirklich toll; es hat mir sehr gut gefallen.
D Viel zu gut; ich habe zwei Kilo zugenommen.
E Ja, es war richtig warm und nur einmal hat es geregnet.
F Ja. Ich hatte ein sehr schönes Zimmer mit einem Balkon.
G Ja viele, aber eigentlich wollte ich gar keinen Kontakt.
H Jeden Tag. Zum Meer waren es nur zehn Minuten zu Fuß.
I Sehr gut! Ich habe nicht ein einziges Mal an meine Arbeit gedacht.

SCHLÜSSEL

Lektion 1

1 **b)** *sich selbst vorstellen*:
Ich heiße ..., Mein Name ist ..., Ich bin ..., Ich bin der Freund von ...

eine Person begrüßen:
Guten Tag! Guten Morgen! Guten Abend! Tag! Morgen! 'n Abend! Hallo! Grüß Gott! Servus!
Ich begrüße Sie herzlich! Herzlich willkommen!

eine andere Person vorstellen:
Darf ich vorstellen? Das ist ..., Ich möchte Sie mit meinem Mann bekannt machen. Darf ich dich mit Herrn Sommer bekannt machen? Ich möchte Ihnen meinen Mann vorstellen. Darf ich dir meinen Freund vorstellen?
Das hier ist ..., Kennst du ...? Kennen Sie ...?

nach dem Befinden fragen:
Wie geht es Ihnen/dir/euch? Wie geht's Ihrem Mann / deiner Frau / (dem) Gerd / (der) Susi / zu Hause / deiner Familie? Was macht dein Mann / Susanne / die Familie?

2 **b)** **A:** Lutz zieht sich an, ... freut sich, ... verliebt sich, ... regt sich auf, ... ruht sich aus, ... stellt sich vor, ... ärgert sich, ... setzt sich, ... langweilt sich, ... beschwert sich, ... meldet sich an, ... entschuldigt sich, ... zieht sich um, ... beeilt sich.

B: Lutz und Doris küssen sich, ... winken sich zu, ... einigen sich, ... stellen sich vor, ... treffen sich, ... lieben sich, ... begrüßen sich, ... umarmen sich, ... ärgern sich.

C: Lutz zieht Doris an, ... küsst Doris, ... regt Doris auf, ... stellt Doris vor, ... ärgert Doris, ... trifft Doris, ... langweilt Doris, ... liebt Doris, ... meldet Doris an, ... entschuldigt Doris, ... begrüßt Doris, ... umarmt Doris, ... regt Doris auf, ... winkt Doris zu.

3 **a)** Die Leute/Sie, sich **b)** Ich, mich **c)** Frau Lorenz/Sie, sich **d)** Er, sich **e)** Ich mich **f)** Wir, uns **g)** ihr euch **h)** sich, sich **i)** dich, sich, sich, uns, euch, sich

4 **a)** mir **b)** sich **c)** sich **d)** sich **e)** dir **f)** euch **g)** sich **h)** dir, sich, sich, uns, euch, sich

5 **a)** seinen/seine; unseren/unsere; seinen/seine **b)** ihre, ihrer; seine, seiner; unsere, unserer; seine, seiner **c)** ihre, ihrem; seine, seinem; unsere, unserem; seine, seinem **d)** dein, Ihr, sein/ihr/sein/sein, unser, euer, ihr

6 **a)** Man steht sich sehr nah gegenüber und schaut sich in die Augen. Man beugt den Kopf leicht nach vorne und berührt sich mit den Nasenspitzen und der Stirn.
b) Man stellt sich nicht zu nahe gegenüber. Man steht mit geradem Oberkörper und lässt die Arme herabhängen. Dann verbeugt man sich mit 45 Grad.

7 **b)** alle/jeden/einen **c)** grüßen alle, grüßt jeder, grüßt man **d)** **Dat:** allen, jedem, einem; **Akk:** alle, jeden, einen

8 **a)** Verzeihung; (es) tut mir (wirklich) (sehr) leid.
b) Es ist nicht in Ordnung, ...; Es ist (einfach) unmöglich, ...
c) Das geht zu weit. Das reicht (jetzt).
d) Könnten Sie bitte ...?
e) grässlich, schrecklich
f) Ich fordere; Ich wünsche ...
g) Es ist nicht gestattet ..., Es ist untersagt ...
h) Meinetwegen; Von mir aus.
i) Das stimmt, dürfte; Das ist alles richtig, könnte
j) Das geht Sie nichts an. Das ist meine Sache.

9 **2** C, **3** C, **4** C, **5** A , **6** A, **9** C, **10** B, **11** C, **12** B, **13** C, **14** C, **15** A, **16** A, **17** C, **18** E, **19** C, **20** C, **21** E, **22** C/D, **23** C, **24** A, **25** F, **26** C, **27** D, **28** A, **29** E, **31** C, **32** A, **33** B, **34** E, **35** C, **36** A, **37** C, **39** C, **41** B, **42** C, **43** E, **44** C/D, **46** C, **47** A, **48** E, **49** E, **50** F

10 **a)** 3, 5, 8, 9, 10, 11, 13, 15, 16, 19, 21, 23, 25, 29, 30, 35, 36, 37, 38, 40, 42, 43, 45, 46
b) 4, 6, 7, 12, 14, 17, 18, 20, 22, 24, 26, 27, 28, 31, 32, 33, 34, 39, 41, 44, 47, 48, 49, 50

11 Lösungsvorschlag:
b) Maria ist ein Frauenname und geht zurück auf das hebräische Wort *mirjam*. Das bedeutet *rebellisch*. Maria war auch der Name der Mutter Christi. Aus Respekt vor dieser heiligen Person wurde er bis ins 15. Jahrhundert nicht verwendet. Der Name war früher schon sehr beliebt und ist es auch heute noch. In der ganzen Welt existieren viele verschiedene Formen dieses Namens.
c) Sophie, ein Frauenname, ist eine andere Form von Sophia. Das ist das griechische Wort für *Weisheit*. *Hagia Sophia* (übersetzt *Heilige Weisheit*) war im Altertum ein anderer Name für Christus und für die ganze Kirche. Daher auch der Name der berühmten Kirche Hagia Sophia in Konstantinopel, dem heutigen Istanbul. Sie wurde im 6. Jahrhundert gebaut und ist heute eine Moschee. Im 19. Jahrhundert war der Name Sophie sehr häufig, danach war er weniger verbreitet. Heute ist er allerdings wieder sehr beliebt.

12 **b)** zu den **c)** mit einem **d)** mit **e)** mit (den) **f)** für **g)** über die **h)** mit **i)** mit **j)** nach einem **k)** als **l)** mit einer **m)** über, von **n)** von dem/über den

13 **A)** **a)** an **b)** auf **c)** nach **d)** auf **e)** aus **f)** für **g)** auf **h)** mit **i)** über **j)** auf/über **k)** über **l)** mit **m)** auf **n)** nach **o)** vor **p)** auf
B) an + A; auf + A; aus + D; mit + D; nach + D, über + A; vor + D; für + A

14 **c)** Davon **d)** Von ihr **e)** darum **f)** um sie **g)** Dafür **h)** an sie **i)** An sie **j)** Vor ihm **k)** Darüber **l)** Über sie **m)** über ihn **n)** mit ihm

15 **b)** auf: Wir hoffen (darauf), dass wir am Wochenende besseres Wetter haben. Wir hoffen (darauf), am Wochenende besseres Wetter zu haben.
c) gegen: Die Studenten protestieren dagegen, dass die Prüfungsordnung geändert wird.
d) über: Julia und Daniel streiten sich (darüber), was der richtige Weg ist.
e) mit: Wir beginnen morgen (damit), das Auto zu reparieren.
f) an: Ich habe ihn daran erinnert, an den Termin zu denken.
g) nach: Lukas hat mich (danach) gefragt, wie spät es ist.
h) von: Daniel hat (darüber) erzählt, was er in Moskau erlebt hat.
i) über: Sophie hat sich (darüber) gefreut, dass Niklas angerufen hat.
j) mit: Laura hat (damit) aufgehört zu rauchen.
k) auf: Ich verlasse mich darauf, dass ihr mir helft.

16 **a)** glaube an + A **b)** hoffe auf + A **c)** interessiere mich für + A **d)** kämpfe für/gegen + A **e)** freue mich auf/über + A **f)** weine über + A **g)** ärgere mich über + A **h)** träume von + D **i)** rege mich auf über + A **j)** ekele mich vor + D **k)** fürchte mich vor + D **l)** suche nach + D **m)** habe immer Lust auf + A **n)** lege großen Wert auf + A **o)** vertraue auf + A **p)** bemühe mich sehr um + A **q)** zweif(e)le an + D **r)** beschäftige mich gerne mit + D **s)** erinnere mich gerne an + A **t)** gebe gerne Geld aus für + A **u)** höre nächste Woche auf mit + D

17 **A) Person**
a) bin **b)** wohne/lebe **c)** bin **d)** bin **e)** bin/komme **f)** bin **g)** habe **h)** bin/komme **i)** wohne/lebe **j)** bin **k)** bin **l)** nennen

B) Familie
a) Tante, Schwester, Mutter, Schwiegermutter, Oma, Tochter **b)** Bruder, Sohn, Onkel, Schwiegervater, Vater, Opa **c)** Geschwister, Großeltern, Verwandten, Kinder

C) Beruf
a) der Transportbranche, einem Büro, einem Computergeschäft, einem Handwerksbetrieb, der Elektroindustrie, der Stadtverwaltung, einer Sprachschule, einer Papierfabrik, einer Elektrofirma, der Medienbranche, einem Theater
b) der Post, Unilever, der Firma Deister, Siemens **c)** einem Theater **d)** ohne Arbeit, nicht berufstätig, ohne Job
e) keine Arbeit, keinen Job, keine Stelle **f)** eine Stelle, Arbeit, einen Job

D) Interessen
a) male, fotografiere, schwimme, koche, reise **b)** spiele ... Fußball, höre ... Musik **c)** Malen, Fußballspielen, Radfahren, Fotografieren, Schwimmen, Kochen, Reisen, Musik hören **d)** (die) Oper, Politik, Fußball, Malerei, Computerspiele, Radsport, Musik, Autos, Tanz

E) Ausbildung
a) Elektrotechnik, Architektur, Maschinenbau, Kunst, Geschichte, Betriebswirtschaft
b) Koch, Bäcker, Pilot, Reiseführer, Automechaniker, Kellner, Taxifahrer, Schauspieler, Servicetechniker, Fotograf
c) Koch, Bäcker, Pilot, Reiseführer, Automechaniker, Kellner, Taxifahrer, Lehrer, Schauspieler, Servicetechniker, Fotograf
d) Fotografieren, Schwimmen, Deutsch, Programmieren

18 **Inaam Wali**
ab) Sie wurde 1962 im Südirak geboren. Nach der Schule ging sie in Bagdad auf die Musikschule. Musik stand schon immer im Zentrum ihres Lebens.
ac) Im Irak gab es nur wenige Sängerinnen. Die Eltern von Inaam sind aber auch Künstler. Sie haben sie verstanden und ihr geholfen.
ad) Sie ging in die Musikschule und war Mitglied einer kleinen Gruppe von Sängerinnen und Sängern. Zusammen haben sie heimlich kritische Lieder gegen das Regime geschrieben und gesungen. Das bedeutete aber auch, dass sie immer Angst haben musste, verraten zu werden. An einem Tag wurde ein Mitglied der Gruppe verhaftet. Deshalb ist Inaam nach Deutschland geflohen.
ae) Sie erinnert sich nicht gerne an die ersten Monate in Deutschland. Sie wohnte in einem Flüchtlingsheim. Die Zustände waren katastrophal. Es war eng, schmutzig, es gab dort viele Männer. Inaam hatte Angst. Doch sie hatte Glück. Sie wurde zwar nicht als Flüchtling anerkannt, aber durfte trotzdem bleiben.
af) Heute studiert Inaam in Hamburg Musikwissenschaft. Ihren Lebensunterhalt verdient sie sich, indem sie am Wochenende in einem Schnellrestaurant arbeitet. Sie lebt gerne in Hamburg. Mit einigen anderen Musikern

organisiert sie Konzerte. Sie sind gut besucht und vor wenigen Wochen ist ihre erste CD erschienen. Weil die arabische Musik für westliche Ohren zu traurig und zu fremd klingt, verwendet die Gruppe in ihren Liedern westliche Jazz- und Pop-Elemente. Die Leute mögen das.

Raschid Benhamza

ba) Raschid Benhamza ist in Algerien in einem kleinen Dorf geboren. Er hat sieben Geschwister. Sein Vater ist früh gestorben, als Raschid drei Jahre alt war. Mit 13 Jahren verließ Raschid sein Heimatdorf und zog nach Algier, wo er zur Schule ging und sein Abitur machte.

bb) Nach dem Abitur ging Raschid nach Paris, wo er sich sein Informatikstudium selbst finanzierte. Kurz nach der Diplomprüfung lernte er seine Frau kennen, eine Deutsche. Heute sind sie verheiratet, leben in Köln und haben zwei Kinder.

bc) Raschid ist heute Spezialist für Bürokommunikation und Computer. Er lebt schon seit zwanzig Jahren in Deutschland. Trotzdem hat er immer noch sehr engen Kontakt mit Algerien. Er ist Mitglied in einem deutsch-algerischen Verein, der sich für kulturelle und soziale Projekte in seinem Heimatland engagiert.

bd) Als Kind ist Raschid mit drei Sprachen aufgewachsen: Berberisch, Französisch und Arabisch. Heute spricht er außerdem noch Deutsch und Englisch. Das Leben in verschiedenen Sprachen und Kulturen ist für ihn normal, er liebt es.

Lektion 2

1 **a)** Dachfenster **b)** Dach **c)** Fenster **d)** Balkon **e)** Terrasse **f)** Rasen **g)** Weg **h)** Eingangstür **i)** Erdgeschoss **j)** 1. Etage **k)** Dachgeschoss **l)** Keller **m)** Küche **n)** Wohnzimmer **o)** Bad/Badezimmer **p)** Toilette **q)** Treppe **r)** Tür **s)** Decke **t)** Boden **u)** Wand **v)** Garage

2 **a)** lang, hoch, komisch, dunkel, hübsch, niedrig, hässlich, modern, breit, groß, neu, alt, schräg
Metalldach, Spitzdach, Kunststoffdach, Holzdach
b) eng, gemütlich, lang, ungepflegt, hoch, hell, komisch, dunkel, hübsch, niedrig, hässlich, klein, modern, breit, groß, neu, alt, leer, mehrstöckig, modern/neu/gut eingerichtet, schön
Landhaus, Wohnhaus, Steinhaus, Luxushaus, Einfamilienhaus, Hochhaus, Gästehaus, Stadthaus, Holzhaus, Zweifamilienhaus, Reihenhaus, Mehrfamilienhaus
c) hoch, hell, geschlossen, komisch, verschlossen, dunkel, abgeschlossen, hübsch, niedrig, hässlich, klein, modern, breit, groß, neu, offen, alt, schmal, schön
Küchentür, Luxustür, Metalltür, Kellertür, Eisentür, Kunststofftür, Holztür, Wohnzimmertür
d) lang, rund, hoch, geschlossen, komisch, verschlossen, dunkel, hübsch, hässlich, klein, modern, breit, groß, neu, offen, alt, schön
Küchenfenster, Kellerfenster, Dachfenster, Kunststofffenster, Wohnzimmerfenster
e) gemütlich, lang, ungepflegt, gepflegt, hübsch, hässlich, klein, modern, breit, groß, neu, alt, schmal, schön
Steingarten, Kindergarten, Stadtgarten
f) lang, hoch, komisch, hübsch, flach, niedrig, hässlich, modern, breit, groß, neu, alt, schön, schräg, steil
Steintreppe, Luxustreppe, Metalltreppe, Kellertreppe, Eisentreppe, Kunststofftreppe, Holztreppe
g) gemütlich, lang, hoch, hell, geschlossen, komisch, verschlossen, dunkel, abgeschlossen, hübsch, hässlich, klein, aufgeräumt, modern, schmal, breit, groß, neu, offen, alt, leer, modern/neu/gut eingerichtet, schön
Wohnzimmer, Kinderzimmer, Gästezimmer, Schlafzimmer, Arbeitszimmer
h) lang, hoch, hell, dunkel, breit, groß, schräg
Steinwand, Küchenwand, Kellerwand, Wohnzimmerwand
i) hoch, hell, dunkel, niedrig
Küchendecke, Kellerdecke, Holzdecke, Wohnzimmerdecke

3 **a)** mieten, bauen, einrichten, vermieten, renovieren, abschließen, aufschließen, reinigen
b) reparieren, zumachen, öffnen, schließen, aufmachen, aufschließen, abschließen, reinigen
c) mieten, aufräumen, einrichten, renovieren, abschließen, reinigen, aufschließen, vermieten
d) reparieren, bauen, runter-/hinuntergehen, reinigen, rauf-/hinaufgehen

4 Es hat ein Dach, einen Balkon, eine Terrasse, einen Eingang, eine Garage, ein Erdgeschoss, eine 1. Etage, ein Dachgeschoss, Fenster, Dachfenster, einen Rasen, eine Eingangstür, einen Keller, eine Küche, ein Wohnzimmer, ein Bad/Badezimmer, eine Toilette, eine Treppe, Decken, Böden, Wände, Türen

5 **(a)** auf dem **(b)** an einer **(c)** außerhalb des **(d)** auf einer **(e)** Im **(f)** hinter dem **(g)** darin **(h)** neben dem **(i)** davon **(j)** darauf **(k)** Hinter dem **(l)** darin **(m)** neben dem **(n)** darunter **(o)** darunter **(p)** davor

6 **Dorf:** Ruhe, Ort, Gegend, Garten, Wald, Bauernhaus, Feld, Landstraße, Gebirge, Wiese, Land
Stadt: Lärm, Theater, Parkhaus, Vorort, Park, Ampel, Industriegebiet, Hochhaus, Kaufhaus, Tiefgarage, Stau, Kino, Viertel, Verkehr, U-Bahn, Zentrum

8 A) **a)** gute, schlechte, tolle, fantastische, attraktive, unattraktive **b)** große, kleine, gute, schlechte, tolle, fantastische **c)** gute, schlechte, tolle **d)** schreckliche, furchtbare **e)** große, starke, schreckliche, furchtbare **f)** starke, schreckliche, furchtbare **g)** hohe, niedrige, furchtbare, schreckliche **h)** schreckliche, furchtbare **i)** schreckliche, furchtbare **j)** starke, schwache, schreckliche, furchtbare **k)** große, tolle, fantastische, furchtbare **l)** hohe, niedrige, schreckliche, furchtbare

B) freie Lösung

9 A) **b)** Billighaus = Haus **c)** Hochhaus = Haus **d)** Privathaus = Haus **e)** Hartholz = Holz **f)** Frischgemüse = Gemüse **g)** Kurzreise = Reise **h)** Fertighaus = Haus

B) **b)** Heimatland = Land **c)** Traumhaus = Haus **d)** Jobsuche = Suche **e)** Klassenzimmer = Zimmer **f)** Reihenhaus = Haus **g)** Geburtsjahr = Jahr **h)** Eingangstür = Tür

C) **b)** Einkaufszettel = Zettel **c)** Kochbuch = Buch **d)** Parkplatz = Platz **e)** Prüfgerät = Gerät **f)** Fahrschule = Schule **g)** Schreibtisch = Tisch **h)** Badehose = Hose

10 **Papier:** Altpapier, Druckerpapier, Geschenkpapier, Schreibpapier, Millimeterpapier, Zeitungspapier, Packpapier, Toilettenpapier, Kopierpapier
Maschine: Bohrmaschine, Nähmaschine, Kaffeemaschine, Schreibmaschine, Waschmaschine, Küchenmaschine, Spülmaschine
Zimmer: Badezimmer, Esszimmer, Gästezimmer, Kinderzimmer, Wohnzimmer, Schulzimmer, Wartezimmer, Raucherzimmer, Schlafzimmer
Schuhe: Arbeitsschuhe, Badeschuhe, Hausschuhe, Kinderschuhe, Lederschuhe, Tanzschuhe, Wanderschuhe, Sommerschuhe, Winterschuhe, Sportschuhe
Tür: Aufzugtür, Autotür, Glastür, Drehtür, Küchentür, Haustür, Kühlschranktür, Schultür, Wohnungstür, Balkontür, Toilettentür, Schranktür
Buch: Arbeitsbuch, Bilderbuch, Gästebuch, Computerbuch, Kinderbuch, Kochbuch, Wörterbuch, Taschenbuch, Telefonbuch, Schulbuch

11 Was hat Sie dazu gebracht? c)
Und das hatte offenbar seine Vorteile. d)
Was ist nun so schlecht daran? h)
Was macht diese Riesenstädte für Menschen so attraktiv? a)
Was zum Beispiel? g)
Was unterscheidet ...? e)
Möchten Sie, dass ...? b)

12 **b)** etwa, rund, über, ungefähr, etwas mehr als, mehr als **c)** mehr als, über **d)** circa, unter, etwas weniger als, rund, fast, ungefähr, weniger als, etwa **e)** weniger als

13 **c)** Je höher die Schulbildung der Leute ist, desto besser finden sie das Stadtleben.
d) Je älter ein Haus ist, desto mehr Reparaturen sind notwendig.
e) Stadtmenschen sprechen schneller als Landmenschen.
f) In den letzten 100 Jahren hat sich mehr verändert als in den 7900 Jahren davor.
g) Je größer die Städte werden, desto höher ist die Kriminalität.

14 B) **b)** des Volkes **c)** der Stadt / meiner Stadt **d)** der Unterschicht **e)** des Hauses / meines Hauses **f)** der Bürger **g)** des Konflikts / ihres Konflikts **h)** der Wohnung / ihrer Wohnung **i)** eines Sportplatzes **j)** einer Kleinstadt **k)** der Eltern / eurer Eltern **l)** des Hochhauses / Ihres Hochhauses **m)** des Stadtmenschen

C) **Sg.:** eines Flugplatzes, der Kirche, einer Kirche, des Parkhauses, eines Parkhauses
Pl.: der Flugplätze, von Flugplätzen, der Kirchen, von Kirchen, der Parkhäuser, von Parkhäusern
alle: aller Flugplätze, aller Kirchen, aller Parkhäuser
von: von Flugplätzen, von Kirchen, von Parkhäusern

15 **b)** keiner **c)** ganz wenige **d)** nur wenige **e)** die wenigsten **f)** kaum jemand **g)** wenige **h)** nur ein paar **i)** die Minderheit **j)** niemand **k)** nur ein kleiner Teil **l)** einige **m)** fast alle **n)** ziemlich viele **o)** die meisten **p)** die Mehrheit **q)** sehr viele **r)** jeder **s)** alle **t)** viele **u)** ein großer Teil

16 **a)** Hotel **b)** Sprechstunde **c)** Parkverbot **d)** Bäckerei **e)** Kirche **f)** Platz

17 **b)** Das Haus darf nicht abgerissen werden.
c) Das Haus soll renoviert werden.
d) Der Bau kann nicht verboten werden.
e) Der Bau des Hauses muss von der Stadt erlaubt werden.
f) Die Küche soll modernisiert werden.
g) Das Kulturzentrum darf nicht geschlossen werden.

18 a) Man hat mir gesagt, Man erzählt, Man sagt – Ist das wahr? Ist das richtig? Ist das sicher?
b) Können Sie mir sagen, Haben Sie Informationen
c) Ist es sicher, Ist es wahr, Stimmt es
d) Planen Sie, Haben Sie den Plan, Haben Sie die Absicht

19 a) abgerissen **b)** Eine Glühbirne wird gewechselt **c)** Ein Bad wird renoviert. **d)** Eine Garage wird gebaut. **e)** Eine Terrasse wird gereinigt. **f)** Ein Fenster wird eingebaut. **g)** Ein Waschbecken wird ausgebaut. **h)** Ein Regal wird aufgebaut. **i)** Eine Heizung wird repariert.

20 wirst eingeladen, werden eingeladen, wird eingeladen, werden eingeladen, werdet eingeladen, werden eingeladen sollst eingeladen werden, sollen eingeladen werden, soll eingeladen werden, sollen eingeladen werden, sollt eingeladen werden, sollen eingeladen werden

21 a, b, d, f, h, o, p, r, t

22 a) Radio **b)** Schreibtisch **c)** Spiegel **d)** Bett **e)** Wohnung

23 a) Übernachtung **b)** Küche **c)** Bücherregal **d)** Esstisch **e)** Wäschetrockner **f)** Bett **g)** sitzen **h)** kochen

24 a) 4 **b)** 6 **c)** 3 **d)** 7 **e)** 8 **f)** 1 **g)** 10 **h)** 2 **i)** 5 **j)** 9

Lektion 3

1 a) laufen/joggen **b)** Rad fahren **c)** Billard spielen **d)** wandern **e)** malen **f)** Tennis spielen **g)** nähen **h)** lesen **i)** feiern **j)** tanzen **k)** Golf spielen **l)** im Garten arbeiten **m)** reiten **n)** Karten spielen **o)** schwimmen **p)** Picknick machen **q)** fernsehen **r)** Ski fahren **s)** segeln **t)** fotografieren **u)** Fußball spielen **v)** Camping machen **w)** angeln **x)** Schach spielen **y)** surfen

2 b) weil es den Kindern Spaß macht. – wegen der Kinder.
c) weil lautloses Fliegen ein tolles Gefühl ist. – wegen des tollen Gefühls beim lautlosen Fliegen.
d) weil er gesund bleiben und gut aussehen möchte. – um gesund zu bleiben und gut auszusehen. – wegen der Gesundheit und des guten Aussehens.
e) weil sie Ballspiele liebt. – wegen ihrer Liebe zu Ballspielen.
f) weil sie ihre Ruhe haben will. – um sich von ihrer anstrengenden Arbeit erholen zu können.

3 a) 1, 5, 2, 4, 3 **b)** 1, 4, 2, 3, 5 **c)** 1, 4, 3, 5, 2

4 a) findet ... statt **b)** ist ... ganz gefüllt **c)** sind ... zu Ende **d)** habe ich nicht den Mut **e)** sind bei einem Klub Mitglied geworden **f)** dafür sorgen, fit zu bleiben **g)** klappt **h)** bin ... unterwegs

5 a) schwimmen **b)** fahren **c)** Schwimmbad **d)** (Tennis)Turnier **e)** verlieren **f)** Mannschaft/Team **g)** Verein/Klub **h)** Tore

6 a) Hast du am Wochenende frei? – Was machst du am Wochenende?
b) Gibt es etwas Besonderes? – Warum fragst du?
c) Am Freitag beginnt das Filmfestival. Wir könnten uns ein paar Filme anschauen. – Samstag ist das Sommerfest meines Fitnessstudios. Kommst du mit?
d) Gute Idee, abgemacht! – Ich hätte schon Lust, aber ich weiß noch nicht, ob ich kann. – Ich würde gerne, aber es kommt darauf an, ob ich frei habe. – Oh ja, das ist eine gute Idee. Das machen wir. – Prima Idee, aber ich kann nicht versprechen, ob ich Zeit habe.
e) Ich möchte schon, aber ich bin leider am Wochenende nicht da. Tut mir leid, aber ich habe leider keine Zeit.

7 A e **B** d **C** a **D** c **E** b **F** f

8 a) Die Fitness- und Wellnesswelle wird in Deutschland immer populärer.
b) Thema des Liedes ist eine ironische Kommentierung des Leistungssports.
c) Man hat Jazz-Gymnastik nicht akzeptiert.
d) Die Sportvereine vermittelten immer den Eindruck, dass Sport Arbeit, Anstrengung, Schweiß und Muskelkater bedeutet.
e) Warum war Jane Fonda so erfolgreich? Weil sie den Menschen klarmachen konnte: Sport macht Spaß. Sport ist modisch. Sport ist in.
f) finden die meisten Leute nicht negativ.
g) Teure Sportartikel sind heute nichts Besonderes.
h) Die feste Mitgliedschaft in den Klubs führt dazu, dass für manche das Fitnessstudio zur zweiten Wohnung wird.
i) Die großen Studios binden die Leute mit einem umfassenden Freizeitprogramm.
j) ist sehr wichtig.

k) auf die Gesundheit geachtet?
l) Erkrankungen, die auf ein falsches Training zurückgehen, werden häufiger.

9 Sie:
b) Ich rate Ihnen, ins Fitnessstudio zu gehen. Gehen Sie ins Fitnessstudio. Sie sollten ins Fitnessstudio gehen. Sie müssen ins Fitnessstudio gehen.
c) Ich rate Ihnen, auf die Gesundheit zu achten. Achten Sie auf die Gesundheit. Sie sollten auf die Gesundheit achten. Sie müssen auf die Gesundheit achten.
d) Ich rate Ihnen, nicht zu viel Krafttraining zu machen. Machen Sie nicht zu viel Krafttraining. Sie sollten nicht zu viel Krafttraining machen. Sie dürfen nicht zu viel Krafttraining machen.
e) Ich rate Ihnen, die Sportarten zu wechseln. Wechseln Sie die Sportarten. Sie sollten die Sportarten wechseln. Sie müssen die Sportarten wechseln.

Du:
b) Ich rate dir, ins Fitnessstudio zu gehen. Geh ins Fitnessstudio. Du solltest ins Fitnessstudio gehen. Du musst ins Fitnessstudio gehen.
c) Ich rate dir, auf die Gesundheit zu achten. Achte auf die Gesundheit. Du solltest auf die Gesundheit achten. Du musst auf die Gesundheit achten.
d) Ich rate dir, nicht zu viel Krafttraining zu machen. Mach nicht zu viel Krafttraining. Du solltest nicht zu viel Krafttraining machen. Du darfst nicht zu viel Krafttraining machen.
e) Ich rate dir, die Sportarten zu wechseln. Wechsle die Sportarten. Du solltest die Sportarten wechseln. Du musst die Sportarten wechseln.

10 a) ein seltsames Paar. Er ist Triathlet und Gewinner des „Ironman"-Triathlon auf Hawaii, sie ist die weltbeste Langstreckenschwimmerin. Sie sehen sich selten, weil sie nicht zusammenwohnen. Peggy wohnt in Ostdeutschland, und Thomas wohnt 800 Kilometer entfernt in Westdeutschland.
b) Die beiden treffen sich beim Training, fahren zusammen zu Wettkämpfen und trainieren gerne zusammen. Beim Schwimmtraining ist Peggy immer die Schnellste.
c) Der Terminkalender bestimmt das Leben der beiden Sportler, die sich in Italien in einem Trainingslager kennengelernt haben. Beide waren gleich begeistert voneinander und bewunderten sich gegenseitig wegen ihrer Leistungsfähigkeit.
d) Peggy ist sehr erfolgreich. In Südamerika hat sie in vier Wochen vier Wettkämpfe gewonnen. Deshalb ist sie auch in Südamerika ein Star, aber nicht in Deutschland.
e) Einmal hat Peggy verloren, weil ihr Begleitboot defekt war. Deshalb konnte sie nicht trinken und musste aufgeben. Eigentlich wollte sie die Saison beenden, aber sie machte weiter. Alle folgenden Rennen hat sie gewonnen.

11 a) am Morgen, am Abend, am Nachmittag, am nächsten Wochenende, am Montag, am Anfang der Woche, am Ende des Jahres, an Ostern, am nächsten Tag, am Jahresende, am Vormittag, am 1. Januar 2003, in der Nacht, in der nächsten Woche, in den Ferien, in der Pause, im Sommer, im August, an Weihnachten, im Jahr(e) 1985, in den letzten Tagen, im 20. Jahrhundert, im Moment, im Augenblick
b) während des Trainings, im Training, beim Training; während des Wettkampfs, im Wettkampf, beim Wettkampf; während des Studiums, im Studium; während der Diskussion, in der Diskussion; während der Reise, auf der Reise; während der Tour, auf der Tour; während der Hochzeit, bei der Hochzeit, auf der Hochzeit; während des Konzerts, beim Konzert, im Konzert; während der Arbeit, bei der Arbeit, in der Arbeit; während des Radfahrens, beim Radfahren; während des Interviews, beim Interview, im Interview; während des Essens, beim Essen; während der Pause, in der Pause; während der Ferien, in den Ferien; während des Urlaubs, im Urlaub; während der Schulzeit, in der Schulzeit
c) vor, Nach, vor, nach, vor, Nach
d) seit, Seit, bis, Ab dem, bis, ab
e) am, seit, um, nach, vor
f) ab, bis, während, an, in, während, am
g) der, dem, den -n
dem, der, dem, den -n
dem, der, dem, den -n
im (in dem), der, im (in dem), den -n
dem/des -s, der, dem/des -s, den -n/der
am (an dem), – , am (an dem), den -n
beim (bei dem), der, beim (bei dem), den
dem, der, dem, –

12 a) fast zwei Wochen **b)** etwa zwei Wochen **c)** genau zwei Wochen **d)** gut zwei Wochen, über zwei Wochen **e)** ein paar Wochen, mehrere Wochen **f)** viele Wochen, wochenlang

13 a) fahren **b)** Schwimmbad **c)** kilometerlang **d)** in Wien sein **e)** Urlaub **f)** Schwimmer **g)** singen **h)** Stück **i)** viele Tage **j)** Ziel **k)** Fluss

14 d) etwas Neues **e)** nichts Anstrengenderes **f)** etwas Schlimmes **g)** etwas Lustiges **h)** nichts Langweiligeres **i)** etwas ... Normales **j)** etwas ... Wichtiges

15 keine sportliche Kleidung. Er findet die vielen Freizeitsportler lächerlich. Er trägt keine spezielle Fahrradkleidung und sieht nicht sportlich aus. Der Autor besitzt nur ein billiges, einfaches Fahrrad, kein Sportfahrrad und hat beim Kauf nur nach dem Preis gefragt. Er fährt Fahrrad nur zum Vergnügen, nicht, um Sport zu treiben. Er ist völlig unsportlich, möchte gemütlich leben und mag keinen Sport.

16 **a)** außen **b)** spielen **c)** leicht **d)** Motorrad **e)** Metzger/Fleischer **f)** Verkäufer **g)** Schuhe **h)** Wald **i)** gewinnen **j)** Hose **k)** irgendwann **l)** Räder **m)** Nase **n)** Rücken **o)** Gewicht **p)** billig

17 **a)** spezielle, normale spezielles, normales speziellen, normale **b)** sportliche, sportliches, sportliche sportliche, sportliches, sportliche **c)** -en, -e, -e, -en **d)** -en, -en, -en, -en

18 **c)** Peggy will im Training unbedingt schneller schwimmen als Thomas.
d) Peggy will im Training unbedingt eine schnellere Schwimmerin sein als Thomas.
e) Peggy ist in Südamerika bekannter als in Europa.
f) Peggy ist in Südamerika eine bekanntere Sportlerin als in Europa.
g) Peggy und Thomas wollen immer besser sein als ihre Konkurrenten.
h) Thomas ist älter als Peggy.
i) Thomas ist beim Radfahren besser als beim Schwimmen.
j) Peggy hat mehr Wettkämpfe gewonnen als Thomas.

19 **b)** Peggy ist die beste Langstreckenschwimmerin. Peggy ist im Langstreckenschwimmen am besten.
c) Ich will das billigste Fahrrad kaufen. Mein Fahrrad ist am billigsten.
d) Thomas hat den härtesten Triathlon-Wettkampf gewonnen. Der „Ironman" ist der härteste Triathlon-Wettkampf.

20 **a)** Würdest du bitte etwas langsamer sprechen? Könntest du bitte etwas langsamer sprechen?
b) Hätten Sie Lust, am Wochenende eine Radtour zu machen? – Hättest du Lust, am Wochenende eine Radtour zu machen?
c) Würden Sie bitte das Auto in die Garage fahren? Könnten Sie bitte das Auto in die Garage fahren? – Würdest du bitte das Auto in die Garage fahren? Könntest du bitte das Auto in die Garage fahren?
d) Dürfte ich bitte 10 Minuten vor Ihrer Einfahrt parken? – Dürfte ich bitte 10 Minuten vor deiner Einfahrt parken?
e) Würden Sie bitte etwas leiser sein? Könnten Sie bitte etwas leiser sein? – Würdest du bitte etwas leiser sein? Könntest du bitte etwas leiser sein?

21 **a)** Ich würde mit meinem Mobiltelefon die Polizei anrufen. Ich würde laut um Hilfe schreien. Ich würde weglaufen.
b) Ich würde sofort nach Hause fahren und mich umziehen. Ich würde auf der Feier bleiben. Ich würde nach einer Stunde die Feier verlassen. Ich würde mich mit Kopfschmerzen entschuldigen und nach Hause gehen.
c) Ich würde eine Insel kaufen. Ich würde nie wieder arbeiten. Ich würde geizig werden. Ich würde weiterleben wie bisher.

22 Lösungsvorschlag:
a) würde ich eine Weltreise machen.
b) würde er sterben.
c) würde ich mehr Sport treiben.
d) wir keine Kinder hätten, dann hätten wir mehr Geld.
e) Wenn ich der Chef wäre, dann bekäme jeder Angestellte 10 Wochen Urlaub im Jahr.
f) Wenn Peggy nicht jeden Tag trainieren würde, dann würde sie keine Wettkämpfe gewinnen.
g) Wenn Olga und Viktor besser Deutsch sprechen könnten, dann hätten sie in der Schule bessere Noten.
h) Wenn du mehr Sport treiben würdest, dann wärst du gesünder.
i) Wenn ihr frei entscheiden dürftet, dann würde jeder die Prüfung bestehen.
j) Wenn ich nachts arbeiten müsste, dann müsste ich tagsüber schlafen.

23 würdest helfen, könntest kommen, dürftest bleiben, hättest Angst, wär(e)st geizig
würden helfen, könnten kommen, dürften bleiben, hätten Angst, wären geizig
würde helfen, könnte kommen, dürfte bleiben, hätte Angst, wäre geizig
würden helfen, könnten kommen, dürften bleiben, hätten Angst, wären geizig
würdet helfen, könntet kommen, dürftet bleiben, hättet Angst, wär(e)t geizig
würden helfen, könnten kommen, dürften bleiben, hätten Angst, wären geizig

Lektion 4

1 **a)** **morgens:** aufstehen, aus dem Haus gehen, das Haus verlassen, frühstücken, duschen, sich die Zähne putzen, sich anziehen, sich rasieren, wach werden, zur Arbeit gehen
b) **abends:** ausgehen, ein Buch lesen, ins Bett gehen, fernsehen, mit Freunden telefonieren, sich die Zähne putzen, nach Hause kommen, sich ausziehen, zu Abend essen, duschen

2 **a)** Traum **b)** möglich **c)** hart **d)** kalt **e)** müde **f)** zu Hause **g)** genau **h)** Nacht **i)** objektiv **j)** kurz **k)** nie **l)** früh **m)** Bruder **n)** schreiben **o)** schnell **p)** einschlafen **q)** gleich **r)** zusammen **s)** Geist **t)** verschieden **u)** Abendessen **v)** lustig **w)** Kinder **x)** innen **y)** offen

3 **a)** Zuerst **b)** Dann **c)** Danach **d)** Zuletzt **e)** Schließlich / Zum Schluss

4 **a)** abends, sonntagnachmittags, mittwochs, montags, nachmittags, morgens, vormittags, wochentags
b) am Mittwochvormittag, gestern, am Sonntag, morgen, morgen Abend, übermorgen, um 7 Uhr, am Nachmittag, Montagabend
c) häufig, manchmal, oft, selten, nie

5 **a)** mir **b)** mich **c)** dir **d)** dich **e)** sich **f)** sich **g)** uns **h)** uns **i)** euch **j)** euch **k)** sich **l)** sich

6 ich: mich, mir; du: dich, dir; er/sie/es: sich, sich; wir: uns, uns; ihr: euch, euch; sie: sich, sich

7 **a)** Au/Oh ja! – Das wäre gut/prima/schön/toll/ ... – Ja, gern! – Klar! – Mit Vergnügen! – Prima!/Fein!/Toll!/Klasse!
b) (Es) tut mir leid, aber ... – Ich möchte schon, aber ... – Das geht nicht, weil ... – Ich kann leider ... nicht. – Ich würde gerne ..., aber ...
c) Ich kann mich noch nicht entscheiden – Ich kann/will nichts versprechen. – Ich muss mir das überlegen. – Ich weiß noch nicht, ob/wann ... – (Ich werde) mal sehen, ob ... – Ich kann noch nicht sagen, ob/wann ...

8 **b)** in das **c)** in der **d)** in/mit der **e)** an dem **f)** auf dem **g)** mit dem **h)** in der **i)** in/mit dem

9 **b)** Man isst mit geschlossenem Mund. – mit geschlossenem Mund gegessen.
c) Man verwendet zum Kuchenessen Kuchengabel oder Löffel. Kuchen wird mit Kuchengabel oder Löffel gegessen.
d) Man hält das Weinglas am Stiel. Das Weinglas wird am Stiel gehalten.
e) Man stützt die Ellbogen beim Essen nicht auf den Tisch. Beim Essen werden die Ellbogen nicht auf den Tisch gestützt.
f) Man raucht nicht zwischen den Gängen. Zwischen den Gängen wird nicht geraucht.
g) Man rülpst nicht. Es wird nicht gerülpst.
h) Man faltet die benutzte Serviette nicht zusammen. Die benutzte Serviette wird nicht zusammengefaltet.
i) Man verlässt den Esstisch nicht, bevor die anderen ihre Mahlzeit beendet haben. Der Esstisch wird nicht verlassen, bevor die anderen ihre Mahlzeit beendet haben.

10 **a)** Suppe **b)** Gemüse **c)** Margarine **d)** Pilze **e)** Nudeln **f)** Essig **g)** Fisch **h)** geschnitten **i)** Limonade

11 **a)** links **b)** Henkel **c)** rauchen **d)** halten **e)** Ellenbogen **f)** Gänge **g)** süß **h)** essen **i)** Getränk **j)** spülen **k)** servieren

12 **b)** geschlossenem **c)** benutzte **d)** geschnittene **e)** gespülte **f)** gefaltete **g)** Gegrilltes, Gebratenes **h)** gewaschene

13 **b)** Wenn man langsamer isst, (dann) isst man weniger, um satt zu werden. Je langsamer man isst, desto weniger isst man, um satt zu werden.
c) Wenn man nervös und sensibel ist, (dann) isst man häufig mehr als notwendig. Je nervöser und sensibler man ist, desto häufiger isst man mehr als notwendig.
d) Wenn man sich nicht auf das Essen konzentriert, (dann) merkt man nicht, wie viel man isst. Je weniger man sich auf das Essen konzentriert, desto weniger merkt man, wie viel man isst.
e) Wenn man Fast Food isst, (dann) isst man meistens zu kalorienreich. Je mehr Fast Food man isst, desto kalorienreicher isst man.
f) Wenn man nicht zwischen den Mahlzeiten isst, (dann) hat man weniger Möglichkeiten, etwas zu essen. Je seltener man zwischen den Mahlzeiten isst, desto weniger Möglichkeiten hat man, etwas zu essen.
g) Wenn man Süßspeisen durch Obst ersetzt, (dann) kann man viele Kalorien sparen. Je häufiger man Süßspeisen durch Obst ersetzt, desto mehr Kalorien kann man sparen.

14 11, 8, 5, 14, 4, 17, 18, 16, 6, 12, 10, 3, 1, 9, 13, 2, 7, 15

15 **b)** schwer **c)** erinnern **d)** essen **e)** häufig **f)** Qualität **g)** langsam **h)** verschieden **i)** nervös **j)** negativ **k)** beruhigen **l)** immer **m)** fragen **n)** dick **o)** Ruhe

16 roh, scharf, süß, sauer, gebraten

17 **a)** 400 g Kartoffeln, 3 Esslöffel süße Sahne, 50 g geriebenen Käse und 1 Beutel Knorr Kartoffelgratin.
b) wäscht man die rohen Kartoffeln und schneidet sie in Scheiben.
c) Dann den Inhalt des Beutels in einen Topf mit 350 ml Wasser einrühren. Geben Sie dann die Kartoffeln dazu.
d) Kochen Sie alles 3 Minuten lang bei schwacher Hitze.
e) Geben Sie alles in eine flache feuerfeste Schüssel und streuen Sie geriebenen Käse darüber.
f) Schieben Sie die Schüssel in den Backofen und backen Sie das Gratin 30–40 Minuten lang bei 200 Grad.

18 **a)** schlaflos **b)** arbeitsfrei **c)** appetitlos **d)** zuckerreich **e)** kalorienreich **f)** alkoholfrei **g)** arbeitslos **h)** geschmacklos **i)** arbeitsreich **j)** abwechslungsarm **k)** abwechslungsreich **l)** kalorienarm **m)** zuckerarm **n)** alkoholarm

19 Er, ihn, ihn, ihn, er, sie, es, sie, sie, es

20 ~~unbekannten~~ populären, ~~harten~~ weichen, ~~schlecht~~ gut, ~~allen~~ vielen, ~~Kindern~~ Erwachsenen, ~~selten~~ regelmäßig, ~~Erwachsene~~ Kleinkinder, ~~Nachteil~~ Vorteil, ~~Geschirr~~ Besteck, ~~schneidet~~ beißt, ~~kalt~~ heiß, ~~Brot~~ Brötchen, ~~hart~~ weich, ~~Trinken~~ Essen, ~~Gemüse~~ Fleisch, ~~Öl~~ Fett, ~~liegt~~ steht, ~~sehen~~ hören, ~~Suppe~~ Soße, ~~sinkt~~ steigt, ~~gehen~~ laufen, ~~gegrillt~~ getoastet, ~~starker~~ milder, ~~Ohren~~ Nase, ~~Bier~~ Wasser, ~~hungrig~~ satt, ~~schon~~ erst, ~~niemand~~ jeder, ~~Teile~~ Zutaten, ~~nass~~ trocken, ~~trotz~~ wegen, ~~getrennt~~ gemeinsam, ~~Tomate~~ Gurke, ~~weniger~~ mehr

Lektion 5

1 **a)** defekte Kopierer, Faxgeräte und Drucker. Normalerweise fahre ich zu den Kunden und mache dort die Reparaturen, aber manchmal muss ich das Gerät mit in die Werkstatt nehmen, wo ich alles auseinanderbaue. Die Betriebsprogramme und die mechanische Technik muss ich natürlich beherrschen.
b) Als Touristikmanager bin ich für Marketing- und Managementaufgaben zuständig. Ich arbeite in einer Tourismuszentrale, wo ich vor allem Angebote plane und kalkuliere und mich um die Internetseiten kümmere.
c) Ich arbeite als Pharmareferentin im Außendienst. Ich besuche regelmäßig Ärzte in ihren Praxen und stelle ihnen neue Medikamente vor. Ich spreche auch mit den Ärzten über ihre Erfahrungen und organisiere Fachtagungen.

2 **b)** Obwohl sich 23% einen Medienberuf wünschen, können sich die meisten diesen Traum nicht erfüllen. – 23% wünschen sich einen Medienberuf. Trotzdem können sich die meisten diesen Traum nicht erfüllen.
c) Obwohl auch Mädchen technische Berufe lernen können, tun das nur wenige. – Auch Mädchen können technische Berufe lernen. Trotzdem tun das nur wenige.
d) Obwohl Friseurinnen nicht viel verdienen, wählen viele Mädchen diesen Beruf. – Friseurinnen verdienen nicht viel. Trotzdem wählen viele Mädchen diesen Beruf.
e) Obwohl ich kein Englisch sprechen kann, möchte ich Reisekaufmann werden. – Ich kann kein Englisch. Trotzdem möchte ich Reisekaufmann werden.

3 **a)** Friseur **b)** studieren **c)** Mädchen **d)** Praxis **e)** verkaufen **f)** Mehrheit **g)** Termin **h)** reparieren **i)** Hälfte **j)** beraten **k)** programmieren

4 **a)** die Patienten. Sie helfen bei Untersuchungen und Behandlungen, wiegen und messen die Patienten und bereiten Laborarbeiten vor. Sie nehmen Blut für Laboruntersuchungen ab, bedienen und pflegen medizinische Instrumente und Geräte und machen einfache Untersuchungen. Arzthelfer/-innen organisieren auch den Praxisablauf und erledigen Verwaltungsarbeiten.
b) die Arbeiten im Hotel. Sie nehmen Reservierungen von Gästen entgegen, machen Reservierungspläne und empfangen die Gäste. Hotelfachleute kalkulieren auch Angebote, planen Marketingaktionen und schreiben Reisebüros an. Außerdem helfen sie den Gästen, planen die Arbeitszeiten des Servicepersonals und kontrollieren die Hotelzimmer und den Service.

5 Im Herbst möchte ich gerne ...
Also, ich habe Abitur gemacht.
Englisch und Französisch. Also Fremdsprachen ... . Deshalb könnte ... .
Studium? Nein, eher nicht. Nein, ich möchte ... . Vielleicht auch etwas ... .
Nein, ich möchte einen praktischen ... . Wie sieht es denn bei ... ?
Na ja, so konkret ... . Da verändert sich ... .
Na ja, Studium, wie gesagt, ... Aber ich muss mir das ... .

6 **a)** Was kann ich für Sie tun? Womit kann ich Ihnen helfen? Kann ich etwas für Sie tun?
b) Haben Sie an etwas Bestimmtes gedacht? Welchen Wunsch haben Sie? Haben Sie eine bestimmte Idee?
c) Können Sie mir einen Rat geben? Was würden Sie mir raten? Was könnte ich tun?
d) Ich schlage Ihnen vor, Ich empfehle Ihnen, Ich gebe Ihnen den Rat
e) Was denken Sie über ...? Was halten Sie von ...?

7 **a)** Pech **b)** Stuhl **c)** Verkauf **d)** öffentlich **e)** wirklich **f)** verschlechtern **g)** Unternehmen **h)** Mitglied **i)** Mitarbeiter **j)** gelingen **k)** finden **l)** herstellen **m)** Anfang **n)** Student **o)** Lösung

8 **a)** entwickelt Unternehmensstrategien, kontrolliert und organisiert die Zusammenarbeit der Abteilungen, plant die Entwicklung des Unternehmens
b) bestellt Material und Geräte für die Produktion, wählt Lieferanten aus
c) plant und organisiert Verkaufsaktionen, organisiert den Verkauf, kommuniziert mit Kunden, bearbeitet Bestellungen/Aufträge/Anfragen

d) gestaltet Prospekte, plant Werbung und realisiert Werbeaktionen
e) versendet Waren, verwaltet und organisiert das Lager
f) kontrolliert die Unternehmensfinanzen, verwaltet die Eingangs- und Ausgangsrechnungen, erstellt Geschäftsbilanzen
g) stellt Produkte her, organisiert und kontrolliert die Produktherstellung

9 **b)** Ich wasche meine Wäsche selbst. Ich lasse meine Wäsche waschen.
c) Ich wasche das Geschirr selbst ab. Ich lasse das Geschirr abwaschen.
d) Ich räume meine Küche selbst auf. Ich lasse meine Küche aufräumen.
e) Ich bügle meine Wäsche selbst. Ich lasse meine Wäsche bügeln.
f) Ich koche selbst. Ich lasse kochen.

10 **b)** lässt man mich eigene Produktideen entwickeln. **c)** lässt man uns Kalkulationen selbst machen. **d)** lässt man Maria und Rolf selbst Verkaufsaktionen planen. **e)** lässt man uns selbst Geräte und Material einkaufen. **f)** lässt man die Jugendlichen die Produktion selbst organisieren.

11 **a)** betriebseigen **b)** der nächstmögliche Zeitpunkt **c)** erfahren **d)** Abschlusszeugnis **e)** Kopie **f)** Lebenslauf **g)** Team **h)** Mitarbeiter **i)** teamfähig **j)** Gast **k)** Zukunft **l)** Bewerbung **m)** Führerschein **n)** Hausmeister **o)** Kenntnisse **p)** erforderlich **q)** Reinigungsarbeiten **r)** qualifiziert **s)** Ausrüstung **t)** Aktivitäten **u)** freundlich **v)** Arbeitsklima **w)** Bezahlung **x)** Arbeitsplatz

12 Lösungsvorschlag:
Denn Feste organisieren muss man können. Das kann nicht jeder. Wir sind Spezialisten für Feste aller Art, für kleine und große. Damit Ihr Fest ein Erfolg wird, bieten wir Ihnen unseren Partyservice. Ob kaltes oder warmes Essen, einfach oder luxuriös. Wenn Sie wollen, kochen wir nicht nur für Sie. Wir sorgen auch für Geschirr, Stühle, Tische, Partyzelte, Grillgeräte, Dekorationen und sogar Servicepersonal. Probieren Sie es einmal aus! Lassen Sie sich von uns individuell und persönlich beraten. Rufen Sie uns einfach an, Tel. (0441) 66 73 98, oder informieren Sie sich auf unseren Seiten über unsere Angebote.

13 *Martin Norz*
Martin Norz ist 35 Jahre alt und kommt aus Oberammergau in Oberbayern. Das ist der Ort, in dem alle 10 Jahre die weltbekannten Passionsspiele stattfinden. Martin Norz hat Glück, weil er schon zum zweiten Mal die Rolle des Jesus spielen darf. Im wirklichen Leben ist er im Bauamt der Gemeinde angestellt und kümmert sich um Dinge wie Baurecht und Straßenverkehrsrecht.

Hans Draga
Hans Draga ist seit fast 40 Jahren Pferdepfleger und kümmert sich um die Pferde von wohlhabenden Münchener Bürgern. Er macht den Stall sauber, füttert die Tiere, pflegt sie und macht sie reitfertig. Hans Dragas Arbeitstag beginnt um 7 Uhr und die Arbeit ist sehr anstrengend, aber er kann arbeiten, wie er will.

14 **a)** Musiker **b)** Mitternacht **c)** Orchester **d)** Kutsche **e)** Glück **f)** Kind/Jugendlicher **g)** krank **h)** Sendung **i)** Stall **j)** alle 10 Jahre **k)** spielen **l)** Junge **m)** lieben **n)** Schwester **o)** Teich **p)** Kühlschrank **q)** Lehrer

15 **a)** liegen **b)** sich kümmern **c)** stehen **d)** tragen **e)** beschließen **f)** vorstellen **g)** treffen **h)** spielen **i)** überzeugen **j)** versuchen **k)** vergessen **l)** schicken **m)** beginnen **n)** erhalten **o)** erkennen **p)** wissen **q)** finden **r)** verlieren

16 **b)** Wenn wir die Verkaufsaktion nicht gemacht hätten, hätten wir weniger Erfolg gehabt.
c) Wenn ich nicht in der Juniorfirma gearbeitet hätte, hätte ich wichtige Dinge nicht gelernt.
d) Wenn unsere Firma besseres Material bekommen hätte, hätten die Produkte eine höhere Qualität gehabt.
e) Wenn wir in der Firma weniger diskutiert hätten, wären wir zu Entscheidungen gekommen.
f) Wenn Herr Draga mehr Geld gehabt hätte, hätte er ein gesundes Pferd gekauft.
g) Wenn Herr Norz nicht in Oberammergau geboren wäre, hätte er nicht an den Passionsspielen teilnehmen dürfen.
h) Wenn ein Lehrer nicht das Talent von Frau Mährle erkannt hätte, wäre sie nicht Paukistin geworden.

17 **a)** Mitarbeiter **b)** Verbot **c)** Zeit **d)** Spiel **e)** Gesetze **f)** entlassen

18 **a)** sicher nicht, ganz bestimmt nicht **b)** wahrscheinlich nicht, wohl nicht, kaum **c)** vielleicht, möglicherweise, eventuell **d)** ziemlich sicher, sehr wahrscheinlich, höchstwahrscheinlich **e)** ganz sicher, ganz bestimmt, auf jeden Fall

19 **a)** ~~verboten~~ erlaubt **b)** ~~anfangen~~ aufhören **c)** ~~begonnen~~ erledigt **d)** ~~geärgert~~ gekündigt **e)** ~~bekommen~~ benutzt **f)** ~~weiß~~ vermute **g)** ~~erklären~~ beachten **h)** ~~gekämpft~~ entschieden **i)** ~~versprochen~~ gedroht **j)** ~~gespielt~~ verhandelt

Lektion 6

1 **a)** B **b)** A **c)** B **d)** B **e)** A **f)** B

2 **a)** Als **b)** Wenn **c)** wenn **d)** als **e)** wenn **f)** als **g)** Als **h)** wenn **i)** Als **j)** wenn

3 **b)** I **c)** II **d)** I **e)** II **f)** III **g)** I **h)** II **i)** I **j)** III

4 **a)** II **b)** II **c)** III **d)** I **e)** I **f)** III **g)** III **h)** II **i)** I

5 **b)** kälter als gestern. **c)** als ich erwartet hatte / als erwartet. **d)** ist zwei Jahre jünger als ich. **e)** als Lehrer in Kenia. **f)** Als Kind muss man

6 **a)** Wann **b)** wann **c)** Wenn **d)** wenn **e)** wann **f)** Wenn **g)** wann **h)** wenn **i)** wann **j)** Wann **k)** wenn

7 **b)** schenkten mir eine Schultüte. – zur Schule. **c)** Ich kam aus der Klasse. – Ich erzählte meinen Eltern von Ernst. **d)** Wir mussten eine Stunde warten. – Die Lehrerin kam. **e)** Sie fragte ihre Eltern um Erlaubnis. – Sie ging auf ein Popkonzert. **f)** Er zog seine Bergschuhe an. – Er setzte seinen Hut auf. **g)** Die Mutter erzählte eine Geschichte. – Die Kinder schliefen ein.

8 **b)** hatte ... gearbeitet **c)** hatte ... geschrieben **d)** hatten ... gewusst **e)** gegessen hatte **f)** weggelaufen war **g)** aufgehört hatte **h)** hatte ... besessen **i)** hatte ... rasiert **j)** trainiert hatte **k)** war ... gewachsen

9 **b)** Die Lehrerin hatte mich nach meinem Namen gefragt. **c)** Ich war mit meinen Eltern in die Berge gefahren. **d)** Wir waren in einen Zug nach Österreich eingestiegen. **e)** Meine Großmutter war kurz nach ihrem 90. Geburtstag gestorben. **f)** Und an Weihnachten hatte mir meine Mutter immer ein weißes Kleid angezogen. **g)** Meine Freundin hatte mich zu einem Popkonzert mitgenommen. **h)** Eines Tages hatte ich meine Hausaufgaben vergessen.

10
lagst	gingst ... weg	wurdest begrüßt
hast gelegen	bist weggegangen	bist begrüßt worden
hattest gelegen	warst weggegangen	warst begrüßt worden
lag	ging ... weg	wurde begrüßt
hat gelegen	ist weggegangen	ist begrüßt worden
hatte gelegen	war weggegangen	war begrüßt worden
lagen	gingen ... weg	wurden begrüßt
haben gelegen	sind weggegangen	sind begrüßt worden
hatten gelegen	waren weggegangen	waren begrüßt worden
lagt	gingt ... weg	wurdet begrüßt
habt gelegen	seid weggegangen	seid begrüßt worden
hattet gelegen	wart weggegangen	wart begrüßt worden
lagen	gingen ... weg	wurden begrüßt
haben gelegen	sind weggegangen	sind begrüßt worden
hatten gelegen	waren weggegangen	waren begrüßt worden

11 **a)** C **b)** A **c)** C **d)** B **e)** B **f)** B **g)** A

13 **b)** sympathisch **c)** unsportlich **d)** freundlich **e)** ungesüßt **f)** unruhig **g)** unkompliziert **h)** interessant **i)** unpraktisch **j)** unglücklich **k)** unhöflich **l)** unsicher **m)** ungesund

14 **a)** fehlerlos **b)** elternlos **c)** zahnlos **d)** arbeitslos **e)** fleischlos **f)** humorlos **g)** kraftlos **h)** traumlos **i)** heimatlos **j)** wertlos **k)** lustlos **l)** ergebnislos **m)** ratlos **n)** herzlos, gefühllos **o)** ziellos **p)** ereignislos **q)** mühelos **r)** erfolglos **s)** problemlos **t)** schutzlos

15 **b)** dünn **c)** nah **d)** klein **e)** traurig **f)** langweilig **g)** jung **h)** reich **i)** teuer **j)** schwer **k)** schwach **l)** verheiratet **m)** hell **n)** richtig **o)** mutig **p)** fleißig **q)** trocken **r)** krank **s)** weich **t)** hässlich **u)** lang **v)** leise **w)** nervös **x)** schmutzig **y)** sauer

16 **a)** A **b)** A **c)** B **d)** B **e)** A **f)** B

17 besten, zehnten, Damals, erster, schlechtere, zuerst, bald, tatsächlich

18 **a)** R **b)** F **c)** F **d)** F **e)** R **f)** R **g)** F **h)** F **i)** R **j)** R **k)** F **l)** F **m)** R

19 **b)** ich noch etwas lernen will, mache ich einen Sprachkurs.
c) Wenn meine Kinder größer sind, werde ich Französisch lernen.
d) Ob ich noch einen Platz im Kurs bekomme, ist nicht sicher.
e) Obwohl ich Probleme mit der Aussprache habe, macht mir Italienisch viel Spaß.
f) Damit sie in Berlin studieren kann, lernt meine Freundin Deutsch.
g) Als ich das Programm der Volkshochschule bekam, habe ich mich sofort angemeldet.
h) Während meine Kinder in der Schule sind, besuche ich einen Kurs.

20 **b)** am sechzehnten Februar **c)** am elften März **d)** am neunundzwanzigsten April **e)** am zweiundzwanzigsten Mai **f)** am dreißigsten Juni **g)** am dritten Juli **h)** am ersten August **i)** am dreizehnten September **j)** am siebten Oktober **k)** am vierundzwanzigsten November **l)** am siebzehnten Dezember

21 **a)** Wann **b)** Wo **c)** Was **d)** Wohin **e)** Wer **f)** Warum **g)** Wie **h)** Woher

22 **b)** dreiundneunzig Euro und vierzehn Cent
c) (ein)hundertfünfundsechzig Euro und vierundneunzig Cent
d) dreihundertdreiunddreißig Euro und zehn Cent
e) sechshundertvierundfünfzig Euro und einundneunzig Cent
f) siebenhundertfünfundvierzig Euro und dreiundzwanzig Cent
g) neunhundertdreiundsechzig Euro und achtundsiebzig Cent
h) (ein)tausenddreihundertvierundzwanzig Euro und fünfzig Cent
i) achttausendsechshundertachtundsiebzig Euro und achtundneunzig Cent

23 **b)** 23.57 Uhr **c)** 8.30 Uhr **d)** 22.20 Uhr **e)** 2.15 Uhr **f)** 15.35 Uhr **g)** 6.40 Uhr **h)** 5.55 Uhr **i)** 18.45 Uhr

24 **b)** Montag **c)** Freitag **d)** Dienstag **e)** Sonntag **f)** Mittwoch **g)** Samstag

Lektion 7

1 **a)** erschrocken **b)** wütend **c)** ängstlich **d)** traurig **e)** fröhlich **f)** anderer Meinung **g)** arrogant **h)** freundlich

2 **a)** ängstlich **b)** arrogant **c)** interessiert **d)** erschrocken **e)** freundlich **f)** traurig **g)** wütend **h)** fröhlich

3 **a)** B **b)** A **c)** C **d)** B **e)** C

4 **b)** ängstlich **c)** berühmt **d)** dumm **e)** ehrlich **f)** faul **g)** frech **h)** freundlich **i)** fröhlich **j)** gesund **k)** herzlich **l)** höflich **m)** interessiert **n)** klug **o)** natürlich **p)** schlank **q)** schön **r)** traurig **s)** verrückt **t)** zufrieden
Wenn das Adjektiv mit *-ich* oder *-ig* endet (*-ig* wird auch wie *-ich* ausgesprochen), dann wird das Nomen mit *-keit* am Ende gebildet.

5 **a)** E **b)** G **c)** C **d)** H **e)** B **f)** A **g)** F **h)** D

6 **b)** Zeige nicht jedem gleich deine Gefühle.
Zeigt nicht jedem gleich eure Gefühle.
c) Mach ein freundliches Gesicht.
Macht ein freundliches Gesicht.
d) Sei immer natürlich.
Seid immer natürlich.
e) Stelle anderen Menschen keine persönlichen Fragen.
Stellt anderen Menschen keine persönlichen Fragen.
f) Finde deinen persönlichen Stil.
Findet euren persönlichen Stil.
g) Lerne aus deinen Fehlern.
Lernt aus euren Fehlern.

7 **a)** Iss **b)** Vergiss **c)** Gib **d)** Hilf **e)** Nimm **f)** Versprich **g)** Lies **h)** Sprich **i)** Sieh **j)** Triff

8

positiv	**negativ**
... finde ich attraktiv.	... mag ich nicht.
... ist hübsch angezogen.	... hat bestimmt keinen guten Charakter.
... macht einen netten Eindruck.	... hat eine unangenehme Stimme.
... sieht süß aus.	... möchte ich bestimmt nicht näher kennenlernen.
... interessiert mich.	... ist bestimmt sehr arrogant.
... hat wunderschöne Augen.	... ist irgendwie komisch.
... finde ich sehr sympathisch.	... redet einfach zu viel.
... hat ein schönes Lachen.	

9 **a)** B **b)** A **c)** B **d)** B **e)** A **f)** B **g)** A

10 **a)** nervös **b)** traurig **c)** vergesslich **d)** hübsch **e)** mager **f)** klug **g)** grün **h)** intelligent **i)** Wäsche waschen

11 **b)** kurzen Bart **c)** schlanke Figur **d)** dumme Witze **e)** guten Charakter **f)** hübsches Gesicht **g)** verrückte Ideen **h)** langweiliger Mensch **i)** laute Stimme **j)** starken Brille

12 freie Lösung

13 **a)** egoistisch **b)** bescheiden **c)** zuverlässig **d)** kühl **e)** ehrlich **f)** unkompliziert **g)** vergesslich **h)** korrekt **i)** natürlich

14 **a)** A **b)** B **c)** B **d)** A **e)** A

15 **b)** B **c)** B **d)** A **e)** B **f)** A **g)** A **h)** A **i)** B **j)** A **k)** A **l)** B **m)** B

16 **a)** A **b)** C **c)** B **d)** C **e)** A

17 **c)** + **d)** + **e)** – **f)** + **g)** – **h)** – **i)** + **j)** – **k)** – **l)** +

18 **b)** um nicht bezahlen zu müssen. **c)** um seine Ziele erreichen zu können. **d)** um sich wichtig fühlen zu können. **e)** um ins Kino gehen zu dürfen. **f)** um nicht ins Bett gehen zu müssen. **g)** um früher nach Hause fahren zu dürfen. **h)** um besser schlafen zu können.

19 darf, soll, muss, will
kannst, darfst, sollst, musst, willst
kann, darf, soll, muss, will
können, dürfen, sollen, müssen, wollen
könnt, dürft, sollt, müsst, wollt
können, dürfen, sollen, müssen, wollen

20 **a)** C **b)** B **c)** A **d)** C **e)** A

21 **b)** sechstausendeinhundertsiebenundsechzig Kilometer
c) neuntausendneunhundertfünfundsiebzig Kilometer
d) zwölftausenddreihundertfünfunddreißig Kilometer
e) sechsunddreißigtausendzweihundertsiebzehn Kilometer
f) siebenundfünfzigtausendachthundertdreiundsechzig Kilometer
g) achtundneunzigtausenddreihunderteinundfünfzig Kilometer
h) (ein)hundertzweiundzwanzigtausendneunhundertzweiundsiebzig Kilometer
i) vierhundertvierundvierzigtausendachthundertfünfundsechzig Kilometer
j) siebenhundertfünfundzwanzigtausendneunhunderteinundneunzig Kilometer

22 **a)** Monate **b)** Minuten **c)** Gramm **d)** Pfund **e)** Meter **f)** Tag **g)** Zentimeter

23 **b)** unseres Nachbarn **c)** des Autos **d)** deines Kleides **e)** Peters **f)** Ihrer Freundin **g)** meines Chefs **h)** des schlechten Wetters **i)** seiner schlimmen Erkältung **j)** meines besten Freundes

Lektion 8

1 **b)** lieber, am liebsten **c)** mehr, am meisten **d)** schöner, am schönsten **e)** dicker, am dicksten **f)** freundlicher, am freundlichsten

2 **b)** netteste **c)** jüngste **d)** schönsten **e)** neueren **f)** größte **g)** höchste **h)** wärmeres **i)** teuersten **j)** dunklere **k)** spannenderen

3 **der/ein:** Kaffee, Honig, Apfel, Käse, Fernseher, Ball, Wecker, Teppich, Kühlschrank, Tisch, Strumpf
die/eine: Gitarre, Marmelade, Lampe, Blume, Kartoffel, Bluse, Limonade, Butter, Zitrone, Wurst, Zwiebel
das/ein: Brot, Fahrrad, Waschpulver, Kleid, Radio, Auto, Salz, Mineralwasser, Bier, Buch, Gemüse, Ei

4 **kann man kaufen:** ein Schnitzel, einen Apfel, ein Getränk, eine Hose, ein Geschenk, ein Ei, ein Klavier, eine Gitarre, Möbel, eine Lampe, eine Birne, einen Anzug, eine Kamera, einen Fernseher, einen Hammer, eine Illustrierte, eine Puppe, einen Fisch, eine Gabel, einen Kühlschrank

kann man nicht kaufen: ein Gefühl, Angst, eine Bitte, Bauchschmerzen, Appetit, eine Landschaft, einen Kellner, einen Berg, einen Bruder, einen Dieb, einen Kuss, einen Ingenieur, eine Hoffnung, Meinungen, einen Enkel, ein Gewitter, Fieber, ein Gesetz, einen Fluss, eine Heimat

5 **b)** Radio **c)** Stiefel **d)** Fisch **e)** Uhr **f)** Pizza **g)** Tee **h)** Telefon **i)** Penizillin **j)** Zucker

6 **b)** ein Politikprofessor **c)** eine Tomatensoße **d)** ein Computertisch **e)** ein Haustürschlüssel **f)** ein Eisberg **g)** ein Gurkensalat **h)** eine Musikgruppe **i)** ein Sommerfest **j)** ein Tennisplatz **k)** eine Zimmerpflanze **l)** ein Gasofen **m)** eine Gemüsesuppe **n)** ein Gemüsehändler

7 **a)** A **b)** A **c)** B **d)** B **e)** A **f)** B **g)** A

8 **b)** die Benutzerin **c)** der Berater **d)** der Besitzer, die Besitzerin **e)** erfinden **f)** die Erzählerin **g)** der Fahrer, die Fahrerin **h)** der Gewinner, die Gewinnerin **i)** der Händler **j)** der Hersteller, die Herstellerin **k)** kaufen **l)** die Läuferin **m)** der Leiter, die Leiterin **n)** lesen, die Leserin **o)** der Maler, die Malerin **p)** die Planerin **q)** der Raucher, die Raucherin **r)** singen **s)** der Spieler, die Spielerin **t)** sprechen **u)** der Verbraucher, die Verbraucherin **v)** die Verliererin **w)** verkaufen **x)** der Zeichner, die Zeichnerin **y)** zuhören, die Zuhörerin **z)** der Zuschauer, die Zuschauerin

9 **a)** auf der Post **b)** auf dem Hof **c)** auf der Bank **d)** beim Bäcker **e)** bei einem Fahrradhändler **f)** an der Universität **g)** an einem Kiosk **h)** in einer Apotheke **i)** auf dem Bahnhof **j)** im Möbelgeschäft **k)** bei einem Popkonzert

10 **a)** E **b)** D **c)** G **d)** F **e)** A **f)** H **g)** C **h)** B

11 **b)** n **c)** p **d)** p **e)** n **f)** n **g)** p **h)** n **i)** p **j)** p **k)** n **l)** p **m)** n **n)** p **o)** p

12 **trennbare Verben:** anhängen, abfahren, anfangen, aufhören, aufwachen, einkaufen, einsteigen, fernsehen, festhalten, nachdenken, umdrehen, vorschlagen, zumachen, zuschauen

13 **a)** – **b)** ge **c)** – **d)** ge **e)** ge **f)** ge **g)** – **h)** – **i)** – **j)** ge **k)** ge **l)** – **m)** ge **n)** – **o)** ge **p)** ge **q)** – **r)** – **s)** ge **t)** ge **u)** ge **v)** – **w)** ge **x)** – **y)** – **z)** ge

14 **a)** besuche, suche **b)** arbeiten, bearbeitet **c)** befindet, finden **d)** bekommt, kommt **e)** sitze, besitzt **f)** beschließen, schließe **g)** halten, behalten **h)** bestelle, stellen **i)** achten, beachten

15 **a)** ausmachen **b)** mitmachen **c)** nachmachen **d)** anmachen **e)** aufmachen **f)** zumachen

16 **A:** vielen Dank für Ihr Angebot. ... – Ich hoffe, Sie können ... – Mit freundlichen Grüßen ...

B: hast Du Lust, am Samstag ... – Ich möchte mir einen ... – Gib mir schnell Antwort. ...

C: ich denke Tag und Nacht ... – Ich zähle die Stunden ... – Tausend Küsse ...

D: wie geht es euch? ... – Schreibt mir doch mal wieder ... – Es grüßt euch herzlich ...

17 Lösungsvorschlag:

Liebe Marion,

ich bin jetzt seit einer Woche wieder in Bamberg. Meine Heimreise war ziemlich anstrengend. Zuerst hatte ich eine Panne mit dem Leihwagen und hätte beinahe das Flugzeug verpasst. Dann war mein Koffer auch noch im falschen Flugzeug! Du kannst Dir vorstellen, dass ich zu Hause so erschöpft war, dass ich gleich ins Bett gegangen bin.
Heute war mein erster Arbeitstag nach dem Urlaub. Während ich mit Dir am Strand gelegen habe, hat sich hier ziemlich viel angesammelt. Deshalb habe ich viel zu tun, aber im Urlaub habe ich ja genügend Kräfte gesammelt. Trotzdem überlege ich mir jetzt schon, wohin ich als Nächstes fahren will. Vielleicht nach Italien. Da war ich noch nie. Was meinst Du, sollen wir wieder gemeinsam Urlaub machen?
Du kannst mich ja auch einmal hier in Bamberg besuchen. Die Stadt ist immer eine Reise wert. Dann können wir auf meinem Balkon sitzen, Rotwein trinken und die Urlaubsbilder ansehen. Ich bin schon gespannt, wie sie geworden sind. Morgen hole ich sie ab. Die schönsten werde ich Dir natürlich sofort schicken.

Also, bis bald!

Stefan

18 **b)** Fernseher. **c)** Spritze, aber ich finde keine Taschenlampe. **d)** Ich sehe einen Koffer, aber ich finde keine Handtasche. **e)** Ich sehe ein Kissen, aber ich finde keinen Wecker. **f)** Ich sehe eine Uhr, aber ich finde keine Schere. **g)** Ich sehe eine Geldbörse, aber ich finde kein Telefon. **h)** Ich sehe einen Teppich, aber ich finde keine Haarbürste. **i)** Ich sehe einen Hammer, aber ich finde kein Buch. **j)** Ich sehe ein Fahrrad, aber ich finde kein Besteck. **k)** Ich sehe ein Radio, aber ich finde keine Bluse. **l)** Ich sehe ein Handy, aber ich finde keine Gitarre. **m)** Ich sehe eine Dose, aber ich finde keine Flasche. **n)** Ich sehe eine Halskette, aber ich finde kein Foto.

19 **a)** A **b)** B **c)** A **d)** A **e)** A **f)** A

20 **b)** Wer eine Ware billiger haben will, sollte sich informieren.
c) Wer Probleme mit der Gesundheit hat, sollte zum Arzt gehen.
d) Wer auf der Suche nach einem neuen Auto ist, sollte mal ins Internet schauen.
e) Wer eine E-Mail von einer Person bekommt, die er nicht kennt, sollte vorsichtig sein.
f) Wer oft Kopfschmerzen hat, wenn er am Computer sitzt, sollte oft Pausen machen und an die frische Luft gehen.

21 **a)** C **b)** B **c)** F **d)** H **e)** G **f)** E **g)** A **h)** D

22 **c)** sechzehnten elften neunzehnhundertachtundsechzig
d) am zwölften vierten neunzehnhundertfünfundsiebzig
e) am siebenundzwanzigsten neunten neunzehnhundertdreiundachtzig
f) am neunten zwölften neunzehnhundertsiebzig
g) am neunzehnten ersten neunzehnhundertvierundsechzig
h) am dreizehnten achten neunzehnhundertneunundsiebzig
i) am vierundzwanzigsten zwölften neunzehnhundertsechzig
j) am siebten dritten neunzehnhunderteinundachtzig
k) am siebzehnten fünften neunzehnhundertzweiundsiebzig

23 **b)** P, F **c)** F, P **d)** F, P **e)** P, F **f)** F, P **g)** F, P **h)** F, P

Lektion 9

1 **a)** Handy **b)** Faxgerät **c)** Radio **d)** Bildschirm **e)** Maus **f)** Modem **g)** Drucker **h)** Tastatur **i)** Computer **j)** Lautsprecher **k)** Kugelschreiber **l)** Ordner

2 **a)** ein Handy **b)** ein Bildschirm **c)** eine Tastatur **d)** ein Lautsprecher **e)** eine Maus **f)** ein Modem **g)** ein Faxgerät **h)** ein Drucker

3 **a)** ein Modem **b)** Licht **c)** einen Kugelschreiber **d)** einen Flug **e)** ein Getränk **f)** ein Buch **g)** einen Schreibtisch **h)** ein Telefongespräch

4 **a)** verteilen **b)** klettern **c)** erfinden **d)** rasieren **e)** überweisen **f)** besitzen **g)** besuchen **h)** korrigieren

5 **b)** gelesen **c)** geschrieben **d)** abgehoben **e)** gegeben **f)** bedient **g)** notiert **h)** gebucht

6 **a)** B **b)** A **c)** C **d)** B

7 a)

8 **a)** täglich **b)** nie **c)** oft **d)** ab und zu **e)** fast nie

9 **a)** C **b)** A **c)** C **d)** D

10 **a)** C **b)** B **c)** A **d)** B **e)** A

11 **b)** weil es das Wissen für die Zukunft braucht. **c)** weil man Kontakt zur ganzen Welt hat. **d)** denn das ist nicht gesund für die Augen. **e)** denn sie können damit neue Freunde finden. **f)** weil sie Probleme mit der neuen Technik haben. **g)** denn es gibt viel interessantere Dinge im Leben.

12 **a)** C **b)** B **c)** B **d)** A **e)** C

13 **a)** A **b)** B **c)** A **d)** B **e)** A **f)** B

14 **a)** ob **b)** wenn **c)** weil **d)** obwohl **e)** nachdem **f)** wenn

15 **b)** ob es auch Handys für Pferde geben wird. **c)** ob es genug Computer für alle Gefangenen gibt. **d)** ob ich im Notfall ein Flugzeug landen könnte. **e)** ob man im Urlaub auf sein Handy verzichten sollte. **f)** ob die Entwicklung von Tier-Handys eine gute Idee ist.

16 **b)** dass die Gefangenen sich über ihre Kontaktmöglichkeiten freuen. **c)** dass die Luftpiraten ins Gefängnis gekommen sind. **d)** dass sich der Papst über die vielen E-Mails gefreut hat. **e)** dass der Bürgermeister von Horntal ein kluger Mann ist. **f)** dass die Passagiere bei der Landung große Angst hatten.

17 **a)** ob **b)** dass **c)** dass **d)** dass **e)** ob **f)** ob **g)** dass **h)** dass **i)** ob **j)** ob

18 **b)** entwickelt, Entwicklung **c)** gestört, Störung **d)** heizt, Heizung **e)** erfunden, Erfindung **f)** gemeint, Meinung **g)** geordnet, Ordnung **h)** gebucht, Buchung **i)** gerettet, Rettung **j)** überrascht, Überraschung **k)** gewohnt, Wohnung **l)** verbunden, Verbindung

19 **a)** p **b)** g **c)** g **d)** p **e)** g

20 **a)** B **b)** F **c)** C **d)** A **e)** E **f)** D

21 **a)** A **b)** B **c)** A **d)** B **e)** B

Lektion 10

1 **a)** Zug **b)** Kutsche **c)** Cabrio **d)** U-Bahn **e)** Motorrad **f)** Raumschiff **g)** Fähre **h)** Hubschrauber **i)** Lastwagen

2 **a)** G **b)** A **c)** F **d)** C **e)** B **f)** D **g)** E

3 **b)** Nächstes Jahr wird meine Tochter Abitur machen. **c)** Im nächsten Jahr werde ich nach Spanien fahren. **d)** Du wirst die Prüfung ganz bestimmt schaffen. **e)** Am Wochenende werden wir die Wohnung putzen müssen. **f)** Morgen wird es bestimmt regnen.

4 **b)** Er kauft ein neues Auto. Er hat ein neues Auto gekauft. Er wird ein neues Auto kaufen. **c)** Wir holen die Kinder von der Schule ab. Wir haben die Kinder von der Schule abgeholt. Wir werden die Kinder von der Schule abholen. **d)** Sie spielen zusammen Fußball. Sie haben zusammen Fußball gespielt. Sie werden zusammen Fußball spielen. **e)** Wo bist du an Weihnachten? Wo bist du an Weihnachten gewesen? Wo wirst du an Weihnachten sein?

5 **c)** A **d)** A **e)** B **f)** A **g)** B **h)** B **i)** A **j)** A **k)** A **l)** B

6 **a)** Das Zimmer ist sehr gemütlich. **b)** Das ist wundervoll. **c)** Das haben Sie sehr gut gemacht.

7 **a)** A **b)** B **c)** A **d)** B **e)** B

8 **a)** f **b)** f **c)** r **d)** r **e)** f **f)** f **g)** r **h)** r

9 **a)** A **b)** B **c)** B **d)** A **e)** B **f)** A

10 **a)** am liebsten mit dem Zug, weil das ein sicheres Verkehrsmittel ist.
b) Im Urlaub will ich nur meine Ruhe haben, denn mein Beruf ist sehr anstrengend.
c) In den Ferien fahre ich meistens ans Meer, um zu baden und in der Sonne zu liegen.
d) Im Urlaub möchte ich kein festes Programm haben, sondern tun und lassen, was mir gefällt.
e) Ich reise gern mit guten Freunden, weil gemeinsam alles viel mehr Spaß macht.
f) Ich finde, dass man einen Urlaub genau planen sollte, damit man dann nicht enttäuscht ist.

11 **b)** hier bleiben, weil meine Kinder noch zur Schule gehen. **c)** Ich will nicht weggehen, weil ich hier sehr zufrieden bin. **d)** Ich kann leicht auswandern, weil meine Großeltern in Australien leben. **e)** Mir fehlt das Geld zum Reisen, weil ich noch studiere.

12 **b)** meiner alten Eltern **c)** der schönen Sprache **d)** der guten Universitäten **e)** meiner neuen Freundin **f)** meiner großen Flugangst

13 **b)** um neue Erfahrungen zu machen **c)** um täglich baden zu können **d)** um Land und Leute kennenzulernen **e)** um dort ein Jahr zu arbeiten **f)** um meinen Job zu kündigen

14 **a)** B **b)** C **c)** D **d)** E **e)** A

15 **b)** bin auf einen hohen Berg gestiegen. **c)** Ich habe im Meer gebadet. **d)** Ich bin viel mit dem Fahrrad gefahren. **e)** Ich habe schöne Museen besichtigt. **f)** Ich habe meinen Freunden Karten geschrieben.

16 **a)** B **b)** B **c)** A **d)** A **e)** B **f)** B **g)** A **h)** A **i)** B **j)** A **k)** B **l)** B **m)** A **n)** A **o)** B **p)** A **q)** B **r)** A

17 Lösungsvorschlag:
Vor zwei Jahren habe ich eine Reise nach Russland unternommen, um dort einen Sprachkurs zu machen. Zusammen mit ein paar Freunden, die denselben Kurs besuchen wollten, bin ich mit dem Zug bis nach Sibirien gefahren. Der Sprachkurs hat vier Wochen gedauert und in dieser Zeit haben wir viel erlebt. Natürlich haben wir auch viel Russisch gelernt. Da wir bei Familien gewohnt haben, hatten wir sehr viel Kontakt zu Einheimischen, sodass wir einen viel besseren Eindruck vom Land und von den Leuten bekommen haben als normale Touristen. Wenn ich heute an die Reise zurückdenke, kommt es mir vor wie in einem Traum.

18 **a)** Koffer **b)** Reise **c)** Urlaub **d)** Strand **e)** Tourist **f)** Hotel **g)** Klima **h)** Flug **i)** Freizeit **j)** Ruhe

19 Türkei Wetter Tag zufrieden Frühstück satt Restaurants Fisch frisch Strand braun zu Hause

20 **a)** C **b)** I **c)** E **d)** F **e)** B **f)** G **g)** H **h)** D **i)** A

Zertifikat Deutsch – Modelltest

Auf den folgenden Seiten ist der komplette *Modelltest 3* zum Zertifikat Deutsch (ZD) abgedrukkt. Er dient als Anschauungs- und Übungsmaterial zur Vorbereitung auf diese Prüfung.
Der Verlag dankt der WBT Weiterbildungs-Testsysteme GmbH für die freundliche Genehmigung des Nachdrucks.

Die Tonkassette zum Prüfungsteil „Hörverstehen" ist zu beziehen bei:

WBT Weiterbildungs-Testsysteme GmbH
Wächtersbacher Str. 83

D-60386 Frankfurt/Main

E-Mail: info@WBTests.de
Internet: www.sprachenzertifikate.de

Weitere Hinweise und Übungen zum Zertifikat Deutsch finden Sie in jeder Lektion des Kursbuchs „Themen aktuell 3 Zertifikatsband".

Hinweise zum Copyright

Die Entwicklungsarbeiten für das Zertifikat Deutsch wurden gemeinschaftlich getragen vom Deutschen Institut für Erwachsenenbildung, vom Goethe Institut, vom Institut für deutsche Sprache der Universität Freiburg (Schweiz) und vom Österreichischen Sprachdiplom. Der vorliegende Modelltest 3 zum Zertifikat Deutsch wurde von der WBT Weiterbildungs-Testsysteme GmbH herausgegeben. Jede Verwertung in anderen als den gesetzlich zugelassenen Fällen bedarf deshalb der Einwilligung des Herausgebers.

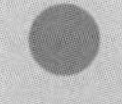

Wichtiger Hinweis:

Bitte lesen Sie diese Seite, bevor Sie mit dem Test beginnen.

Liebe Kursteilnehmerin, lieber Kursteilnehmer,

vielleicht fällt es Ihnen ein wenig schwer, die folgenden Hinweise genau zu verstehen. Bitten Sie dann Ihre Kursleiterin, Ihren Kursleiter oder eine gute Freundin, einen guten Freund, der die Sprache versteht, Ihnen zu helfen.

Sie haben im Wesentlichen drei Möglichkeiten, den Modelltest zu verwenden:

- Sie können den Test wie eine richtige Prüfung ablegen.
- Sie können mit dem Test oder mit Teilen des Tests üben.
- Sie können sich auch nur einen Überblick verschaffen.

Überlegen Sie sich bitte, bevor Sie weiterlesen, für welche Möglichkeit Sie sich entscheiden.

Möchten Sie den Modelltest wie eine richtige Prüfung ablegen, brauchen Sie eine Kursleiterin oder einen Kursleiter, der Ihnen die Prüfung unter denselben Bedingungen wie eine spätere reguläre Prüfung abnimmt. Beschäftigen Sie sich in diesem Fall *nicht* weiter mit dem Test! Lesen Sie vor allem keine der Prüfungsfragen und schauen Sie sich keines der Bilder an. Warten Sie die Anweisungen und Empfehlungen Ihrer Kursleiterin / Ihres Kursleiters ab.

Wollen Sie den Modelltest zum Üben verwenden, empfehlen wir Ihnen, sich bei den einzelnen Teilen des Tests – wie in einer richtigen Prüfung – an die Bearbeitungszeiten, z. B. 90 Minuten für *Leseverstehen und Sprachbausteine,* zu halten. Nur so bekommen Sie ein Gefühl dafür, wie viel Zeit Sie für die einzelnen Aufgaben später haben. Üben können Sie mit den Testteilen *Leseverstehen, Sprachbausteine, Hörverstehen* (mit der Tonkassette zu diesem Modelltest; Bestellnummer C61M-003T) und *Schriftlicher Ausdruck* (Schreiben eines Briefes). Die richtigen Lösungen zu den einzelnen Aufgaben finden Sie auf Seite 44.* Lassen Sie den Testteil *Schriftlicher Ausdruck* von einer fachkompetenten Person bewerten. Natürlich kann man sich selbst keine mündliche Prüfung abnehmen, aber Sie können sich mit dem genauen Ablauf der mündlichen Prüfung zum Zertifikat vertraut machen, auch damit, was bewertet wird und wie bewertet wird.

Ganz einfache Empfehlungen geben wir Ihnen, wenn Sie sich nur einen Überblick verschaffen wollen: Studieren Sie die Testunterlagen und das Beiheft ganz nach Ihrem Belieben und ohne jedes Wenn und Aber.

Und nun: viel Spaß und Erfolg bei Ihrem Modelltest!

* Diese Seite der Broschüre ist auf Seite 116 im Lehrerhandbuch Teil A abgedruckt.

Die Prüfung zum Zertifikat Deutsch

Prüfungsteil	Ziel	Aufgabentyp	Punkte	Zeit in Minuten
Schriftliche Prüfung				
1 Leseverstehen				
1.1	Globalverstehen	5 Zuordnungsaufgaben	25	90
1.2	Detailverstehen	5 Mehrfachauswahlaufgaben	25	
1.3	Selektives Verstehen	10 Zuordnungsaufgaben	25	
2 Sprachbausteine				
2.1	Teil 1	10 Mehrfachauswahlaufgaben	15	
2.2	Teil 2	10 Zuordnungsaufgaben	15	
Pause				20
3 Hörverstehen				
3.1	Globalverstehen	5 Aufgaben richtig/falsch	25	ca. 30
3.2	Detailverstehen	10 Aufgaben richtig/falsch	25	
3.3	Selektives Verstehen	5 Aufgaben richtig/falsch	25	
4 Schriftlicher Ausdruck (Brief)				
4.1	Inhalt	4 Leitpunkte bearbeiten	15*	30
4.2	Kommunikative Gestaltung		15*	
4.3	Formale Richtigkeit		15*	
Mündliche Prüfung				
	Teil 1: Kontaktaufnahme Teil 2: Gespräch über ein Thema Teil 3: Gemeinsam 1 Aufgabe lösen	Paar- oder Einzelprüfung	75**	ca. 15

* siehe Bewertungskriterien auf Seite 39 – 40
** siehe Bewertungskriterien auf Seite 41 – 42

Wichtige Hinweise zum **Antwortbogen** (S. 23/24):

Bitte schreiben Sie nur mit einem weichen Bleistift.

Jede Aufgabe hat nur eine richtige Lösung.
Wenn Sie beispielsweise glauben, dass „c“ die richtige Lösung ist, markieren Sie bitte Ihre Lösung auf dem Antwortbogen folgendermaßen:

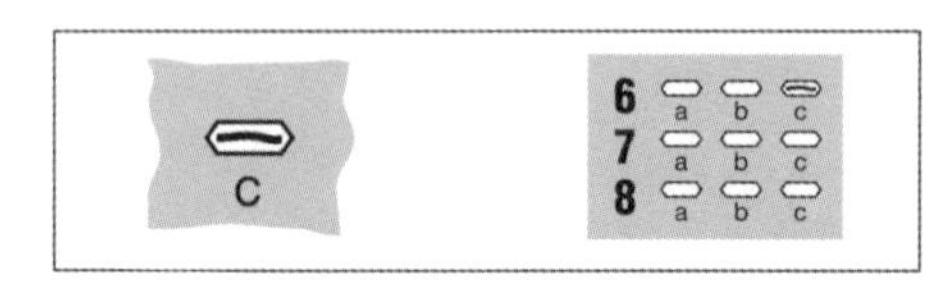

Achtung, liebe Kursteilnehmerin, lieber Kursteilnehmer!

Hier beginnt der Test.
Bevor Sie sich die folgenden Seiten anschauen, lesen Sie in jedem Fall zuerst die Hinweise für Kursteilnehmende auf Seite 3.

Schriftliche Prüfung

Die beiden ersten Prüfungsteile sind

1 **Leseverstehen** und

2 **Sprachbausteine**

Für diese beiden ersten Prüfungsteile haben Sie 90 Minuten Zeit.

Prüfungsteil 1: Leseverstehen

Dieser Prüfungsteil besteht aus drei Teilen

- Globalverstehen
- Detailverstehen
- Selektives Verstehen

Insgesamt sollen Sie 20 Aufgaben (1 – 20) bearbeiten. Für jede Aufgabe gibt es nur eine richtige Lösung.

Prüfungsteil 2: Sprachbausteine

Dieser Prüfungsteil besteht aus zwei Teilen

- Teil 1
- Teil 2

Wiederum sollen Sie 20 Aufgaben (21 – 40) bearbeiten. Für jede Aufgabe gibt es nur eine richtige Lösung.

1 Leseverstehen (Teil 1)

Lesen Sie zuerst die 10 Überschriften. Lesen Sie dann die 5 Texte und entscheiden Sie, welcher Text (1 – 5) am besten zu welcher Überschrift (a – j) passt.
Tragen Sie Ihre Lösungen in den Antwortbogen bei Aufgaben 1 – 5 ein.

a) **Beispiel Rhön: Das Land nutzen und die Natur erhalten**

b) **Unser Tipp: Goethes Kochbuch**

c) **Ältere Männer verlieren Kraft und Dynamik**

d) **Beispiel Nordsee: Immer mehr einsame Menschen im Urlaub**

e) **Rhön-Verein bildet Bauern aus**

f) **Andere Stimme ab 70?**

g) ***Unser Gesundheits-Tipp: Nordsee!***

h) TENNIS FÜR ANFÄNGER

i) **Sport-Empfehlung: Schwimmen, Gehen, Radfahren**

j) **Kochen und Reisen in Deutschland**

1.

Wer sportlich aktiv sein möchte, fragt sich zu Beginn oft, welche Sportart und welches Trainingspensum wohl richtig sind. Hier eine Empfehlung von Sporttherapeuten: Das ideale Trainingspensum besteht aus drei sportlichen Aktivitäten pro Woche, zwei „trockenen" (z.B. Radfahren) und einer „nassen" (Schwimmen). Für die Wahl der Sportarten gilt Folgendes: Verzichten Sie als Anfänger auf Tennis und Squash, denn die schnellen, abrupten Bewegungen belasten Gelenke und Bänder sehr. Walking (zügiges Gehen), Radfahren und Schwimmen hingegen sind sehr empfehlenswerte Sportarten.

(aus einer deutschen Zeitung)

2.

Köstliches Deutschland (Südwest, 192 S., 39,90 Mark) – ein Buch, das zum Kochen und zum Reisen animieren will. Der Autor Udo Eckert hat sich Goethes Motto „Warum denn in die Ferne schweifen..." zu eigen gemacht und sich auf einen kulinarischen Streifzug durch deutsche Regionen gemacht. Das Buch ist Bildband, solides Kochbuch und praktischer Gourmetführer gleichermaßen.

(aus einer deutschen Zeitung)

3.

Behutsame Landnutzung im Einklang mit der Natur hat die einmalige Landschaft der Rhön geschaffen. Wenn Sie mehr darüber wissen wollen, schreiben Sie uns oder schicken Sie uns diese Anzeige!

Natur- und Lebensraum Rhön e.V.,
Georg-Meilinger-Str. 3,
D-36115 Ehrenberg-Wüstensachsen

(aus einer deutschen Zeitung)

4.

Allein in Salzluft, Sonne und Seewind bekommen Körper und Seele Aufwind. Nordsee – ein Klima, einzigartig und wie geschaffen für Gesundheit: mal sanft, mal rau. Auf jeden Fall belebend. Und eine Kur gibt zusätzlich Impulse. Mit den elementarsten Heilkräften der Natur.

Sternstunden der Gesundheit.

Informationen bei: 5-Sterne-Nordsee-Kur,
Postfach 161 130, D-22510 Husum

(aus einer deutschen Zeitung)

5.

Dass die Stimme – vornehmlich von Männern – im Alter oft rauer klingt, liegt an altersbedingten Umbildungen des Stimmapparats im Kehlkopf. Die veränderte Stimme der Betroffenen verliert dadurch an Kraft und Dynamik und kann sich dann ungewohnt heiser oder rau anhören. Doch vor dem 70. Lebensjahr ist mit dieser natürlichen Stimmveränderung nicht zu rechnen.

1 Leseverstehen (Teil 2)

Lesen Sie zuerst den Zeitungsartikel „Kaffeehäuser werben für Wien", und lösen Sie dann die fünf Aufgaben (6 – 10) zum Text.

Kaffeehäuser werben für Wien

Wien als Stätte eines besonderen Lebensstils – Stichwort Kaffeehaus – in aller Welt noch bekannter zu machen, hat sich eine Fachgruppe der Kaffeehäuser vorgenommen.

Für den „echten Wiener" gibt es tausenderlei Gründe, um ins Kaffeehaus zu gehen: um Kaffee zu trinken, um Zeitungen zu lesen, um geschäftliche oder private Rendezvous zu erledigen, um zu philosophieren oder nur vor sich hin zu meditieren, um Schach, Billard oder Bridge zu spielen, um Bücher zu schreiben – kurz gesagt, um bewusster als sonst üblich zu leben.

Die Fachgruppe der Wiener Kaffeehäuser versucht nun im Rahmen einer groß angelegten Aktion, diese Wiener Kaffeehaus-Kultur wieder mehr ins Rampenlicht zu stellen und damit den Bekanntheitsgrad von Wien als Stätte eines besonderen Lebensstils im Ausland zu erhöhen. Dabei wendet sie sich gezielt an internationale Journalisten, die sich bei größeren Anlässen oft zu Tausenden in Wien befinden. Ihnen will man in Zukunft den Stellenwert des Kaffeehauses in dieser Stadt quasi brüh-heiß servieren. Die Wiener Kaffeehäuser werden zum Treffpunkt der Weltpresse.

Laut Pressechef der Wirtschaftskammer stammt die Grundidee für diese Aktion von Franz Grundwalt, dem Vorgänger des jetzigen Fachgruppenvorstehers Hans Diglas. Diglas und seine Mitstreiter nahmen den Gedanken voll Engagement auf. Das Konzept für „Wien Brüh-Heiß" liegt nun vor und verspricht einige interessante Events.

Geplant sind Veranstaltungen, die das Vielschichtige, Farbenfrohe, ja manchmal Skurrile der Wiener veranschaulichen und ein Streiflicht auf alten Wiener Schmäh mit junger Wiener Szene werfen. Vorsteher Diglas rechnet damit, dass etwa 150 ausländische Medienvertreter an der ersten offiziellen Veranstaltung Ende des Monats im Café Landtmann, das heuer zudem seinen 125. Geburtstag feiert, teilnehmen werden. Bei einem typischen Wiener Buffet, vom Tafelspitz bis zu Wiener Schmankerln, werden die Gäste aus aller Welt verwöhnt und danach gibt es – anstatt der üblicherweise schwer verdaulichen Vorträge und Ansprachen – eine Damenkapelle mit einer musikalischen „Wiener Melange". Denn Musik ist bekanntlich jene Sprache, die auf der ganzen Welt verstanden wird. Als Draufgabe gibt es am Ende für jeden Teilnehmer eine in drei Sprachen abgefasste Informationsbroschüre, die über die Geschichte des Wiener Kaffeehauses informiert, alte Wiener Rezepte verbreitet sowie eine Fülle von Wissenswertem anbietet.

Jeder einzelne Journalist hat also die Möglichkeit, persönliche Eindrücke und eigene Notizen mit fundierten Informationen zu versehen und kann so schnell und ohne größeren Aufwand seiner Redaktion einen Artikel zukommen lassen. Um den guten Ruf des Wiener Kaffeehauses in aller Welt zu verbreiten, und zu verkünden, dass die Kaffeehäuser eine der wichtigsten Sehenswürdigkeiten dieser Stadt sind.

(aus einer österreichischen Zeitung)

Lesen Sie die Aufgaben 6 – 10. Entscheiden Sie, welche Lösung (a, b oder c) richtig ist und tragen Sie Ihre Lösungen in den Antwortbogen bei Aufgaben 6 – 10 ein.

***Achtung:** Die Reihenfolge der einzelnen Aufgaben folgt nicht immer der Reihenfolge des Textes.*

6. Das Ziel der Aktion der „Fachgruppe für Wiener Kaffeehäuser" ist,

a) das Angebot in Wiens Kaffeehäusern zu verbessern.
b) die Zahl der Kaffeehäuser in Wien wieder zu erhöhen.
c) Wien und die Wiener Kaffeehaus-Kultur bekannter zu machen.

7. Die Aktion der „Fachgruppe für Wiener Kaffeehäuser" richtet sich vor allem

a) an ausländische Touristen.
b) an die Wiener Bevölkerung.
c) an internationale Journalisten.

8. Die Idee für diese Aktion

a) hatte der Vorgänger von Hans Diglas.
b) hatten die Mitarbeiter von Hans Diglas.
c) hatte der Pressechef der Wirtschaftskammer.

9. Bei den Veranstaltungen gibt es

a) ein Buffet und Musik.
b) einen Vortrag in drei Sprachen.
c) typische Wiener Kaffee-Spezialitäten.

10. Am Ende bekommen die Teilnehmer

a) ein Buch für persönliche Eindrücke und Notizen.
b) einen Artikel über Wiens bekannteste Kaffeehaus-Journalisten.
c) viele Informationen über die Wiener Kaffeehäuser und deren Geschichte.

1 Leseverstehen (Teil 3)

Lesen Sie zuerst die 10 Situationen (11 – 20) und dann die 12 Anzeigen (a – l).
Welche Anzeige passt zu welcher Situation? Sie können jede Anzeige nur einmal verwenden.

Markieren Sie Ihre Lösungen auf dem Antwortbogen bei Aufgaben 11 – 20. Es ist auch möglich, dass Sie das, was Sie suchen, ***nicht*** *finden.*
In diesem Fall markieren Sie auf dem Antwortbogen den Buchstaben ***x***.

11. Sie wollen sich regelmäßig über Erziehungsfragen und Probleme in der Familie informieren.

12. Sie wollen mit Ihren Kindern ein Märchen anschauen.

13. Sie wollen Ihren alten Esstisch abholen lassen.

14. Freunde möchten wissen, wo man vegetarisch essen kann.

15. Sie möchten nach dem Kinobesuch am Abend noch chinesisch essen gehen.

16. Ihre ausländischen Freunde möchten Tipps, wo man in der Schweiz preiswert wohnen / übernachten kann.

17. Ihre Kinder möchten unbedingt zwei Vögel haben und Sie wollen sich deshalb welche ansehen.

18. Ihr Großvater wird 65. Sie brauchen ein Geschenk.

19. Weil Sie später vielleicht einmal ein Haus kaufen wollen, suchen Sie eine passende Zeitschrift.

20. Sie möchten lernen, wie man Kuchen und Torten backt.

(a)

Kuchen und Torten

Neu:
Unser Restaurant
am Paradeplatz / 1. Stock
ist jeden Sonntag geöffnet
(10 bis 18 Uhr)

Nachmittags-Tee
Verkauf über die Gasse

Confiserie Sprüngli

Reservation (bis Samstag 17.30 Uhr)
Tel. 01-223 45 123

(b)

Mi.18.12., Sa. 4., So., 5.1.,
14.30 bis ca. 17.20 Uhr

Das ergreifende Grimm'sche Märchen vom Schwesterchen, das die sieben verzauberten Brüder im Glasberg erlöst.

80 Kinder von 4 – 14 Jahren spielen, tanzen und singen.

Vorverkauf:

Billetkasse Jecklin, Pfauen,
Tel.: 25 26 98 00

(c)

Asien Folklore erstmals in Europa

Vom 5. bis 23. Mai
Mo – Fr: 20.30
Sa – So: 15 & 19 Uhr

Abendvorstellung mit Essen

Fr. 25,- ohne Essen
Fr. 55,- inkl. Asien-Essen
mit Holzjurten

Info-Line & Reserv. 079 - 345 33 66

(d)

Ausstellungen und Messen

Haus und Gartenmesse Lenzburg

Für ein schönes Zuhause...

Lenzburg
16.-19. April
Do. - Fr. 12.00 - 21.00
Sa. 10.00 - 21.00
So. 10.00 - 19.00
- Info 01/ 945 14 04 -

Sonderschauen:
Naturgarten und Mineralienbörse

P+R **Sa.+So.- Gratis-Bus zur Messe**
Autobahn-Ausfahrt Lenzburg

Voranzeige: H&G 98 Wetzikon Eisstadion 7. bis 10. Mai

(e)

ZOO

Qualität • Beratung • Auswahl • Kompetenz

Mehr Auswahl finden Sie nirgends!
Info-Tel. 01/835 77 77! Besuchen Sie das grösste **HAUSTIER-CENTER EUROPAS.** Auf über 2'100 m2 zeigen wir alles, was es rund um Haustiere und Pferdesport gibt. 550 m2 Aquarien-Show !

QUALIPET in Dietlikon Tägl. von 9.00-20.00 Uhr

FREIZEIT

(f)

365 Tage im Jahr geöffnet!

MISTER WONG
ASIAN COOKING
fast, fresh & friendly
...und gar nicht teuer

Warme Küche von
11.00 - 23.30 Uhr
Ecke Löwenstrasse/
Bahnhofplatz 9
8001 Zürich
Tel. 211 17 70
Fax 212 04 68

(g)

Häuser ab ca. Fr. 301'500.–

- Reportage: Ausgezeichnetes Solarhaus
- Heizkörper: Heisse Formen
- Grosses Bad-Extra: Edle Badmöbel und Armaturen
- Garten: Pflanzzeit für Balkon und Terrasse
- Möbelmesse Köln
- Wärmepumpen
- Viele Systemhäuser
- Grosser Immobilienmarkt

DAS EINFAMILIEN HAUS

Mit privaten Gratis-Inseraten im Liegenschaftsmarkt

...gratis!
Probeheft zum Kennenlernen.

(h)

99 pro Bett

Die Schweiz ist ein teures Reiseland. Trotzdem gibt es Hotels zuhauf, die nicht mehr als 99 Franken pro Bett und Nacht verrechnen. Behaupten wenigstens die (deutschen) Autoren dieses Buches. Das billigste Bett in Zürich (laut Buch 40 Fr.) kostet, wie unsere Nachprüfung ergab, allerdings inzwischen 100 Fr., und die Telefon-

(i)

BONA DEA
göttlich vegetarisch

GENÜSSLICH KULINARISCH

Natur in aller Geniesser Munde: Zürichs neues Vegi-Restaurant im Hauptbahnhof macht aus den Freuden der Natur ein sinnliches Erlebnis.
Öffnungszeiten: Mo–Fr 11.30–14.30, 17.30–23.00, Sa 17.30–23.00, So geschl.

BAHNHOF BUFFET ZÜRICH
Reservationen Tel. 217 15 15, Fax 217 15 00

(j)

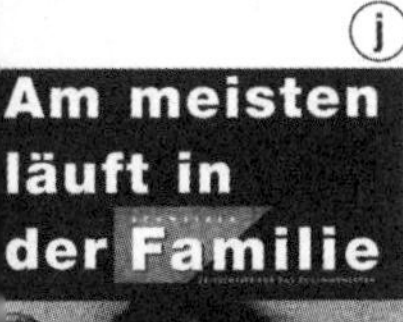

...besten. Sie buchen jetzt ein Test-Abo: 3 Monate mit ... Heften kosten nur Fr. 20.- | Telefon 01/404 63 63.

(k)

65 Jahre alt.
Und immer für die Jüngsten da.

wehrli
Bébéhaus
Schaffhauserstrasse 95
8042 Zürich
Tel. 01 / 363 12 12
Parkplätze vorhanden

(l)

ZÜRCHER
brockenhaus

Unser Gewinn kommt ausschliesslich wohltätigen Zwecken zu Gute

GRATIS-ABHOLDIENST
für alle noch verkäuflichen, sauberen und nicht defekten Sachen
TEL. 01 271 70 77

WOHNUNGS- UND HAUSRÄUMUNGEN, GESCHÄFTSLIQUIDATIONEN
prompt, seriös, sorgfältig

Besuchen Sie unser neu renoviertes Brockenhaus hinter dem Hauptbahnhof
Neugasse 11, 8005 Zürich
Montag-Freitag 09.00–18.30
Samstag 09.00–16.00

ZÜRICHS ORIGINELLSTES WARENHAUS

2 Sprachbausteine (Teil 1)

Lesen Sie den folgenden Text und entscheiden Sie, welches Wort (a, b oder c) in die Lücken 21 – 30 passt. Markieren Sie Ihre Lösungen auf dem Antwortbogen bei Aufgaben 21 – 30.

Brauckmann Versand
Dorotheenplatz 8
04109 Leipzig

Reklamation

Sehr geehrte Damen und Herren,

vor zwei ___21___ habe ich bei Ihnen einen tragbaren CD-Player bestellt und erhalten. Leider muss ich ___22___ heute mitteilen, dass er kaputt ist. Die CDs wurden von Anfang an nicht richtig eingezogen. Man ___23___ die Taste mehrmals drücken, erst dann funktionierte das Gerät. Jetzt lässt es sich gar nicht mehr öffnen.

Auf dem Gerät sind ___24___ vier Monate Garantie. Ich schicke Ihnen ___25___ das Gerät zurück, Garantiekarte und Rechnung sind beigefügt.

Ich darf Sie bitten, das Gerät entweder zu reparieren ___26___ umzutauschen. Falls das nicht möglich ist, würde ich Sie ___27___ Erstattung des Kaufpreises bitten.

In sechs Wochen kehre ich in ___28___ Heimat zurück, d.h. ich verlasse Deutschland. Ich möchte das Gerät natürlich gern ___29___ . Daher wäre ich Ihnen dankbar, wenn Sie die Angelegenheit möglichst umgehend klären und ___30___ dann benachrichtigen würden.

In der Hoffnung auf eine positive Nachricht

Mit freundlichen Grüßen

21. a) Monate b) Monaten c) Monats

22. a) ihnen b) Ihnen c) Sie

23. a) müssen b) muss c) musste

24. a) endlich b) noch c) schon

25. a) denn b) deshalb c) weshalb

26. a) oder b) sondern c) sonst

27. a) für b) um c) wegen

28. a) meine b) meinem c) meiner

29. a) mitgenommen b) mitnehmen c) mitnehme

30. a) – b) mich c) mir

2 Sprachbausteine (Teil 2)

Lesen Sie den folgenden Text und entscheiden Sie, welches Wort aus dem Kasten (a – o) in die Lücken 31 – 40 passt. Sie können jedes Wort im Kasten nur einmal verwenden. Nicht alle Wörter passen in den Text. Markieren Sie Ihre Lösungen auf dem Antwortbogen bei Aufgaben 31 – 40.

Für unsere Rubrik
„Menschen helfen Menschen"
suchen wir Vorfälle und Geschehnisse, bei welchen Menschlichkeit und Hilfsbereitschaft im Vordergrund stehen. Wenn auch Sie eine positive Erfahrung mit Mitmenschen gemacht haben und sich auf diesem Weg bedanken möchten, dann schreiben Sie uns Ihre Geschichte.

Sehr geehrte Redaktion von „Menschen helfen Menschen",

ich lese täglich die Zeitung und bin oft sehr traurig ___31___, wie böse und grausam Menschen sein können. In solchen Momenten freue ich mich dann ganz ___32___ über Ihre Artikel, die zeigen, ___33___ es auch viele gute und hilfsbereite Menschen gibt. Ich selbst bin einem solchen Menschen vor kurzer Zeit begegnet.
Letzten Samstag hatte ich auf der Autobahn kurz vor Wien eine Autopanne. Es war bereits 10 Uhr nachts, ___34___ mein Auto plötzlich stehen blieb und sich nicht mehr von der Stelle bewegte. Ich versuchte mehrmals, das Auto wieder zu starten, ___35___ alles war vergeblich. Kurz darauf hielt ein Autofahrer an und fragte, ___36___ er mir helfen könne. Er sagte, dass er Mechaniker sei und gleich in der Nähe wohne. Sofort stieg er aus, ___37___ sich den Motor anzusehen. Nach zehn Minuten fand er den Schaden und ___38___, dass man einen Teil des Motors austauschen müsse. Dann fuhr er kurz nach Hause und kam eine halbe Stunde später mit dem notwendigen Ersatzteil wieder zurück. Kurz nach Mitternacht war das Auto wieder in Ordnung und ich konnte weiterfahren. Selbstverständlich wollte ich den netten Mann für seine Mühe belohnen, aber er ___39___ nichts annehmen. Doch möchte ich mich ___40___ mit diesem Brief besonders herzlich bei ihm bedanken.

a) ALS	b) BESONDERS	c) DA	d) DASS	e) DARÜBER
f) DAZU	g) DENN	h) DOCH	i) IMMER	j) MEINTE
k) OB	l) SEHR	m) UM	n) WENIGSTENS	o) WOLLTE

Haben Sie Ihre Lösungen
auf dem Antwortbogen eingetragen?

Sie haben nun 20 Minuten Pause.

Der nächste Prüfungsteil ist

3 Hörverstehen

Lassen Sie jetzt die Kassette ablaufen, bis Sie den Hinweis hören:
Ende des Testteils Hörverstehen.

Alle Bearbeitungspausen sind auf der Kassette enthalten. Sie dürfen die Kassette zwischendurch also nicht anhalten.

Prüfungsteil 3: Hörverstehen

Dieser Prüfungsteil besteht aus drei Teilen

- Globalverstehen
- Detailverstehen
- Selektives Verstehen

Insgesamt sollen Sie 20 Aufgaben (41 – 60) bearbeiten.
Für jede Aufgabe gibt es nur eine richtige Lösung.

3 Hörverstehen (Teil 1)

*Sie hören nun fünf kurze Texte. Dazu sollen Sie fünf Aufgaben lösen. Sie hören diese Texte **nur einmal**.*

Entscheiden Sie beim Hören, ob die Aussagen 41 bis 45 richtig oder falsch sind. Markieren Sie Ihre Lösungen auf dem Antwortbogen bei den Aufgaben 41 – 45. Markieren Sie PLUS (+) gleich richtig und MINUS (–) gleich falsch auf dem Antwortbogen.

Lesen Sie jetzt die Aufgaben 41 bis 45. Sie haben dazu 30 Sekunden Zeit.

41. Die Sprecherin möchte allein leben und machen können, was sie will.

42. Der Sprecher wohnt mit seiner Partnerin in einer großen Wohnung.

43. Die Sprecherin ist verheiratet und hat zwei Kinder.

44. Der Sprecher ist geschieden und lebt mit seiner Tochter bei einer anderen Familie.

45. Die Sprecherin wollte nie viele Kinder haben.

3 Hörverstehen (Teil 2)

Sie hören nun ein Gespräch. Dazu sollen Sie zehn Aufgaben lösen. Sie hören das Gespräch ***zweimal****.*

Entscheiden Sie beim Hören, ob die Aussagen 46 bis 55 richtig oder falsch sind. Markieren Sie Ihre Lösungen auf dem Antwortbogen bei den Aufgaben 46 – 55. Markieren Sie PLUS (+) gleich richtig und MINUS (–) gleich falsch auf dem Antwortbogen.

Lesen Sie jetzt die Aufgaben 46 bis 55. Sie haben dazu eine Minute Zeit.

46. Der Journalist spricht mit einer Kundin im Kaufhaus.

47. Frau Hahn hat ihren Beruf im Kaufhaus Brück gelernt.

48. Frau Hahn wollte schon als Kind Verkäuferin im Kaufhaus Brück werden.

49. Frau Hahn fand es wichtig, nette Kollegen zu haben.

50. Frau Hahns Mann arbeitet jetzt in demselben Kaufhaus wie sie.

51. Der Mann von Frau Hahn hat als Schuhverkäufer gearbeitet.

52. Das Kaufhaus Brück wird nach der Schließung abgerissen.

53. Frau Hahn findet es wichtig, in einem schönen Haus zu arbeiten.

54. Die neuen Inhaber hätten das Kaufhaus gerne weitergeführt.

55. Frau Hahn will nicht in einem anderen Kaufhaus arbeiten.

3 Hörverstehen (Teil 3)

Sie hören fünf kurze Texte. Dazu sollen Sie fünf Aufgaben lösen. Sie hören jeden Text ***zweimal****.*

Entscheiden Sie beim Hören, ob die Aussagen 56 bis 60 richtig oder falsch sind. Markieren Sie Ihre Lösungen für die Aufgaben 56 – 60 auf dem Antwortbogen. Markieren Sie PLUS (+) gleich richtig und MINUS (–) gleich falsch.

56. Das Treffen ist am Donnerstag.

57. Das Wetter bleibt schlecht und regnerisch; am Sonntagnachmittag leichte Wetterbesserung.

58. Die Firma ist direkt an der S-Bahn-Station.

59. Das Restaurant bietet Kaffee für 35 Schilling und Kuchen für 30 Schilling.

60. Sprachprogramme für Deutsch gibt es in derselben Abteilung wie Computerspiele.

Der nächste Prüfungsteil ist

4 Schriftlicher Ausdruck (Brief)

Dafür haben Sie 30 Minuten Zeit.

Sie sollen nun einen Brief schreiben.

Bitte benutzen Sie dazu das Formular auf Seite 21/22.

4 Schriftlicher Ausdruck (Brief)

Eine Schweizer Freundin heiratet und lädt Sie zu ihrer Hochzeit nach Zürich ein. Sie hat Ihnen folgenden Brief geschrieben:

Zürich, ...

Liebe(r) ....

ich habe lange nichts mehr von mir hören lassen, aber in der letzten Zeit ist hier so viel passiert. Ich habe Dir doch schon von Urs geschrieben, dem jungen Mann, den ich beim Skifahren kennengelernt habe.
Stell Dir vor, wir haben uns entschlossen zu heiraten. Schon im Sommer! Wir wollen ein ganz grosses Fest machen mit beiden Familien und vielen Freunden. Ich würde mich natürlich freuen, wenn Du auch kommst. Vielleicht kannst Du mir sogar helfen. Merk Dir schon mal Samstag, den 12. August. Die offizielle Einladung schicke ich Dir dann später. Du kannst gern noch jemanden mitbringen.

Also, das wär's erst mal für heute. Antworte mir bald!

Herzliche Grüsse
Barbara

*Antworten Sie Ihrer Bekannten. Sie haben **30 Minuten** Zeit, den Brief zu schreiben.*

Schreiben Sie in Ihrem Brief etwas zu den folgenden vier Punkten:

- mit wem Sie kommen möchten
- wie Sie reisen (Verkehrsmittel)
- Möglichkeiten zum Übernachten
- wie Sie helfen können

Überlegen Sie sich dabei eine passende Reihenfolge der Punkte.
Vergessen Sie nicht Datum und Anrede, und schreiben Sie auch eine passende Einleitung und einen passenden Schluss.

Zertifikat Deutsch

Weiterbildungs-Testsysteme GmbH

Name	
Vorname	
Prüfungsinstitution	

Ihre Prüfungsnummer 6 1 □□□□□ **Bitte vom Antwortbogen S3 übernehmen!**

Schriftliche Prüfung

4 Schriftlicher Ausdruck (Brief)

Für die Korrektur

Für die Korrektur
Kriterium
Bonuspunkte
Thema verfehlt?
I
II
III
IV.1
IV.2
ja
nein
1. Korrektur
Unterschrift
I
II
III
IV.1
IV.2
ja
nein
2. Korrektur
Unterschrift

Die Europäischen Sprachenzertifikate

Zertifikat Deutsch

61 | 00000

Familienname · Surname · Apellido · Nom · Cognome · Achternaam · Apelido · Фамилия

Vorname · First name · Nombre · Prénom · Nome · Voornaam · Nome próprio · Имя

Geburtsdatum · Date of birth · Fecha de nacimiento · Date de naissance · Data di nascita · Geboortedatum · Data de nascimento · День рождения

Geburtsort · Place of birth · Lugar de nacimiento · Lieu de naissance · Luogo di nascita · Geboorteplaats · Local de nascimento · Место рождения

Prüfungsinstitution · Examination centre · Centro examinador · Centre d'examen · Centro d'esame · Examencenter · Centro de examinação · Экзаменационное учреждение

S3

Zertifikat Deutsch

Schriftliche Prüfung

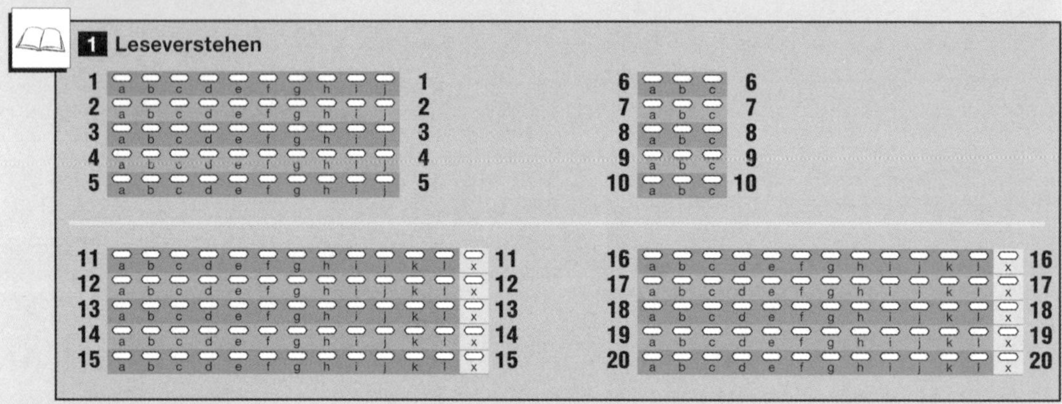

1 Leseverstehen

1–5: a b c d e f g h i j

6–10: a b c

11–20: a b c d e f g h i j k l x

2 Sprachbausteine

21–30: a b c

31–40: a b c d e f g h i j k l m n o

3 Hörverstehen

41–60: + –

4 Schriftlicher Ausdruck

1: A B C D
2: A B C D
3: A B C D

4: 1 2 T NT

Mündliche Prüfung

Teil 1

1: A B C D
2: A B C D
3: A B C D
4: A B C D

Teil 2

1: A B C D
2: A B C D
3: A B C D
4: A B C D

Teil 3

1: A B C D
2: A B C D
3: A B C D
4: A B C D

34 33 32 31 30 29 28 27 26 25 24 23 22 21 20 19 18 17 16 15 14 13 12 11 10 9 8 7 6 5 4 3 2 1

Achtung!

Möchten Sie den mündlichen Teil des Modelltests mithilfe Ihres Kursleiters / Ihrer Kursleiterin wie eine richtige Prüfung ablegen, dann lesen Sie jetzt bitte nicht weiter. Sie haben sonst bei einem Probetest in Ihrem Kurs keine echten Prüfungsbedingungen.

Wenn Sie den Modelltest verwenden möchten, um sich zu Hause einen Überblick über den Ablauf der mündlichen Prüfung zu verschaffen, dann können Sie jetzt umblättern und weiterlesen.

Mündliche Prüfung

Die mündliche Prüfung besteht aus drei Teilen:

- **Teil 1: Kontaktaufnahme**
- **Teil 2: Gespräch über ein Thema**
- **Teil 3: Gemeinsam eine Aufgabe lösen**

Die mündliche Prüfung für das *Zertifikat Deutsch* kann als Paar- oder als Einzelprüfung durchgeführt werden. Im Falle der Einzelprüfung ist eine/r der Prüfenden Ihr Gesprächspartner / Ihre Gesprächspartnerin.

Die Prüfung hat den Charakter einer Konversation. Sie möchte kein Verhör sein. In der Paarprüfung fungieren die Prüfenden in erster Linie als Moderatoren des Gesprächs und sollen möglichst wenig sprechen. Es kommt vielmehr darauf an, dass Sie mit Ihrem Partner / Ihrer Partnerin ein lebendiges Gespräch führen. Wenden Sie sich ihm / ihr zu, gehen Sie auf seine / ihre Beiträge ein. Versuchen Sie aber nicht, ihn / sie an die Wand zu spielen. Beide Partner sollen zu Wort kommen, damit ein interessantes und abwechslungsreiches Gespräch entstehen kann. Es wird sogar positiv bewertet, wenn Sie Ihrem Partner / Ihrer Partnerin helfen, wenn diese/r einmal nicht weiterkommen sollte.

Das Prüfungsgespräch dauert höchstens 15 Minuten. Vorher bekommen Sie 20 Minuten Zeit, um sich anhand der Prüfungsunterlagen auf das Gespräch vorzubereiten.

Teil 1: Kontaktaufnahme

Eine/r der Prüfenden lädt Sie und Ihren Gesprächspartner / Ihre Gesprächspartnerin ein, auf der Grundlage von Aufgabenblatt 1 ein kurzes Gespräch zu führen, um sich ein bisschen näher kennenzulernen oder mehr voneinander zu erfahren.
Ziel ist nicht, sich gegenseitig auszufragen oder schnell alle Themen abzuhandeln, sondern zwanglos anhand der vorgegebenen Themen miteinander ins Gespräch zu kommen. Sollten Sie Ihren Partner / Ihre Partnerin kennen, wäre es z.B. sinnlos ihn / sie nach dem Namen zu fragen.

Am Ende dieses kurzen Einführungsgesprächs wird Ihnen eine/r der Prüfenden eine zusätzliche Frage stellen, die Sie auf Ihrem Aufgabenblatt nicht vorfinden, z.B. was Sie in Ihrer Freizeit am liebsten machen.

Sie und Ihr Partner / Ihre Partnerin haben die gleiche Vorlage.

Teil 2: Gespräch über ein Thema

In diesem Teil haben Sie und Ihr Partner / Ihre Partnerin unterschiedliche Vorlagen zum Thema Gesundheit.

Zunächst bittet der Prüfer Sie und Ihren Partner / Ihre Partnerin, sich gegenseitig ganz kurz über Ihre Texte und Abbildungen zu informieren.

Danach sollen Sie sich mit Ihrem Partner / Ihrer Partnerin darüber austauschen, was Sie selbst für Ihre Gesundheit tun.

Teil 3: Gemeinsam eine Aufgabe lösen

Der Prüfer / die Prüferin bittet Sie, mit Ihrem Partner / Ihrer Partnerin auf der Grundlage der Vorlage die Geburtstagsfeier eines Kollegen zu planen. Sie haben die Aufgabe, zusammen mit Ihrer Gesprächspartnerin / Ihrem Gesprächspartner den Geburtstag zu planen. Sie sollen sich gegenseitig ihre Ideen vortragen, Vorschläge machen und auf Vorschläge Ihres Partners / Ihrer Partnerin reagieren.

Sie und Ihr Partner haben die gleiche Vorlage.

Überlegen Sie sich, was alles zu tun ist und wer welche Aufgaben übernimmt.
Sie haben sich schon einen Zettel mit Notizen gemacht.

Teil 1: Kontaktaufnahme

Teilnehmende/r A 1

Unterhalten Sie sich mit Ihrem Partner / Ihrer Partnerin über folgende Themen:

- Name
- wo er/sie herkommt
- wo und wie er/sie wohnt (Wohnung, Haus ...)
- Familie
- was er/sie macht (Schule, Studium, Beruf ...)
- ob er/sie schon in anderen Ländern war
- Sprachen (welche?, wie lange?, warum?)

Außerdem kann der Prüfer/die Prüferin noch ein weiteres Thema ansprechen.

Für die Durchführung dieses Modelltests können Sie eine Kopie dieser Seite anfertigen.

Teil 2: Gespräch über ein Thema

Teilnehmende/r A **2**

Gesundheit

Zuerst berichten Sie Ihrer Gesprächspartnerin/Ihrem Gesprächspartner kurz, welche Informationen Sie zu diesem Thema haben. Danach berichtet Ihre Gesprächspartnerin/Ihr Gesprächspartner kurz über ihre/seine Informationen.

Danach erzählen Sie Ihrer Gesprächspartnerin/Ihrem Gesprächspartner, was ***Sie*** *selbst für Ihre Gesundheit tun und ob (und wie) Sie auf Ihr Gewicht achten.*
Ihre Gesprächspartnerin/Ihr Gesprächspartner wird Ihnen von ihren/seinen Vorstellungen erzählen. Reagieren Sie darauf.

Viele Menschen in Deutschland sind zu dick. Die meisten treiben zu wenig Sport. Nicht alle sind so fit und schlank wie die Personen auf den Bildern.

Für die Durchführung dieses Modelltests können Sie eine Kopie dieser Seite anfertigen.

Teil 3: Gemeinsam eine Aufgabe lösen

Teilnehmende/r A **3**

In drei Wochen wird einer Ihrer Kollegen 50. Sie arbeiten mit Ihrer Gesprächspartnerin / Ihrem Gesprächspartner in derselben Firma.

Sie haben die Aufgabe, zusammen mit Ihrer Gesprächspartnerin / Ihrem Gesprächspartner ein Geschenk auszusuchen und eine kleine Geburtstagsfeier zu organisieren. Überlegen Sie sich, was alles zu tun ist und wer welche Aufgaben übernimmt.

Sie haben sich schon einen Zettel mit Notizen gemacht.

Beginnen Sie mit Vorschlägen zu einem Geschenk.

GEBURTSTAGSFEIER EINES KOLLEGEN

- GESCHENK
- GELD
- ESSEN
- GETRÄNKE
- PROGRAMM
- TERMIN
- ORT

Für die Durchführung dieses Modelltests können Sie eine Kopie dieser Seite anfertigen.

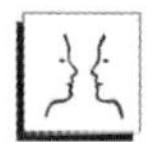

Teil 1: Kontaktaufnahme

Teilnehmende/r B 1

Unterhalten Sie sich mit Ihrem Partner / Ihrer Partnerin über folgende Themen:

- Name
- wo er/sie herkommt
- wo und wie er/sie wohnt (Wohnung, Haus ...)
- Familie
- was er/sie macht (Schule, Studium, Beruf ...)
- ob er/sie schon in anderen Ländern war
- Sprachen (welche?, wie lange?, warum?)

Außerdem kann der Prüfer/die Prüferin noch ein weiteres Thema ansprechen.

Für die Durchführung dieses Modelltests können Sie eine Kopie dieser Seite anfertigen.

Teil 2: Gespräch über ein Thema

Teilnehmende/r B **2**

Gesundheit

Zuerst berichten Sie Ihrer Gesprächspartnerin/Ihrem Gesprächspartner kurz, welche Informationen Sie zu diesem Thema haben. Danach berichtet Ihre Gesprächspartnerin/Ihr Gesprächspartner kurz über ihre/seine Informationen.

Danach erzählen Sie Ihrer Gesprächspartnerin/Ihrem Gesprächspartner, was ***Sie*** *selbst für Ihre Gesundheit tun und ob (und wie) Sie auf Ihr Gewicht achten.*
Ihre Gesprächspartnerin/Ihr Gesprächspartner wird Ihnen von ihren/seinen Vorstellungen erzählen. Reagieren Sie darauf.

Die Deutschen essen von allem zu viel, besonders Fleisch, Eier, Käse und Wurst. Auch Kuchen essen die Deutschen zu viel.

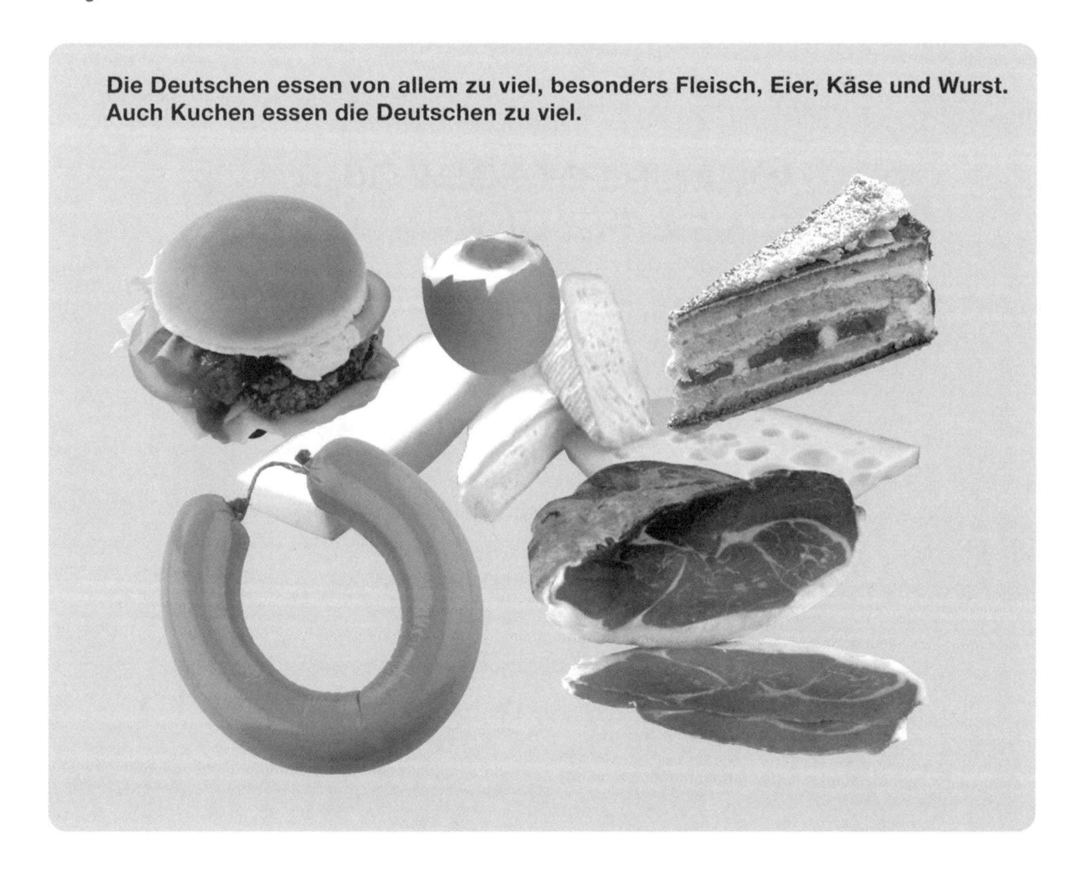

Für die Durchführung dieses Modelltests können Sie eine Kopie dieser Seite anfertigen.

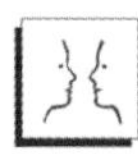

Teil 3: Gemeinsam eine Aufgabe lösen

Teilnehmende/r B **3**

In drei Wochen wird einer Ihrer Kollegen 50. Sie arbeiten mit Ihrer Gesprächspartnerin / Ihrem Gesprächspartner in derselben Firma.

Sie haben die Aufgabe, zusammen mit Ihrer Gesprächspartnerin / Ihrem Gesprächspartner ein Geschenk auszusuchen und eine kleine Geburtstagsfeier zu organisieren. Überlegen Sie sich, was alles zu tun ist und wer welche Aufgaben übernimmt.

Sie haben sich schon einen Zettel mit Notizen gemacht.

Beginnen Sie mit Vorschlägen zu einem Geschenk.

GEBURTSTAGSFEIER
EINES KOLLEGEN

- GESCHENK
- GELD
- ESSEN
- GETRÄNKE
- PROGRAMM
- TERMIN
- ORT

Für die Durchführung dieses Modelltests können Sie eine Kopie dieser Seite anfertigen.

Motorbooks Inte

MIL-TECH SERIES

SUKHOI SU-27

Design and Development of Russia's Super Interceptor

Hans Halberstadt
with Alexander Velovich and Predrag Palovic

First published in 1992 by Motorbooks International Publishers & Wholesalers, PO Box 2, 729 Prospect Avenue, Osceola, WI 54020 USA

© Hans Halberstadt, 1992

All rights reserved. With the exception of quoting brief passages for the purposes of review no part of this publication may be reproduced without prior written permission from the Publisher

Motorbooks International is a certified trademark, registered with the United States Patent Office

The information in this book is true and complete to the best of our knowledge. All recommendations are made without any guarantee on the part of the author or Publisher, who also disclaim any liability incurred in connection with the use of this data or specific details

We recognize that some words, model names and designations, for example, mentioned herein are the property of the trademark holder. We use them for identification purposes only. This is not an official publication

Motorbooks International books are also available at discounts in bulk quantity for industrial or sales-promotional use. For details write to Special Sales Manager at the Publisher's address

Library of Congress Cataloging-in-Publication Data
Halberstadt, Hans.
Sukhoi Su-27 / Hans Halberstadt.
p. cm.—(Motorbooks International mil-tech series)
Includes index.
ISBN 0-87938-655-X
1. Flanker (Jet fighter plane) I. Title. II. Series.
UG1242.F5H33 1992
358.4′383—dc20 92-23079

On the front cover: A gaggle of Su-27 Flankers cruise above a solid undercast. *Sergy Skrynnikov via AviaData*

On the back cover: Top, Russian pilot Major Alexander Datalov poses on his Flanker. Bottom, the Flanker's cockpit is functional, but archaic looking compared to the "glass" cockpits on some Western aircraft.

Printed and bound in the United States of America

Contents

Acknowledgments

This project is really the result of a collaboration between the Russian aviation industry and air force and the author, through the kind offices of a small specialized public relations firm in Moscow called AviaData. Through AviaData, I had the privilege of meeting one of the Su-27's most senior designers—along with pilots, crew chiefs, air wing and squadron commanders, and others involved in the genesis of this marvelous machine. AviaData opened the doors that have been closed, locked, and guarded for so long.

Thanks also to the pilots, ground crew, commanders, and staff at Kubinka Air Base. I was given tremendous access and warm hospitality from many officers at this base, for which I am quite grateful.

Predrag Pavlovic's information from Yugoslavia adds an unusual set of insights to the picture, for which I am also grateful.

Jon Lake, editor of the superb *World Air Power Journal* generously contributed important information and insights.

Preface

An operational Flanker B at Kubinka awaits a load of AA-11 missiles.

The Sukhoi Su-27 Flanker is one of the premiere fighter-interceptor aircraft of the world, but until recently, little was known about it. The Su-27 has been around in various forms, since 1977—but it is a Russian airplane, and that meant it was a secret airplane, until about 1987.

Before the 1989 Paris air show, the dreaded Flanker was not much more than a few fuzzy photographs and a hint or two from mysterious

Tucked into its dispersal storage area, a Flanker awaits the attentions of its ground crew. Aircraft are normally kept partially covered with large tarps when not being prepared for flight, which is about all the protection Russian airplanes get. Hangars at Kubinka are almost non-existent.

Moscow—coupled with dire warnings from the NATO force officers who had to plan to fight it.

Well, things have changed. The Russians aren't exactly handing out the blueprints for their most advanced weapons systems, but they're a great deal more candid than they used to be—for many reasons. The principal reason is that they no longer consider war with the "capitalist imperialist" West a significant threat, and they finally believe that revealing basic details about major weapon systems will not compromise their security. Another reason for the lighter security is that their airplanes are very good in uniquely Russian ways and are getting recognition for their excellent qualities. That's new, and for the Russians it is very healthy. Their industrial product hasn't exactly been getting rave reviews from the Western press the last five decades, but that's changed since the Russians started showing off their MiGs and Sukhois at the Paris and Farnborough air shows, and their industrial output is getting a bit more respect as a result of the appearances.

Soviet and Russian Military Aviation Traditions

Despite what many people once assumed, Russian airplanes aren't crude and inferior copies of British, American, and other Western nations' products, although some elements of them may appear to be crude and sometimes to be copies. Russian airplanes are designed, built, and operated in a different way, for somewhat different reasons, than Western aircraft. They need to be evaluated on their own terms and to their own standards and specifications.

Out to pasture, one of the early prototypes now is admired by thousands of Russians visiting the aviation museum on the broad expanse of Moscow's former airport. Military museums are popular with Russians, and this aviation collection includes most fighter and interceptor types of the last few decades. The Russian kids swarm over the displays with the same delight and fascination of kids anywhere—and the museum staff yell at them to get off, just like anywhere else!

The fit and finish on an F-15E—and the cute cartoon—show something of the different attitudes behind the design and use of competitive systems.

Techno-Piracy?

Over the years, Western manufacturers have criticized the Soviets for stealing their designs. Without much doubt, the Tu-4 is a direct, illegitimate descendant of the Boeing B-29 of World War II. Other Soviet systems also appear to be blatant copies. Charges of technology piracy are still found in descriptions of newer Russian airplanes (the Tupolev Backfire bomber, for example).

Russian designers and engineers refute most of these charges—and acknowledge a few. They are certainly interested in American systems and pay close attention to new developments in Europe and Japan. They point out that they had a huge

By contrast, the Flanker's construction is much more traditional, with many drag-inducing rivets and minor projections, and entirely devoid of special paints and cartoon characters. "Opasno" is Russian for "danger."

research and development program of their own that is well funded, and a tradition of experimentation and innovation that is similar to programs in Western nations. They are very proud of their design work and aircraft.

These aircraft are neither copies nor inferior, overall, but are instead quite different. In some ways they are more advanced and better constructed than in the West. For example, the Su-27 includes systems (such as the infrared search and track system) and fabrication techniques (such as the extensive use of titanium) that are highly innovative and offer clear advantages not available on any Western fighter. Russians used fly-by-wire computer-driven flight controls and ceramic engine components long before we did, despite claims of priority from some Western manufacturers.

In other ways the Russians are quite behind Western technological development and measurably inferior.

While there can be no doubt that espionage was a common practice in the past (and doubtless in the present as well) it is not clear how the information gathered was used in weapons development programs. Some Russian aircraft really do look suspiciously like ours—but the Russians say some of ours look suspiciously like theirs, too.

Despite creative and highly advanced technologies, Russian aircraft can also retain qualities that seem primitive and coarse when compared to competing systems. Russian cockpits, for example, are badly outdated—a factor with important implications in combat. The skin of a Flanker is typically rather rough and

The cockpit of the standard Flanker reveals conventional instruments, although the latest versions include contemporary "glass cockpit" CRT displays similar to those in the F-15. The pilot fires the K-36D ejection seat with a firm pull upward on these flexible grips. The harness is then pulled back firmly against the seat, the pilot's feet are drawn back, shoulder and elbow restraints automatically deploy to minimize buffeting, and a blast deflector is positioned between the pilot's thighs to prevent injury to the pilot's torso from the slipstream. Then the canopy blows off and the seat is rocketed out of the airplane. Air data sensors help fly the seat up and away from the ground. Two drogues on rigid arms extend to stabilize the seat during its brief flight. Parachute deployment from the headrest is entirely automatic, and the delay in opening is programmed based on altitude and airspeed.

This crew chief is a professional, well-trained, career officer who maintains, rather than flies, the Su-27. Most of the personnel at Kubinka are officers, with relatively few enlisted personnel. The lieutenant's work uniform is bare of any insignia, and without his hat you wouldn't have a clue that he rates a salute. That's okay because nobody seems to salute anybody at Kubinka anyway. The Su-27 is maintained primarily by commissioned officers rather than the sergeants used in Western air forces. This young lieutenant is responsible for this aircraft alone, a responsibility he takes very seriously. He is assisted by other officers and several enlisted conscript soldiers, but the conscripts are normally used for the most menial jobs.

its paint looks like it came out of a spray can—particularly when compared to one of its American counterparts like the F-15E Strike Eagle, whose skin is as smooth and sleek as any baby's tail section. If you put a Flanker next to an F-15E Strike Eagle, in the air or on the ground, you will see many dissimilarities. The dissimilarities, however, will not necessarily forecast which would win a fight.

Over the years, many have speculated about just which design and construction style is better. The only real way to answer that is to have a

The gate guard at Kubinka.

war and see what happens. Happily, we have all decided not to do that. Instead, we are finally getting a chance to study the airplanes, tactics, designers, and the people who are the former Soviet Union military aviation community.

How This Book was Written

This book is among the first to benefit from the new and friendly relationship that suddenly developed between former adversaries, the nations of the Warsaw Pact and the nations of the NATO. It is about a weapon that was designed to successfully kill NATO aircraft and help defeat NATO forces in what would unavoidably have been World War III. This book is the product of a joint venture between several Russian sources and an American writer, and it reflects somewhat the viewpoint of its home community

Until just a few years ago, the information in this book was deeply secret. Photographs of the Su-27 were virtually nonexistent outside the former Soviet Union, except for a few fuzzy satellite shots taken from hundreds of miles above the earth. There were, of course, less fuzzy shots available, but not to the general public. About all that was known about the

Major Alexander Datalov looks as if he shouldn't fit into a fighter cockpit—but he does. Like many of the other pilots at Kubinka he's a volunteer demonstration pilot for the Red Knights in addition to his duties as a member of a regular fighter air wing. He crusades for good Russian names for his aircraft—but his helmet has "Flanker Pilot" written on it.

airplane came from occasional photos in Soviet military journals and not much more. Then, beginning in 1988, the Soviets radically changed the way they released information about their weapons. They aggressively promoted systems like the Flanker, which had been previously kept in great secrecy.

While there is still much information that the Russians are not ready to share, the candor and detail they provided for this project is at least the equal of that available from most Western manufacturers and air forces. The information here comes direct from operational unit pilots, test pilots, designers, and industry experts in Russia.

In addition, I've included the comments of several highly informed Flanker followers: Jon Lake, editor of *World Air Power Journal*; Pedrag Pavlovic, an aeronautical engineer with unique access to information about Russian aircraft; and several pilots who've flown the airplane.

AviaData

This book also benefits from the collaboration of AviaData, a small company of aviation industry professionals in Moscow. AviaData personnel are all former members of the great design bureaus who now assist Western journalists with projects like book. After hearing how difficult it was to work in the former Soviet Union, particularly around military installations, it came as a delight to spend several weeks in and around Moscow and the air base where I did my research.

Kubinka Air Base

Much of my research was done at Kubinka air base, not far from Moscow. Kubinka is home to the Su-27 demonstration team, the Red Knights, as well as to the MiG-29 team, the Swifts. Although sometimes described

Short final, over the threshold, an Air Wing Kubinka Flanker settles back into the roost.

From the front, the Flanker exhibits a superficial resemblance to some Western interceptors. The stern aspect, however, is unique, with a blended, organic shape very different from other interceptors. That long, tubular extension from the aircraft's midsection houses dispensers for flares and chaff, and the big cruciform parachute pops out of the back.

This badge is unusual; most Russian aircraft are utterly bare of the kind of unit markings that have become a minor art form in the US and elsewhere. The word at the top is "Kubinka" and the one at the bottom is "Proskurovski", the proper name for the air wing. The name memorializes an air battle near the city during World War II where this wing fought the Luftwaffe, destroying over 1,200 enemy aircraft, earning the honorary "Guards" designation for the unit.

as a Russian super base, Kubinka is unlike its Western counterparts in many ways; it is older, more austere, and has much more limited facilities. Kubinka has apartment buildings for the officers and their families, but has only barracks for the soldiers (who are not permitted to bring families to their two-year military service). There are a few hangars, but nothing fancy; most of the maintenance work is done outside. Kubinka is a drastically different kind of place than its NATO counterparts. It has minimal facilities and is usually so quiet you can hear the paint peel.

The aircraft are normally kept parked in dispersal areas, just like in wartime, and towed to the flight line on scheduled flying days. While I was at Kubinka, the Russians put no restrictions on access to any of the aircraft—or at least none that were noticeable. Although some of the ground crew looked at me with suspicion, nobody prevented me from taking detailed photographs of virtually all exterior aspects of the airplane, and many assisted one way or another. One even asked if I was interested in taking pictures of a missile on the aircraft. When I agreed, the crew member produced a full rack of genuine, live AA-11s, the latest and most advanced of the Russian infrared dogfight missiles. A similar situation in an American air base would almost certainly involve inert training rounds, clearly identifiable from their blue color. That kind of generosity was typical, and even included an offer to fly in the aircraft. That's hospitality, Russian style, and is also typical of the new attitude in this community—of going a little farther than necessary, offering more than asked.

The pilots at Kubinka were also quite helpful; several consented to extensive interviews and posed in and around the aircraft. These officers are members of both a fighter wing and a demonstration team; American and British pilots may do one or the other, but not both at the same time.

One of these pilots, Major Alexander Datalov, mentioned during a conversation that the Russian pilots used the NATO code name for their planes (Flanker) for lack of something else, but that they really wanted a good Russian name for it. Naming of aircraft wasn't been part of the old tradition, but it may be part of the new; the Russians are designing squadron patches and emblems for themselves, inspired perhaps by those on Western aircraft. Datalov, like other pilots at Kubinka, expressed respect for Western aircraft and pilots. He also said that he hoped NATO pilots no longer thought of him and other Russian pilots as potential adversaries, but as colleagues and contemporaries.

Problems of Evaluation

Writing books about airplanes can be a problem, in Russia or elsewhere. Although much of the information presented here is based on direct observation and interviews with people directly involved in the aircraft's development and operation, additional information is based on previously published data. But sources often disagree. Many discrepancies appear between data from different sources, and the reader may encounter material in this book that is quite different from that presented elsewhere. For example, one reputable report on the Flanker says the Soviets built eight prototype A-models, but one of the airplanes chief designers, Professor Oleg Samoylovich, however, says there were twenty. Many cases like this exist. In each I have tried to use the most reliable source or point out the difference of opinion. Given the traditional secrecy of the Soviets, the recent attitude adjustment, and the reasonable caution of any weapons developer about such information, I think we're fortunate to have as much access as we're getting—even if some of it is dubious.

Chapter One

The Flanker

On the road again, a B-model Flanker rises from the concrete about a thousand feet from where the brakes were released. The airspeed will be rapidly passing 160 knots about now, and the pilot will have his hand on the gear lever to get himself cleaned up and off to work.

The Sukhoi Su-27 is a marvelous, capable, exotic, inventive weapon system designed to engage and defeat North Atlantic Treaty Organization (NATO) air forces in combat as part of a limited or unlimited World War III. The idea may be unthinkable now, but for four long decades the threat of war between the nations of the Warsaw Pact and the forces of NATO was a foundation of both cultures, societies, and defense

Climb out is rapid, and the aircraft will quickly be IFR in the solid overcast.

establishments. The assumed inevitability of war, the presumed consequences of battle between the two great communities, drove both to prepare for combat—but in different ways.

The F-15 and the Tornado are examples of NATO's air superiority design style: very expensive, very advanced, extremely capable airplanes that push the limits of technology in an effort to gain any miniscule advantage in combat. NATO weapons are all like that—the most complex, most advanced, fastest, all-seeing, fly-by-wire, bullet-proof weapons in the skies . . . and so expensive that few are ever purchased. The fundamental NATO philosophy is to make weapons that are qualitatively superior, then use these super weapons to destroy many of the enemy for each friendly destroyed.

The Soviets had a different idea. They discovered in the Great Patriotic War (as they call World War II) that a good, simple weapon available in large numbers was far better than a great weapon available in small quantities. Their T-34 tank was a good gun on a good turret, on a set of tracks that could go anywhere. The crew was normally uncomfortable, but so what? T-34s destroyed lots of German tanks and that's what counted. Soviet aircraft from Mikoyan, Yakovlev, and other design bureaus were equally simple and sometimes equally effective. This philosophy of massed fires won the battle on the Eastern front. And for that matter, it won the battle on the Western front, too, because the United States and Britain thought the same way. And the Su-27 is a descendant of those times and ideas.

The Su-27 is a rugged, reliable, agile, and contemporary fighter that was designed to overwhelm a NATO attack by a combination of brute force, concentration of numbers, and a few

The Flanker does have a limited air-to-ground capability, or at least this one does. This aircraft is tricked out with what appear to be 80mm rockets and a electronic countermeasures pod on each wing tip. That's the GSh 301 cannon sending its payload in exceptionally accurate bursts at a ground target. This cannon is linked to a laser rangefinder, to the pilot's helmet sight, and to the IRST.

Out in the dispersal areas, away from the flight line, aircraft are parked, maintained and guarded.

tried and proven technical innovations. Some of the Su-27's design elements are far out of date by Western standards—its engines have lives far shorter than those of American or British aircraft, its cockpit is far more cluttered, its radar is less capable—but its designers don't need to be apologetic. Even with its limitations, it can out-perform many (or possibly all) of its NATO competitors in many fundamental combat maneuvers. As of 1992, it holds twenty-seven world records.

Soviet doctrine was based on Russian history, and that is a history with a perspective opposite that of Americans and (to a lesser extent) Britons. Over the centuries, Russia frequently has been invaded, often with disastrous consequences that the United States, for example, has never experienced. Sooner or later, the Russian people ejected or absorbed the invasions, but the trauma has been so frequent that it has become part of the national persona. The worst of these invasions is still within the memory of millions of Soviets; they remember the twenty-seven million Soviet deaths in World War II in a way very different than our losses in that conflict. The Soviets were caught flat-footed in 1941, unprepared for the German onslaught. They can scarcely be blamed for being careful after that.

The Soviets anticipated the possibility of a NATO attack across a broad front, with or without some provocative incident, with or without a preliminary nuclear exchange—pretty much in the same way as NATO considered an attack coming the other

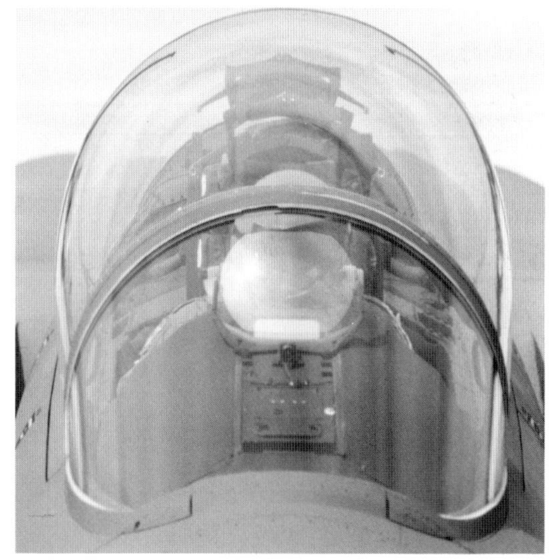

A comparison of the Su-27 cockpit (Top) and the F-15E cockpit (Below) shows strong resemblances and differences. The IRST has a small air deflector to keep bugs from crudding up the sensor ball. The Flanker's windscreen and canopy are almost identical in shape, but the Strike Eagle's HUD is far bigger and uses somewhat different technologies in its display.

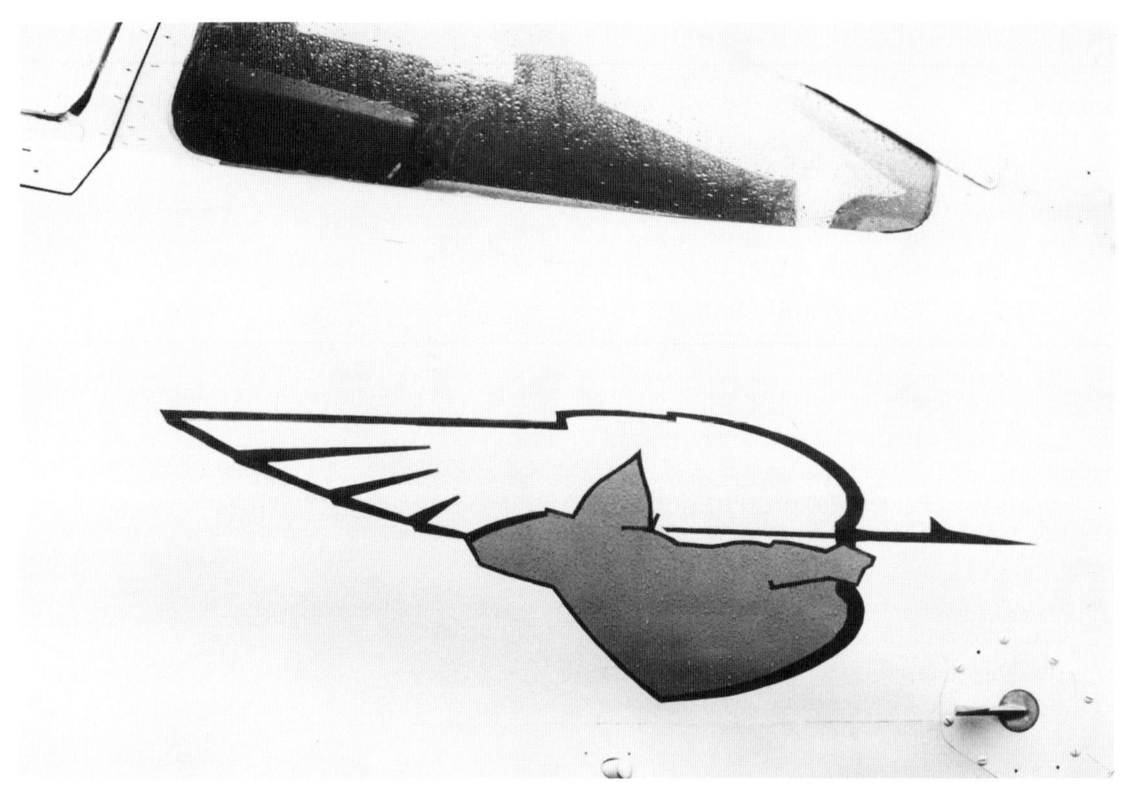

The Russian knight-archer trademark of the Sukhoi design bureau is applied to the starboard side of the fuselage, just below the windscreen. That's one of the angle-of-attack sensors just forward of the insignia, and the little button below is a part of the electronic countermeasures (ECM) system. The exterior of the Flanker is not as smooth as an F-15E's exterior, but the demonstration aircraft used in air shows are still quite beautiful. Although they haven't gotten around to putting silly pictures on their airplanes yet, they're working on it; some pilots are trying to develop squadron and wing insignia like those used by NATO air forces while still retaining a distinct Russian identity.

way. Since it was possible, the Soviets thought, it must be considered a threat. They expected the same kind of attack that they experienced in 1941, and the same kind of attack they would deliver themselves, given the right circumstances. That would be a "combined arms" attack, with coordinated ground and air forces providing deep, extremely violent assaults against clearly identified "lanes" of comparative weakness leading deep into the heart of the Soviet Union. The Soviets expected NATO forces to be willing to accept heavy losses in their lead echelons. They expected NATO to use air power in a similar way, first against key strategic and interdiction targets, such as command and control facilities, bridges, rail yards, and air fields; later they would concentrate on defeating enemy air power.

The key to battle is control of the air. The NATO plan would have to hinge around the planes that seldom make the headlines, such as the airborne warning and control system (AWACS) version of the Boeing 707, which can see everything that moves for hundreds of miles and can command the battle from a distance; or the KC-10 tankers that allow the fighters enough range to reach meaningful targets.

A NATO attack could not succeed without control of the air, because without that the AWACS and tankers could not survive. Without them, the air battle component of AirLand Battle could not succeed. Without air, the land battle could not succeed and the conventional force invasion would be beaten. The war would either collapse or—everybody assumed—would go nuclear.

The Soviet plan placed great emphasis on defeating any airborne invasion early in the festivities—preferably over the skies of Germany rather than Poland or Ukraine. To accomplish that required the ability to successfully engage the enemy's key players, the AWACS and tanker fleet, first, and they would be found very deep in the NATO formations. With that achieved, the rest would be possible; without that, defeat in conventional battle would be virtually inevitable.

That is where the idea for the Su-27 came in. The airplane's mission was (and is) to travel deep, past the swarms of fighters, to kill the command and control "brains" of an invading air force. Su-27 pilots train to accomplish this mission with long-range, radar-guided missiles, with short-range, infrared missiles, with an even closer range 30mm cannon, or, if required, by ramming.

Professor Oleg Samoylovich was previously the Su-27's chief designer, and is one of its three parents. He is now an esteemed member of the faculty at the Moscow Aviation Institute.

The Su-27, like many Soviet combat aircraft, was designed to operate from the most primitive possible facilities. Expecting that the enemy would target and quickly destroy their air bases, the Soviet planners included

From the inside, the cockpit is spacious and—for pilots trained on Soviet airplanes—utterly familiar. The radar is the small screen on the upper right, engine instrumentation on the right side of the panel, flight data on the left, and weapons controls at the upper left. It isn't a fully HOTAS (hands-on-throttle-and-stick) system as are many Western systems, but the newer models are apparently far more like their NATO counterparts.

in their design characteristics that would permit takeoff and landing from dirt roads, highways, and similar austere facilities. The aircraft, support units, command and control system, and the squadron tactics incorporated a mandate for independent operations that has been poorly appreciated in the West.

The Russians and their Soviet ancestors would have a real problem making such a program work, given the reports of fuel shortages and transport limitations. But the system they would have used is a more creative one than they had traditionally been credited with, and their aircraft's rugged gear and intake doors have advantages even without the use of roads for air fields. Most of the Russian airplanes can land on the grassy medians of their air bases should the runways become cratered, for example. These same features make the Su-27 Flanker and MiG-29 Fulcrum natural candidates for naval conversion since the gear is already extremely rugged.

General Description

The Su-27 (like any airplane) begins with a set of dreams and fantasies that merge with real-world compromises to become specifications. Although this aircraft is considered the most advanced Soviet aircraft in the sky, it is important to remember that it is really about twenty years old. Combat aircraft evolve slowly and the good ones are the work of visionaries and successful gamblers. The Su-27 is a product of the most frigid days of the Cold War, while Americans were in combat against Soviet politics and Soviet weapons—on the ground and in the air—in Southeast Asia. The Flanker can not be appreciated fully without listening to those echoes because those times and conditions were part of its design process.

A demonstration aircraft lifts off for an aerobatic practice session.

At the outset, the design of any fighter involves making choices: range or speed? High turn rate or heavy weapons load? Reliability or the most advanced technology? The MiG-29, for example, was designed to be small and nimble, to use conventional instrumentation and flight controls, and to be reliable. All this was at the expense of long range, large weapon load and the virtues of "glass cockpit" technologies. The Su-27 was designed to have longer range, use more advanced technologies, but with a bit less agility, and at somewhat greater cost and complexity than had been traditional. It was an attempt to at least equal and hopefully improve upon the performance of its assumed adversaries,

The tailcone seen from below reveals several of the access doors and the latch for the drogue parachute stowage. Two ECM fairings are mounted adjacent to the cone.

the F-14, F-15, F-16, F/A-18, and Tornado.

The published specs say that the Flanker is seventy-two feet long, with a wingspan of about forty-two feet; the fuselage is just under five feet wide, and the top of the vertical stabilizers is about eighteen feet from the runway. It comes out of the blocks weighing around 48,000 pounds, much of which is fuel. It will tolerate over 9g a lot longer than the pilot will. The Flanker can take off in under 1,000 feet, has a power to weight ratio of better than 1:1, which means it can rotate to vertical and fly straight up, accelerating while doing it. It can achieve speeds of better than Mach 2 at high altitude and about Mach 1.15 at sea level. In the process, it consumes tremendous quantities of fuel. When the time comes to return to

An Su-27UB waddles out to play for an hour. The two-seat trainer is a fully capable combat aircraft, complete with radar and extra range—unlike the UB version of the Fulcrum, which lacks radar and range. Both, however, can be used as airborne classrooms, with the instructor (astern) making trouble for the student or check-ride victim up front.

A view from astern.

A front view of a Flanker on the flight line reveals a few of the many air data sensors that stud the exterior. That big radome is about a meter across; inside is the big look-down, shoot-down pulse Doppler radar that scared the socks off the NATO intelligence staff and air battle planners when it was first discovered. There are separate air data sensors for each of the four fly-by-wire analog computers.

earth, it can land in about 2,000 feet—thanks to an anti-skid braking system and braking parachute.

The whole airplane is built around its key system: a look-down, shoot-down pulse Doppler radar with an integrated fire control system and passive infrared search and track (IRST) system, helmet sight, and laser rangefinder. It carries short, intermediate and beyond-visual-range missiles—plus a cannon that the Russians claim is the best in the air.

An especially interesting aspect of this airplane isn't any particular element of its design, but the fact that we finally get to investigate it at all. The Russians have been building interesting airplanes perhaps longer than anyone, with insights and creative approaches different from the West, and finally we are getting a chance to understand what they have been up to.

Sukhoi OKB

Despite the Western concept of Soviet society being one large, monolithic, state-run enterprise, there are actually many similarities between

The F-16 Falcon is a different solution to the same basic set of problems confronting the Flanker's designers.

their society and those in the West. Aircraft are designed by organizations that are much like McDonnell Douglas, Grumman, and General Dynamics—highly competitive companies with their own traditions, styles, prejudices, talents, and capabilities. Among these are Mikoyan, Yakovlev, Tupolev, and Sukhoi. Each takes its name from its founder, just like most Western design groups. And, just as anywhere else, these founders were designers who possessed tremendous vision, energy, commitment, and leadership ability.

The Su-27 is a product of the Sukhoi OKB (an acronym for the Russian expression for design bureau), started in 1938 by Pavel Osipovich Sukhoi. Sukhoi was one of the many young men and women who were enthralled by the rapid and dramatic development in the post-World War I years. He graduated from technical school in 1925, continued studies at the Moscow Aerodynamic Institute, and went to work for Tupolev. There, he learned his trade while helping to design that bureau's innovative aircraft. He is credited with designing ground attack and bomber aircraft including the huge Ant-37.

Sukhoi set up his own shop just as tensions began to rise in Germany and Western Europe. He didn't get much work during the war, but he designed a ground attack model designated the Su-2. In the late 1940s he went back to work for Tupolev.

Sukhoi still had ideas of his own and in a few years was back in his own business, this time with more success. Early jet aircraft from his boards, the Su-7 and Su-9 became important components of the Soviet air force. Sukhoi became one of the two major suppliers of fighters to the Warsaw Pact nations, as well as to the Soviet export market. He died in 1975, but the bureau maintained and expanded his tradition of fighter aircraft design. General Designer Mikhail Simonov now heads Sukhoi OKB.

While we tend to think of fighter aircraft design as something that evolves very gradually over a long period of time, the Su-27 was actually

The first close look at a Flanker was entirely too close for the crew of a Norwegian P-3 Orion when an Su-27 collided with the patrol aircraft. Jon Lake

The aircraft was demonstrated in a more conventional way at the 1989 Paris air show when Chief Test Pilot Viktor Pugachev flew a maneuver in the Su-27 that became known as the "Cobra." Jon Lake

the product of a weekend design binge by two Sukhoi engineers—one a graduate student—and Chief Designer Oleg Samoylovich. They did it over a weekend because they had too many interruptions during regular working hours. The result was a set of specifications and a general outline of what the aircraft would look like.

Samoylovich has since moved on to the Moscow Aviation Institute, where he is now a professor, and where he agreed to be interviewed about the airplane and his role in its development.

A Visit with Professor Oleg Samoylovich

"When I worked at Sukhoi Design Bureau I was responsible for all preliminary design projects, not only the Su-27, including T-4 (the XB-70 equivalent), Su-24 Fencer, Su-25 Frogfoot, and Su-27. So you might say

An Su-27 pitches up into the Pugachev Cobra manuever.

A Flanker B slips the soggy bonds of earth for a ride around the overcast on a damp October afternoon. Those leading edge slats will retract automatically as the airspeed builds.

I was the right hand of Pavel Sukhoi, the general designer—and I consider him to be more than a father.

"Several items were included as being very important; from the very beginning we decided to use fly-by-wire because the idea was to design an aircraft that was unstable in the longitudinal axis. The second was to have an integral wing-fuselage layout. By this time we already had a sketch design of a long-range, supersonic missile carrying aircraft designated TFMF, intended to be the answer to the B-1A. Our task was to produce an aircraft superior to that one. The most important task we had was to get the most efficient ratio of lift to drag.

"As for the layout of the powerplants and engine nacelles, an accident in the Su-25 program had an important influence on me while designing the Su-27. During a test flight there was a flameout in an Su-25, and after that flameout the air intake broke apart and separated from the airframe, taking a large portion of the wing and the horizontal stabilizer with it. After that I vowed never again to design an airplane with only one engine. From the same incident, I decided to always have a layout for the engine nacelles that insures that the failure of one powerplant won't damage the other or threaten the airframe.

"We wanted a very agile aircraft, and one with very stable airflow at the engine intakes, at any angle of attack, so the intakes would need to go under the wings; those were the general ideas, even before we started to design the aircraft.

"Even before we started to design the aircraft, we did extensive comparison studies of classical layout (separate fuselage and wing sections) and an integral layout with a blended fuselage-wing and the engine nacelles below the wing. Also, we waited to see how the Western competitive studies between the FX and the F-15 would go, so—while we simultaneously performed our own studies—we waited to see what the Americans would decide on! But we arrived at a conclusion on our own that the integral layout was superior—and it was a surprise to me when McDonnell Douglas won the competition. I think perhaps McDonnell Douglas was thinking a lot about the MiG-25 design!

"At first Pavel Sukhoi didn't want to design this kind of aircraft. He resisted for about half a year. He thought that, with our electronics (which are much inferior to yours in terms of size, weight, and reliability) that we wouldn't be able to design an aircraft the same size as an F-15. But after our preliminary studies showed that we could achieve extremely high lift-to-drag ratios (wind tunnel tests showing ratios of 12.6:1) he changed his mind.

"You might not believe this, but the layout of the aircraft was done in two days—by only three men! I was at the drawing board, Valerey Nickoli was the second, and Vladimir Antonov was the third. And the two days were Saturday and Sunday—because there would be nobody to interfere! Well, it might seem like a joke, but remember we had two years of preliminary work.

"Antonov worked at Sukhoi but was continuing his education to receive his engineering diploma and his graduate project was to research the integral layout.

"We kept a close eye on Western research on the S-shaped and 'Gothic' wings. As a result of that research it was understood that a strong vortex was generated by the leading edge extensions, and as a result of this and related factors, it became apparent that the aircraft would be unstable in the longitudinal axis—the payment for high lift and high angles of attack was unstable air and unsuitability in longitudinal moment.

"So it was obvious for us that the aircraft would require fly-by-wire controls and computer technology, and of course it was a high-risk decision. But we had experience with the T-4 aircraft, and it had a very elastic fuselage design, two meters wide by forty four meters long. It flexed a great deal in flight, and because of that could not use normal hydro-mechanical flight controls. The T-4 was the first in the world to have fly-by-wire (FBW) controls, a system designed in 1967, well before American or Western designs.

Russian crew members produced a rack of shiny new AA-11 missiles, complete with protective covers for the fins and seeker heads, almost at the drop of a hint. In American installations, such weapons would be locked behind high fences and with heavy security. At Kubinka they were rolled out of a handy bunker near the parking area.

A two-seat F-16 Falcon with inert training missiles lifts off from Luke Air Force Base in New Mexico, where for decades American and NATO pilots have trained to fight and win against the products of Sukhoi and Mikoyan.

So we had four years of FBW experience when we began to work on the Su-27. This radical decision gave us the opportunity to have a completely new approach to design of supersonic fighters.

"When we made the first sketches of the general layout, it appeared that the internal volume of the aircraft would be much greater than would be necessary to fulfill the range requirements of the air force for this plane. The air force wanted 200km more range than the F-15 was supposed to have so they required only 2,500km range, while it was immediately obvious that the Su-27 could hold fuel for 3,300km. Our research showed we could obtain 4,000km! But then we applied standard design laws for calculating maximum g-load on an airframe, which we do with 80 percent of maximum internal fuel, and so then it appeared that the airframe would have to be very strong, and perhaps very heavy. To overcome this obstacle, the deputy commander of the air force for acquisition, Col. Gen. Mikhail Mishook, considered my proposal to put this additional fuel in an external droppable tank; for the strength analysis computations, we would use internal fuel only sufficient for 2,500km range. So we agreed and shook hands, introducing the concept of two design weights—one for high g-loads, greater maneuverability, and shorter range, and the other for lower g-loads and maneuverability and longer range.

"There were no leading edge slats on the first aircraft. The major design problem was to improve lift-to-drag ratio in order to have the greatest range possible.

"Series production of the aircraft began, and there are more than twenty examples built. Then, when they began to design a new engine for the aircraft, the decision was made to add ceramic to the blades. But they were unable to do so because the technology was not, in those years, mature yet. The turbine inlet temperature had to be much lower because the steel blades used air cooling, requiring 200 degrees less. So the result was that the specific fuel consumption was about the same as the Pratt & Whitney F100. And twenty years have passed before ceramic blades have finally been successfully incorporated in a gas turbine engine, by the French firm of Snecma. So we didn't have a breakthrough in engine technology.

"Then it appeared we didn't fulfill the range requirements for the aircraft! Of course we attained the 2,500km figure with internal fuel, but not the 4,000km, so in 1977 when the first prototype began to fly, the decision was made to redesign the aircraft. The general designer then was Mikhail Simonov, and he headed the design team working on the modification to lower the drag by reducing the area of the center section of the aircraft. So the first prototype had nine tons of internal fuel, and the second had ten. Then, also, the airfoil was changed from a slightly drooping leading edge to one that was flatter for better maneuverability, and that reduced the lift to drag ratio. So, leading edge flaps were introduced.

"Since the high-risk decision to attempt a technology breakthrough on the engine blades didn't work out, our forecasts for the aircraft didn't meet projections either. This led to high financial losses; twenty aircraft had been built using a configuration that turned out to be unsuitable for series production. But the result was that we saved time anyway. Unlike in the United States, where radar, avionics, and similar equipment is designed at the same time as the air frame—and everything is finished at the same time—in our system the components lag behind the air frame's schedule. So the twenty aircraft were used as flying test beds for the radar, avionics, and similar systems. And when the redesigned airframe was finally delivered, the component systems were ready about the same time. The older engine, the AL-21 used in the Su-24 bomber, was used in those twenty prototypes.

"It appeared when the design began wind tunnel testing that at low speeds and high angles of attack the aircraft would not spin, but would "parachute" and that enabled us to add more maneuverability at higher angles of attack because of the safe stall characteristics. And that raised

AA-10 Alamo semi-active, radar-homing missiles on one of the Su-27s that intercepted and damaged a Norwegian P-3 Orion. Jon Lake

the permitted g-load from eight to nine. The most important thing was the gross weight was permitted to be much higher. All in all, I must say it is a unique aircraft!

"This past summer I was invited to lecture at the Massachusetts Institute of Technology, and about 75 percent of the audience appeared to be from the Pentagon. A representative from McDonnell Douglas asked me, 'Which do you think are better, American or Soviet fighters?' I laughed and told him, 'Soviet, of course! Just try to catch up with an Su-27 in your F-15! It's because our components are bulkier and heavier, and that forces us to be more inventive with the systems!' Well, he got offended and said, 'Well, your fighter appeared six years later than ours.' To that I agreed, and told him 'That's right, because we had to know what we were going to fight!'

"During the FX competition I thought the Rockwell design would win, and when McDonnell Douglas won, it was immediately apparent we could design a superior counterpart for the F-15. The unique characteristics of the Su-27 airframe provide an opportunity to offer modifications for a wide variety of different purposes—but I'm not allowed to say any more about that.

"As the design evolved, it turned out that our subcontractors failed to meet their specifications for weight on certain types of equipment that was to be installed in the nose, moving the center of gravity forward—and the aircraft became stable. What to do? The decision was to move the center of lift forces forward. At first we didn't expect any better flight characteristics than in the original design, but the foreplane turned out to give additional lift. And, even better, the lateral stability characteristics improved, too! It was everything I could wish for.

"Western fighters like the F-16 have automatic systems to cope with poor handling characteristics in stalls and spins. Our attitude about such systems is that handling should be good to start with, and any automatic devices should only make things better. If automatic devices fail it should not lead to accidents. This attitude toward automatic systems may be one of the major differences between American and Russian designers.

"Soviet designers need to struggle against the higher weight of our avionics, and this struggle is fierce. So Evgeny Ivanov, Pavel Sukhoi's successor as general designer, made the decision to design the aircraft with only 90 percent of the strength required, then to test it with static loads and reinforce only those parts which actually failed. That resulted in a much lower ultimate weight than if we had started out with a design intended to carry 100 percent of the rated load."

Rumors and Spies

Although work had been proceeding on the airplane for years and the first prototype had flown two years before, reports in the press about a new, superior Russian aircraft began in 1979. These were not much more than rumors about a new, excellent fighter in the F-14 class. It was referred to as the "Ram-K" because it was first detected in a satellite shot of the test facility near the Russian town of Ramenskoye.

The first test airframes started a flight test program in 1980.

Western press reports started proclaiming the imminent arrival of the airplane in operational units in 1982—but the reports were wrong. Limited operational use didn't begin until 1984.

Then in 1985 a prototype appeared on Soviet television, a rough and rugged model that didn't look much like the sleek production aircraft. The next year, production aircraft actually did enter service, but the production line didn't really get up to speed for another three years.

By 1987 the Soviets thought it was time to give Western air forces a close look at the Flanker—but its first encounter with Western aircraft turned out to be too close for comfort. A Norwegian P-3 Orion patrol plane encountered a pair of Su-27s in September 1987; the Flankers provided escort service for the Orion, and in the tradition of these encounters, it was not done in a friendly manner.

An Antonov, a MiG, and a Sukhoi in formation over Kubinka Air Base.

One of the Flankers struck a propeller, which resulted in damage to both aircraft, including propeller pieces flying through the P-3's fuselage.

Although the mystery airplane certainly scared many Western planners and policy makers, it also had some positive—and completely unintended—effects on the NATO nations. The Su-27 really put the spurs to the development of the systems that would have to fight it, and pumped billions into the F-16, F-15 Strike Eagle variant, the Advanced Tactical Fighter (ATF) program and similar air superiority developers. In fact the threat of the Su-27's expected capabilities was used to keep some of these programs in business when they might well have otherwise perished.

This point-counterpoint relationship has been responsible for the development of all contemporary weapons systems. Without the rivalry between East and West we'd probably still be operating P-51 Mustangs and Spitfires.

Paris Air Show

The Norwegian P-3 Orion incident was among the last physical confrontations of the Cold War. Shortly

The ground crew downloads flight data after a training mission.

The flight data transcription recorder accepts a cassette about the size and shape of one for a videotape recorder. The umbilical connects to a port inside the nose wheelwell.

thereafter, the long adversarial relationship began to warm, largely at the Soviets' initiative. Invited to the 1988 Farnborough air show in England, the Soviets not only accepted but sent the MiG-29. And instead of providing a simple, safe, static display, they flew the aircraft for the crowd—and executed maneuvers that utterly wowed the audience. Among these was the "tail slide," a routine that no Western combat aircraft would attempt under the same circumstances. Farnborough was the beginning of a new relationship between Soviet and Western aviation communities.

It was the Su-27's turn the following year at Paris, and again the Soviets dazzled the audience with a routine that was unlike anything attempted before. Air show demonstration flights are typically dramatic low-level affairs, combining high- and low-speed maneuvers at the extremes of the controllable flight envelope. But the Su-27 is a large airplane, and few expected it to be as nimble as the MiG-29 or similar lightweight fighter aircraft. But Chief Test Pilot Viktor Pugachev whipped the Flanker around, up and down the flight line, then, at about 230 knots, pulled full aft stick, bringing the Flanker up, chopping power, as if to execute a tail slide. Instead, he brought the aircraft to a hover, motionless in space, allowed the nose to go past the vertical to about 120 degrees, then applied power, pushed forward, and resumed level flight. The maneuver was christened the "Pugachev Cobra," since the move was reminiscent of the snake rearing back before striking. It was the hit of the show and confounded the competition.

The actual significance of the Pugachev Cobra was hotly debated. Was it a useful combat tactic or just a dramatic air show routine? The consensus was that it was not something that fit into normal air combat tactics, but that it could be useful in extreme circumstances. Its real significance, though, was that it showed the extreme agility of the aircraft, its slow-speed handling characteristics, and its controllability at angles of attack that would have other aircraft falling out of the sky. Likewise, it showed the reliability and responsiveness of the engines that were able to transition from idle power to afterburner rapidly and smoothly. Western pilots have attempted the maneuver in modified simulators and actual aircraft and found that it is possible to approximate.

Since then the Su-27 and MiG-29 have been frequent participants at Western air shows and their novelty has deteriorated somewhat. But they and their crews have become popular with the crowds, and it is now quite easy to closely inspect an Su-27 Flanker without bumping into it with a P-3 Orion. The Soviets have offered many Western observers, both in and out of the military, the opportunity to fly in the Flanker. The result has been a growing understanding of the Russian aviation and aerospace industry in general and the Su-27 in particular.

Flight-Test Accidents

Two pilots were killed testing the Flanker. One was conducting low-level high-speed tests of the flight control system when a failure induced a severe and sudden pitch movement. The severe stresses caused the airframe to break up almost instantly.

The second death occurred during tests involving behavior of the aircraft under high simultaneous dynamic pressure and high Mach number conditions. According to Professor Samoylovich, Sukhoi never fully understood what went wrong. One possibility the designers considered was that an air data recorder broke loose from its mount during the flight and that during a subsequent extreme flight maneuver the recorder struck the inside of the skin of the fuselage, breaking through. The resulting damage could have quickly torn the airplane apart.

The aircraft ought to have entered service several years earlier than its 1984 debut with the Air Defense Forces but was delayed by engine and avionics problems.

Appreciating and evaluating anything as complex as a fighter is a problem worthy of great scholarship, and if anybody has been studying military aircraft it's Jon Lake, editor of

World Air Power Journal. He probably sees more data on more military airplanes than just about anyone outside of government service. *World Air Power Journal* has become one of the best sources of information for the aviation public. The journal covers all types of exotic and operational aircraft—especially those manufactured by the former Soviet Union. Lake is probably in as good a position as anyone to make some qualitative generalizations about the Flanker:

"Russian aircraft design comes from a very different philosophy, a different way of operating and maintaining aeroplanes, and that comes through in the way they design their aeroplanes.

"Any fighter airplane has to be a set of compromises between the ability to do several different things. The war in the Gulf showed that the importance of beyond-visual-range (BVR) combat was more important than close in dogfighting—and you could say the Flanker has been optimized the wrong way. Its ability to only engage one target at a time could be seen as a disadvantage. However, that would have to be weighed against its extreme agility, and in a close-in engagement it would be pretty much unbeatable. It's high-alpha capability gives it both excellent slow speed capability and also improves the turn performance. And—in the BVR realm—although the radar might be inadequate, there are other things that are very good: the frontal cross section is fairly low, it accelerates very well to impart energy to the missile at launch, and its supersonic agility is very good—all of which would be important in a supersonic closing BVR scenario.

"I think that sometimes what we see as deficiencies they accept very willingly. They may accept a shorter service life for lighter weight, or for ease of maintenance. Or they may accept weight penalties we would regard as unacceptable to have, for example, some very clever FOD [foreign-object damage] protection system."

An Expert's Opinion

The following summary is from Predrag Pavlovic, an aeronautical engineer from Sarajevo, Yugoslavia. Pavlovic has privileged access to data on the Flanker and has extensively researched the aircraft. Some of this is personal opinion, but it is informed opinion.

"The comparison between American and Russian fighters is now opposite that of the previous fighter generation when the MiG-21 MF/bis and the F-4E were in competition. The F-15 and F-16 with new engines both have large SEP [specific excess power] figures at low load factors, but the deficiencies of the wing design makes them lose speed more rapidly than the Su-27 at high load factors or angles of attack. At military power, the Flanker has about the same sustained turn envelope as the F-16/79. The F-14A has a much better lift-to-drag ratio, but its thrust-to-drag ratio is about 20 percent lower. The Su-27's instant turn performance is worse, as is its climb rate and acceleration; its about equal in tight turns at low speeds. At about Mach 0.8 airspeeds and near

The crew chief does a little light housekeeping. The Flanker's tool kit is a tidy little collection a bit more basic than a Falcon's set of spanners, but good quality, and the kit is a nice bit of design. The canvas covers have been pulled off most of the forward section.

stalling angles of attack an F-14D will lose energy slower, but it is 1000kg heavier than A-model .

"The Mirage 2000 has about 100 percent less thrust to induced drag, with about 30 percent less thrust to weight than the Flanker. The Tornado has about 50 percent less thrust to weight, and about 100 percent less wing area; Tornado's lift coefficient is (in one speed interval) about 20 to 50 percent better, and 50 percent better at Mach 0.45 at sea level. The Viggen and Kfir figures approximate the Tornado's.

"The F/A-18 and some other US fighters have better transient performance at high alpha because of advanced digital aileron-rudder interconnection. The F/A-18 also has better instantaneous turn ability, but is considerably weaker in climb and acceleration (while still being very good). The F-15 and F-16 are weaker in the turn, but not a great deal; the pilot's skill is an important element. These two American fighters have superior climb and acceleration rates than the Su-27.

"Although the F-22 totally outclasses the Su-27, it surprisingly also has lower sustained turning performance at all subsonic speeds. Compared to the F-22 the Su-27 has about half the control surface power. The modification of American fighter designs to dual role airplanes—giving F-16/15/18 aircraft interdiction missions like that of the F-111—compromises their maneuvering ability through a 10 to 15 percent weight penalty.

"Aerodynamically, the Flanker represents a larger, twin-engined version of the F-16. Great control is achieved through large, powerful control surfaces, twin rudders and nearly full-span ailerons and tailplanes along four vertical stabilizing surfaces. This configuration combined with high engine thrust-to-weight ratio results in excellent performance, especially in a sustained turn.

"A Flanker variant designated P-42 has reportedly taken twenty-seven world records during 1986-88. The aircraft seems capable of breaking six time-to-climb records (to 3, 6, 9, 12, 15, and 20km). These were achieved by the P-42, a specially modified operational aircraft (similar to the F-15 Streak Eagle). Some of the records taken were in new classes, for short takeoff and landing, for under sixteen tons takeoff weight, and possibly for female pilot class. A F-15 Streak Eagle powered by F-100-PW-229 engines would easily break these records by 10 percent.

"The Cobra is begun at 400km/h [248 mph] by pulling maximum aft stick. If this were attempted at a higher airspeed the aircraft would end up inverted; at lower speed it wouldn't achieve the high pitch angle or the dramatic deceleration. Under isolated conditions, the Cobra could be used in combat to force an attacker to overshoot, becoming a target—unless he reacted by executing a loop or similar maneuver that retained energy. The Flanker (or other fighter performing a Cobra) would—due to the large energy loss—have a difficult time dealing with such a reaction.

"In order to perform the Cobra maneuver, the aircraft needs lateral directional stability at very high alpha, coupled with very high pitch rates (usually achieved by longitudinal instability). American fighters like the F-14, F-15, and F/A-18 are also stable at high alpha, but they are stable in the longitudinal axis—preventing high pitch rates in the Flanker's class. If they were to attempt a Cobra the result would be about two-thirds the Flanker's pitch angle, and the velocity would be converted to a climb rather than the horizontal level flight of the Su-27.

"During the Paris air show in 1989, the Soviets reportedly attempted to get the feel of the F-16 pitch and roll response command gains. They apparently want to convince their pilots that a side stick controller made sense. Later, reports from Russia said that a program testing such a side stick controller, digital flight controls, and a glass cockpit had been under way for about two years."

Chapter Two

Airframe & Powerplant

Major Alexander Datalov models the latest in Russian air force fashion attire: lightweight helmet, with ventilation holes and large visor, and flight suit worn over g-suit, as is standard in Russian air force. Access to the cockpit is almost always via a separate boarding ladder.

When fighter designers pull the drafting stool up to the drawing board to sketching a new design, they don't begin by thinking of engines and speed. Instead, they contemplate radar and detection range, and how that radar is going to be used in combat. Everything else follows from there. The reason for considering radar first is that the size and shape of the radar antenna is directly related to the mission of the fighter. A

A comparison of the F-15E (top), MiG-29UB, (middle) and Su-27B (bottom).

large antenna gives radar longer range for a given power. And radar, currently, is the best way to see targets and engage them at BVR ranges. So the Su-27 began life as a one-meter circle on a piece of paper, the size of the antenna for the radar that was needed for the new aircraft's mission.

That one-meter circle becomes the forward bulkhead of the fuselage. The rest of the structure flows from that point aft: a smooth, all-metal semi-monocoque foundation for the airframe. The Soviets have used titanium alloys to a greater extent than many Western manufacturers, and consequently the Flanker contains many components fabricated from this extremely light, strong, and difficult-to-use material.

The shape and general layout of the aircraft are similar to other combat aircraft currently in service, and there have been claims that the Soviets have simply copied designs from the West. The real reason has more to do with similar specifications than with anything else, the Russians say, and that is probably true.

It is also true that the Soviets had a completely different research and development establishment system, with the separate design bureaus all using a few basic institutions. One of these institutions was TsAgi, the Central Aero/ Hydrodynamic Research Institute—a kind of Soviet NASA. TsAgi helps the OKBs with computer modeling, wind tunnel testing, and related practical and theoretical research. Generally, this makes for less duplication of effort, but it may also have something to do with the

Afterburner and variable area section of the AL-31F engine.

extremely similar appearance of the MiG-29 and Su-27. As Roy Braybrook speculated in his excellent book *Soviet Combat Aircraft*, this similarity of appearance is more likely the product of using the same data to make the same design decisions rather than outright copying.

Titanium-Alloy Construction

The Su-27 probably contains a higher percentage of titanium than any other fighter, approximately 30 percent. By contrast, the F-16 contains about 1.5 percent, the F-14 about 24 percent, and the F-15 about 27 percent. Even the Su-27's landing gear may be made of this material.

There is extensive use of titanium alloy in the structure, but no composites. Titanium alloys have lower strength, but higher strength-to-weight ratio, than steel at normal temperatures. The real penalty is cost; titanium is about 80 times more expensive. The material also requires special fabrication techniques (computer controlled machining, hot forming, electron-beam welding, directionally solidified nickel-based super alloys, and investment casting), which add to the problems of construction

Engine instrumentation is on the panel's right side, in front of the stick, with rpm, turbine inlet temperatures, fuel quantity, and flow indicators all clustered together.

and were normally avoided by Soviet manufacturers.

Engines

It seems that every book about combat aircraft powerplants starts with data about bypass ratios, the virtues or vices of annular combustion chambers and variable area intakes and exhausts without ever providing a clue to how these things affect engine performance. So—on the assumption that you aren't a turbine engineer or mechanic—here's a short course in

Details on the AL-31F engine.

just how the engines in fighters work, with special attention to the AL-31F version installed in the Flanker.

Gas turbine engines are fundamentally simple devices: a series of fans inside a tapered cone followed by a sheet metal can followed by another fan. The first fans gradually compress the air until it is denser than when it came in; then fuel is sprayed into this dense air and ignited; the resulting gas expands rapidly and is forced out the exhaust. On the way out the gas moves through and drives yet another fan (the turbine), which drives the compressor. When instructors teach US Navy pilots about the process, the instructors tell the students to think suck, squeeze, bang, push; the air is sucked in, squeezed, burned, and pushes out the back.

While the idea is simple, the execution is complicated. It is easy to make an engine of this type that will run. In fact, without a sophisticated fuel control, a turbine will turn faster and faster until it blows up, melts, or does both at the same time. The trick is to make an engine that will be powerful, light, economical, and durable at the same time—an art form if there ever was one. And the problem of

The variable area nozzles are open here, as left when the engine was shut down. The aft centerline weapon station is visible under the after portion of the slender fuselage extension.

building one that will last for more than about fifteen seconds is another matter entirely, which is where things like bypass ratios come in.

Modern turbine engines, such as the AL-31F, take the simple idea and, to make it fly, add a lot of expensive and elegant engineering. One of these is the addition of a large fan right up front in the inlet stage. This fan has many virtues, one of which is that it pumps vast quantities of air around the engine, cooling it and insulating it from the rest of the airplane. Just how much of the airflow processed this way—not burned—is expressed as the bypass ratio. In the case of the Su-27, that ratio is 0.5, meaning that only half of the air coming through the intake ends up in the combustion chamber; the rest is bypassed for other applications. Typical bypass figures for military engines range from about 0.8 to about 0.4 for turbofan engines. For the older, now mostly obsolete turbojet engine, the bypass figure is nearly zero.

Besides providing air for cooling and other non-combustion functions, this bypass air actually contributes to

Left intake screen closed.

the thrust generated by the engine. The fan is similar to a large, multi-bladed propeller and all that airflow blasting back around the engine contributes a large portion of the engine thrust in military power.

Directly behind the fan section (the low pressure part of the compressor) comes a series of rotating fans (compressor stages) with corresponding sets of stationary vanes between each fan. Each compressor stage pumps up the pressure a small amount, and the stationary vanes optimize the flow of air back through this section. When a turbine engine's specifications include a high pressure ratio figure of twenty-four (as the AL-31's do), that means the high-pressure section of the engine reduces the volume of the air to one twenty-fourth of its inlet volume.

Many publications mention "compressor stall" in gas turbine engines, normally without explanation, so we'll explain it here. Each blade in the compressor stage is a small airfoil, and like any air foil can stall or loose lift. That happens in engines as well as on wings, but when it happens in an engine the effect is more sudden: the pilot hears a bang and will probably notice the powerplant stumble—and it may even flameout entirely. It is a hazard that can be encountered in extreme maneuvers, in extreme weather, or anytime the airflow feeding the engine is disturbed beyond design limits. One of the reasons the MiG-29 and Su-27 air show demonstrations have impressed foreign observers so much is that their Cobra and tail slide routines put tremendous stresses on

Closeup of the port fin. The top of the fin is the instrument landing system (ILS) antenna. The rudder is comparatively large, part of the reason the Flanker is controllable at really excessive angles of attack.

The fin extension is marked to indicate travel of stabilator.

engine airflows and are just the sort of thing that ought to flameout an engine. To avoid the dreaded compressor stall, the AL-31 engine design includes variable angle vanes in the first three rows; the engine computer controls these vanes in response to data from the many air data sensors on the aircraft and inside the inlets.

At flight speeds, air pressures and densities can become tremendous. The cumulative effect of ram air pressures at many hundreds of miles per hour, to which are added the effects of friction and compression, can result in extremely high temperatures in the compressor. The problems involved in keeping the blades from melting or flying off the hubs are the foundation for another part of the discussion about engine virtues: construction techniques. Blades are constructed of advanced and exotic alloys, cast as individual metallic crystals, and machined to extreme levels of precision.

The combustion part of the process is elegantly simple: kerosene is sprayed into a chamber behind the compressor section where ignition is spontaneous. The result is the bang mentioned earlier, but on a continuous basis. As the gas expands it flows out the almost open exhaust pipe, driving

Engine intake door screens raised into position. The Flanker's screens allow air to flow through, unlike the Fulcrum's doors which provides a solid barrier.

the turbine part of the engine. The turbine is visually similar to the compressor, but this time the gas is doing the driving. The turbine shaft is directly connected to the compressor; more than half the power of the combustion is consumed driving the compressor section and accessories (fuel, hydraulic and oil pumps, generators, and related parasite components). Only about 40 percent of the result of combustion actually pushes the airplane.

The Lyulka AL-31F turbofan engines have single-stage afterburners; each will produce up to 27,500 pounds of thrust in burner, about 18,000 pounds in military power setting. The engine consumes about 0.7 pounds of fuel per hour for each pound of thrust generated and has a thrust-to-weight ratio of about 8:1. Each is about 200 inches long, four feet across, and weighs about 3,300 pounds. The result is a powerplant with a far higher thrust to weight ratio than the engines in most modern American combat aircraft. It is also an engine that is far more durable than Soviet powerplants have been, particularly when used in normal peacetime training sorties. By reducing afterburner

Detail of the port fin embellishments: ILS antenna, NATO code name Swift Rod, SIRENA 3 ECM antenna, navigation light, and static discharge rod.

usage, engine life can be prolonged up to twice the normal rated figure.

Soviet turbine design for military aircraft has followed a somewhat different tradition than in Western countries. Soviet engines typically have had rather short service lives, usually of just a few hundred hours, while Western turbofans are normally good for 3,000 to 6,000 hours. The AL-31s, however, are officially rated at 3,000 hours, with major overhauls at the 1,000- and 2,000-hour marks. Crew chiefs are occasionally seen peering into the engines with long tubular borescopes, inspecting critical components. In addition to these inspections, oil samples are analyzed and vibration measured regularly.

The Su-27's engines are interchangeable, left and right. The fuel pumps, variable stator drive controls, and related components are mostly bolted to the top of the engine and get their power from an accessory drive. Each engine has a sophisticated control system linked to the aircraft's flight control computer; engine operation is virtually automatic and requires almost no input from the pilot besides throttle position.

Each engine is fed air by a huge intake with variable guide vanes, necessary to maintain smooth airflow to the compressor section under the highly variable air speeds and angles of attack a fighter experiences. Large screens protect the Su-27's intakes during takeoff and landing to protect the engines from ingesting rocks, mud, and related foreign objects. This system is similar to the one on the MiG-29 but avoids that aircraft's solid door. Because of these screens, Russian ground crews worry less about policing the flight line for foreign debris than their Western counterparts.

The Flanker's tailcone houses chaff dispensers and the braking parachute.

Tails

The Flanker uses dual vertical stabilizers for the same reason other contemporary fighters do: it is much easier to obtain a large vertical stabilizer area when two tails are used rather than one large tail. And a very large area is necessary to maintain control in extreme maneuvers. The risk, in such conditions, is that the airflow in extreme angles of attack

The nosewheel's mudguard is neatly articulated to maintain relative position regardless of strut extension.

will get diverted from the control surfaces. That's why they are placed as far outboard on the engine nacelles as possible—to get airflow that is as smooth as possible in high-alpha flight.

As with a few other fighter aircraft, stubby little fin extensions are added under the nacelles. These are supposed to provide a bit of additional spin resistance. The MiG-29 prototypes had them, too, but the MiG's designers soon eliminated them. Regardless, both are virtually spin-proof designs. On the Flanker, though, these extension restrict ground clearance aft and make nose-high landings hazardous; maximum rotation angle is seventeen degrees until the wheels are off the ground.

The control power and range of motion is appropriate for an airplane designed for low-speed, near-stall agility. Unlike those on the MiG-29, the Su-27's control surfaces don't incorporate carbon-fiber panels, relying instead on conventional fabrication methods of aluminum alloy skin over aluminum honeycomb.

As with most combat aircraft, the top of the vertical stabilizers is a favorite spot to install various electronic countermeasure equipment and antennas. A receiver antenna for the

SIRENA-3 radar attack warning system is mounted here as protection from stern-quarter radar missile shots. There is also an antenna for the VHF radio, the instrument landing system NATO calls Swift Rod and a navigation light on each stabilizer.

The SU-27's stabilizer layout is quite similar to the MiG's layout, but doesn't include the Fulcrum's leading edge extension, added to house the chaff and flare dispensers. Those are located in the long, extended tailcone between the fins on the Su-27, just forward of the braking parachute housing.

The MiG-29 and Su-27 are visually similar from some angles, and in fact it can be difficult to tell them apart. But from astern the Flanker has an entirely different configuration for the section between the engine nacelles. The Su-27 has a smooth, almost fluid quality to its shape that gives it an organic quality. Nobody who ever compared the Flanker and the MiG or the F-15 from astern would be tempted to claim that one was a copy of the other.

The Su-27's nose and fuselage fore section have more droop than that of the MiG; both curve downward slightly, starting from the center of the airframe. The bulge is sufficient that on the Su-27UB trainer the backseater is elevated enough to see over the person in front; the Fulcrum requires a periscope for the instructor to see what's up front.

One easy way to identify the Flanker is that the IRST ball is centered in front of the canopy, while the Fulcrum's is off to starboard and farther forward. Also, the Flanker's radomes are usually light green or white, while the Fulcrum's are almost always dark grey.

Both designs incorporate leading edge extensions (called LEXs) that extend past the cockpit, nearly to the radome, but the shape of the LEX on the Flanker is a long, smooth concave curve forming part of the original S-shaped wing planform; the Fulcrum's LEX, by contrast, is a convex bulge that terminates in a sharp angle at the wing root. Both designs house the same gun in the LEX, but the MiG has it in the port side while the Sukhoi fires from the starboard.

Su-27 Flanker A

The Flanker has been built in several models, although some seem to be one-off test beds.

Prior to a flight, a crew chief inspects the port side engine through one of the many access doors.

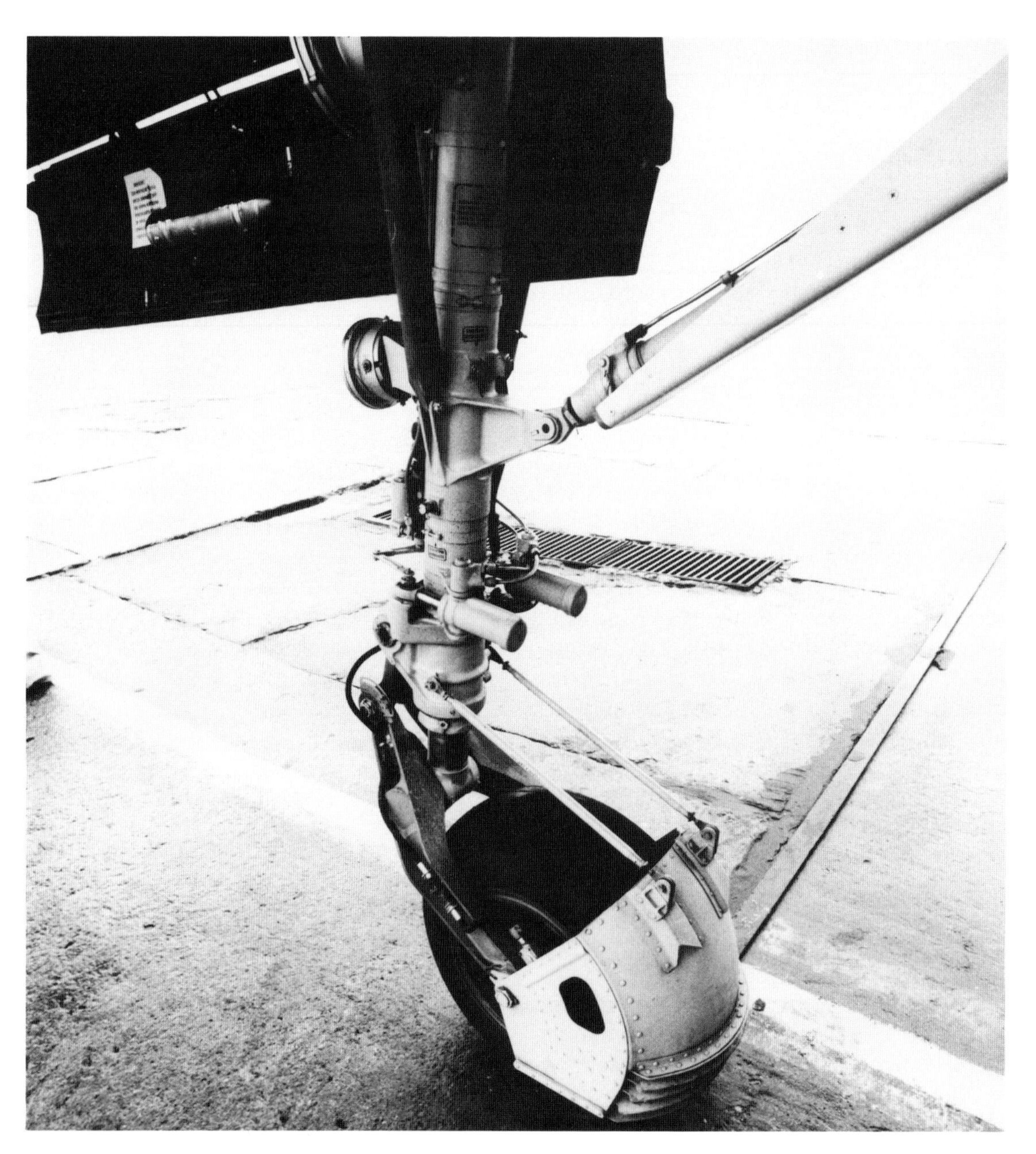

The nose gear is rugged, with a long reach and plenty of cushion for those rough-field landings. In fact virtually all Flanker landings are rough field ones because the Russians have runways that are quite ragged by comparison with those in the West.

No matter how sleek an airplane appears on the outside, the inside is stuffed with actuators, hydraulic lines, valves, sensors, switches, filters, and all the other components that only a systems engineer could love. These are on the aft bulkhead in the nosewheel door, and if you think this looks busy you should see the F-111 main gear wheel well.

There were twenty A-model Su-27s built. These early aircraft had rounded wing tips and the fins were inboard, directly over the engines. These aircraft are often referred to as T-10s, and (as Professor Samoylovich described in the previous chapter) were expected to be equipped with advanced engines. When the engines failed to become available the airframe was redesigned and the twenty airframes already constructed were put to work as avionics test beds¡. The survivors are now on display in the many aviation and military museums in the former Soviet Union. According to one report, these early aircraft lacked fly-by-wire controls and were used to flight test several configurations for the after part of the fuselage.

Su-27 Flanker B

The B-model is the basic production configuration, of which several hundred have been built. This variant appeared in 1981, about four years after the prototype first flew. The long delay was a result of the problems encountered with the engine. It is larger than the A-model and a bit cleaner externally. The wing tips have a missile launch rail, the vertical stabilizers were moved outboard, and small fin extensions were added to the underside of the engine nacelles. These fin extensions restrict rotation angle to seventeen degrees, ruling out the "aero-braking" technique for landing used by F-15s. This model, along with most others, includes a large airbrake just aft of the canopy, similar to the one on the F-15.

Su-27 Flanker B2/D Naval Fighter

Sukhoi developed a carrier variant with folding wings, canards, a tail hook, and refueling probe has been developed for service on the former Soviet carriers such as the *Admiral Kuznetzov*. Instead of a catapult launch system as used by Western navies, the Russians use a "ski-jump" ramp similar to that used by the British for their Harriers. The Su-27 was a good candidates for this kind of modification because of robust landing gear, although the intake screens are no longer necessary. This navalized version has acquired the Western designation Flanker B2/D.

Predrag Pavlovic comments on the carrier version of the Flanker:

"The carrier version . . . made its first landing on the carrier *Admiral Kuznetzov* (formerly the *Tbilisi*) in 1989. This version is more than 1,000kg (2,200 pounds) heavier than the Flanker B, with more effective slotted flaps and drooping ailerons instead of 'flaperons' to compensate. The carrier uses a 'ski-jump' ramp instead of catapults."

Su-27UB Flanker Trainer

The trainer is the Su-27UB, and is more than just an airborne classroom. It is also capable at performing all of the missions assigned to the Flanker B. It has inferior range to the single-seat version, and retains its radar (unlike the UB version of the MiG-29). It is slightly taller in the fin but is otherwise virtually identical to the solo version.

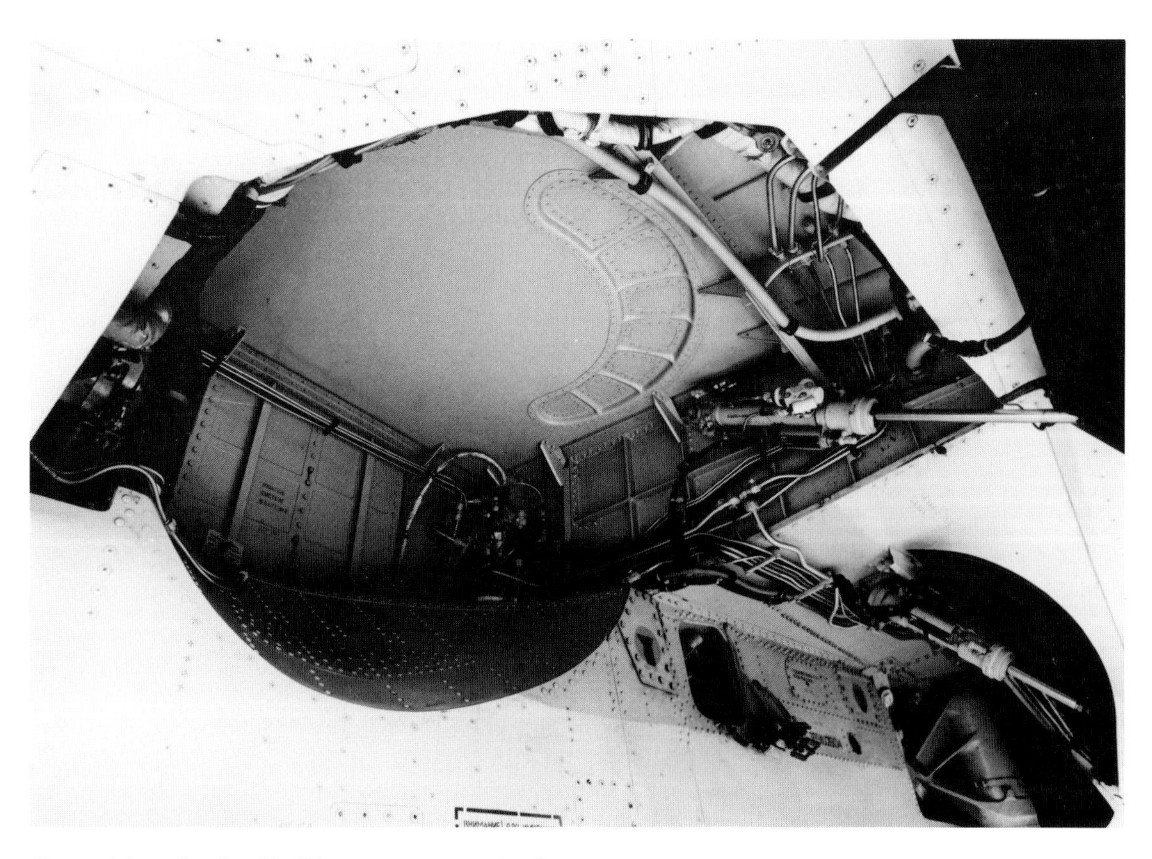

Port side wheelwell. The gear are raised up and forward into the wing roots.

P-42 Special Purpose

A single aircraft has been designated P-42 and is used only for attempts at world records. All possible weight has been stripped from this aircraft, including paint, avionics, ventral fins, and launch rails.

Flight Characteristics

The MiG-29 is notable for its slow-speed agility; the Su-27 is notable for its agility at high and low speeds. Agility is important for fighters that expect to mix it up in "furballs" where the ability to point missiles or cannon can have life-or-death implications. But that kind of "yanking and banking" is a lot less important now than at times in the past. The new emphasis is on long-range engagements with BVR fire-and-forget missiles, and in high-speed slashing attacks, Israeli-style.

Just the same, the ability to dogfight is still a consideration. With it goes all the risks of exceeding the ability of the airplane to maintain controllable flight. Dogfights typically push the envelope of an aircraft right up to

The naval version of the Su-27 was equipped with slotted flaps, a tailhook, and canards mounted on the leading edge.

its limits—and often beyond. Student pilots learn early in their training that they can stall any airplane at any speed, and at any attitude; that rule applies to Flankers as well as Cessnas. So it is extremely important that a Flanker driver knows when and where the evil stall monster lurks and how to exploit and defeat it. This is where the Flanker's unique flight control system comes in.

Predrag Pavlovic on the Flanker's flight control system:

"The flight control system uses four channels and analog computers programmed to include alpha and load-factor limiters. The alpha limit is thirty-three degrees, and the load limit is 9g—both of which can be overridden by simply pulling an extra 15kg [about 35lb] harder on the stick."

Flanker expert Jon Lake adds his comments on the Su-27's flight characteristics:

"The place where Soviet fighters—especially the latest ones—really score is that they don't have hard edges to the flight envelope. In a Western aeroplane that is programmed for a maximum of 9g, when the pilot gets there, that's all he will get. No matter what the pilot does the

One of the two-seaters motoring back in after an hour aloft.

computer will not let him defeat that limit—simply because when you reach that point you'll depart controllable flight. We use sophisticated fly-by-wire systems in the West almost as a crutch because the aerodynamics aren't adequate.

"In the [former] Soviet Union, aerodynamics are perhaps one area where they're a long way ahead of us. So they can have a limit, beyond which a pilot knows he'll be *progressively* more likely to depart. He can make brief excursions into that 'tatty' area of the envelope—to 11.5g or whatever—and for brief periods he can do that. He can pull fifty degrees of alpha for a few seconds to get his nose on the target, to avoid hitting the hill, or whatever. He has a 'soft' alpha limit, and that's very important."

Chapter Three

Cockpit & Avionics

Overview of the cockpit as seen from the top of the boarding ladder.

Unlike Western fighters Soviet aircraft do not have an integral boarding ladder or step system incorporated in the fuselage. Instead, pilots and crew rely on a separate ladder for cockpit access. This is a bit odd since the Soviets placed such importance on the ability of their aircraft to operate independently and with a minimum of support equipment. It is possible to mount up by crawling up on the tail and working forward, but it seems quite dangerous since there are no handholds near the cockpit, and only air data sensors for footholds—but pilots have been seen using this route.

Once aboard, the Flanker's cockpit seems spacious by comparison to the competition, including the MiG-29 Fulcrum. The Flanker cockpit layout is virtually identical to the MiG-29 and to every other Soviet combat aircraft, which is one of the little advantages of the design approach in former Soviet Union. A pilot proficient in one airplane can transition to another with a minimum of adjustment and confusion—at least as far as instrument and control placement is concerned.

K-36D Ejection Seat

The K-36D ejection seat is as firm as a wooden bench (unlike the F-15's ejection seat, which is reasonably cushioned and sometimes even comes with deep, luxurious sheepskin seat covers). The pilot sits in a very erect posture, and if he or she is tall, the drogue arm canisters dig into the shoulders a bit, pushing them forward. Although the Flanker is able to fly for hours on internal fuel, and has flown from Moscow to the Pacific Ocean and back with the help of in-

SRO-2 IFF (identify-friend-or-foe) antenna (NATO code name Odd Rods)

Shown in this view of the Flanker's front panel are 1) HUD control panel, 2) helmet-mounted sight positioning sensors, 3) weapons system control panel, 4) external stores status indicator, 5) control stick, 6) caution panel, 7) radar CRT, 8) g-load and angle-of-attack indicator, 9) airspeed indicator, 10) attitude direction indicator, 11) turn and slip indicator, 12) dual-needle tachometer, 13) left and right engine temperature gauges, 14) fuel gauge, 15) test system display, 16) test system control panel, 17) radar warning receiver display, 18) cabin pressure gauge, 19) critical fuel level warning, 20) stabilizer position indicator, 21) heading indicator, 22) barometric altimeter, 23) radar altimeter, 24) clock, 25) landing gear, air brake, and flap indicator, 26) weapon system control panel, and 27) landing gear control lever.

flight refueling, pilots must be exceptionally tough—or uncomfortable—to sit on the K-36D for more than an hour or two.

Although the Fulcrum and Flanker have a strong resemblance from the outside, the view from inside is importantly different. The MiG-29's cockpit gives the pilot the sense of being inside the aircraft, peering out; visibility is good but restricted a bit by the canopy rails that come to the shoulder area of the pilot. The Su-27 pilot, by contrast, seems to sit on top of the airplane; the canopy surrounds the pilot in a different way, the rails come up only to the upper arm. That means a far better view in all

All buttoned up, a pilot taxis out for take-off. The cockpit design puts the pilot fairly high on the airframe, with excellent visibility.

directions—especially at the vulnerable area below the airplane and an attacker making a belly shot.

The instrumentation is state-of-the-art . . . for about 1960. It is roughly equivalent to that found in F-4 Phantoms and similar combat aircraft in the West, now put out to pasture. Roy Braybrook has called the Su-27's panel "steam gauge" technology, and it does seem overcomplicated in comparison to the F-15E's elegant panel. From the point of view of the designers and pilots, however, it is probably just fine for routine operations. Its virtues are that it works and was available and proven when the aircraft was designed. Another advantage was that Soviet pilots knows the layout well enough to use with their eyes closed. Its vices are that it uses lots of components, requires a pilot to spend a lot of time looking at things inside the cockpit instead of at the enemy aircraft with which he is dueling to the death, and that it imposes a great deal of "housekeeping" that can be done automatically in more advanced cockpits. Russian aviation industry expert Anatoly Kvotchur, former test pilot for Mikoyan and now the chief of an ergonomics research lab in Moscow, candidly states that the high work load such cockpits

A comparison of the F-15E (above left), F-4 (below left) and Su-27B cockpits.

impose on pilots is one of the most serious problems of fighters like the Su-27. When a pilot sits in the cockpit, instruments are virtually everywhere, all compete for his attention.

Even so, the instruments are all pretty recognizable to a Western pilot. Even some of the lettering can be figured out fairly easily: for example, "maximal" is "maximum" or military power setting. The Western pilots who have had a chance to fly the aircraft usually figure out most of the instruments without much trouble, although there are a few that are different from their Western counterparts.

Control column grip.

One difference is a button on the control column that will automatically engage a program in the autopilot system to bring the aircraft to a straight and level attitude, no matter how badly the pilot has blown the previous maneuver.

The head-up display (HUD) in the Su-27 is not quite up to the lofty standards of the F-15E's HUD, either, but it is certainly large and ought to display plenty of tactically useful information. "Ought to" because we don't really know—the Russians haven't turned it on in flight for anybody yet so exactly what it shows, and how the information is displayed is still a matter for conjecture.

The MiG and Sukhoi cockpits have some important variations between them (and frequent minor variations from one aircraft to another). One of these is that the Su-27 has a weapon stores indicator right below the HUD, a head-on representation of the aircraft with ten sets of lights representing the ten weapon stations. This indicator tells the pilot which weapons remain ready to fire.

Cockpit layout mostly follows the universal pattern: conventional controls in the conventional places. Although there are supposed to be some test aircraft with a side-stick controller as in the F-16, the control column on the operational model is between the pilot's knees. Airspeed, attitude, artificial horizon, rate of climb, and altimeters (radar and pressure) are all clustered together right

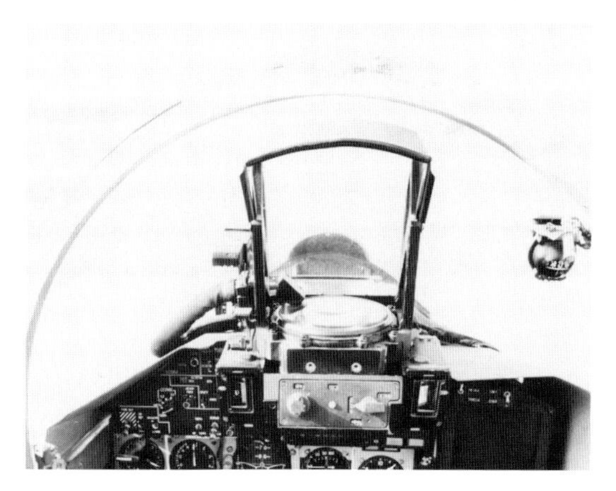

Control panel for the HUD. This is what your head hits when you crash. The helmet sight sensors are on the left and right

The Su-27's start panel and instrument lights.

up front where they belong. The engine instruments are also clustered on the front panel, taking up most of the right side. To the right of the panel is the master caution warning panel and the radar display screen. The Su-27's warning display is simplified, with only ten indicators, while the MiG's display has thirty. On the left front are controls for landing gear, weapons, radar, and emergency engine air inlet.

On the pilot's right side, about level with his thigh and within easy reach is a computer data entry panel. Also on the right is the engine start panel and radio.

Primary flight instruments: attitude, horizontal speed, altitude, and air speed indicators. The gear lever and indicator lights are adjacent to the pilot's left knee.

Radar

On the Flanker the system is sometimes identified as the N-019 coherent pulse Doppler radar, which NATO designates Slot Back. The correct designation for this hasn't been relased at this writing. It's a "track-while-scan" system that can keep track of up to ten targets at once but—unlike the most modern Western radars—can engage only one at a time. Although it is sometimes criticized for this restriction, it is a restriction shared by the F-15, F-16 and F/A-18 using the Sparrow missile. Until the recent introduction of the AIM-120 AMRAAM, only the F-14 with Phoenix missiles could engage more than one target at a time. In February 1992, the Russians revealed a new missile equivalent to the AMRAAM. The antenna is one meter across and is probably a planar design. It can search out to 150 miles and engage at 115 miles.

Although photos occasionally show that the Flanker has a dual-role capability—dropping bombs and firing guns or rockets at ground targets—the Russians seem to promote it strictly as a dedicated air superiority fighter. But there are rumors of a dedicated

The Flanker's right front console.

fighter-bomber version designated the Su-27IB. To accomplish that mission, the aircraft has provisions for carrying ten missiles and one gun. There are two rails between the engines, three on each wing, and one on each wing tip.

The radar's display is a small screen on the right side of the instrument panel, but can reportedly be viewed on the HUD. It is part of the whole integrated system, and the pilot can point the radar with his helmet sight or slave it to the IRST; the laser rangefinder is boresighted to the radar as a kind of back up in the event of electronic countermeasures jamming its return.

"Technologically," said Predrag Pavlovic, "the Flanker's high pulse rate repetition frequency radar fits somewhere between that of the F-4J and F-14A, with corresponding look-down target blind speeds and aspects. It is a crude radar with a high false-alarm rate, with a mean time between failure ten times worse than the APG-65. Contrary to some reports, it is far less capable than the MiG-31's radar and electronics. Head-on detection range is about 20 percent less than for the F-14A's radar."

Jon Lake on the Su-27 radar:

"There are very definite deficiencies in the avionics, particularly in the software. For example, the MiG-29 radar has a very long range and is very capable, but what it lacks is the software to allow adequate on-board processing. This ties the pilot to an AWACS or ground station to make effective use of his systems, whereas a Western pilot can do this on board."

Infrared Search and Track Sensor

One of the features that surprised Western observers when the Flanker first appeared was the glass hemisphere just forward of the windscreen. It is the same infrared search and track sensor that is found on the MiG-29. The IRST is a thermal sensor for air-to-air engagements at fairly close ranges. The ball encloses a mirror that the thermal sensor and laser

The radar display.

The infrared search and track (IRST) ball, integrating both the infrared sensor and laser range finder. The IRST ball sits dead center on the Flanker, unlike on the Fulcrum where it is installed off to the starboard side. Inside the ball is a flat mirror that rotates across about 120 degrees left to right. It is a reflector for the laser range finder as well as a part of the collector for the infrared sensor. This is one of the innovative, imaginative technologies that makes the Flanker an interesting aircraft, a technology nobody has accused the Soviets of pirating.

rangefinder both use. The IRST lets a fighter pilot close on a target to short range (a couple of kilometers or so) without revealing his presence.

Using radar under these circumstances would instantly warn an adversary because his radar attack warning system will be beeping at him, complete with range and bearing to the fighter astern. That is the only choice, though, of NATO jet drivers at night. The Flanker driver still has radar, but he can leave it in standby and execute an attack that is likely to be unnoticed until the AA-11 missile explodes in the adversary's exhaust. The IRST is slaved to the AA-11 missile seekers, the gun, the laser rangefinder, and the radar, as well as the pilot's helmet sight. The helmet

Weapons control panel.

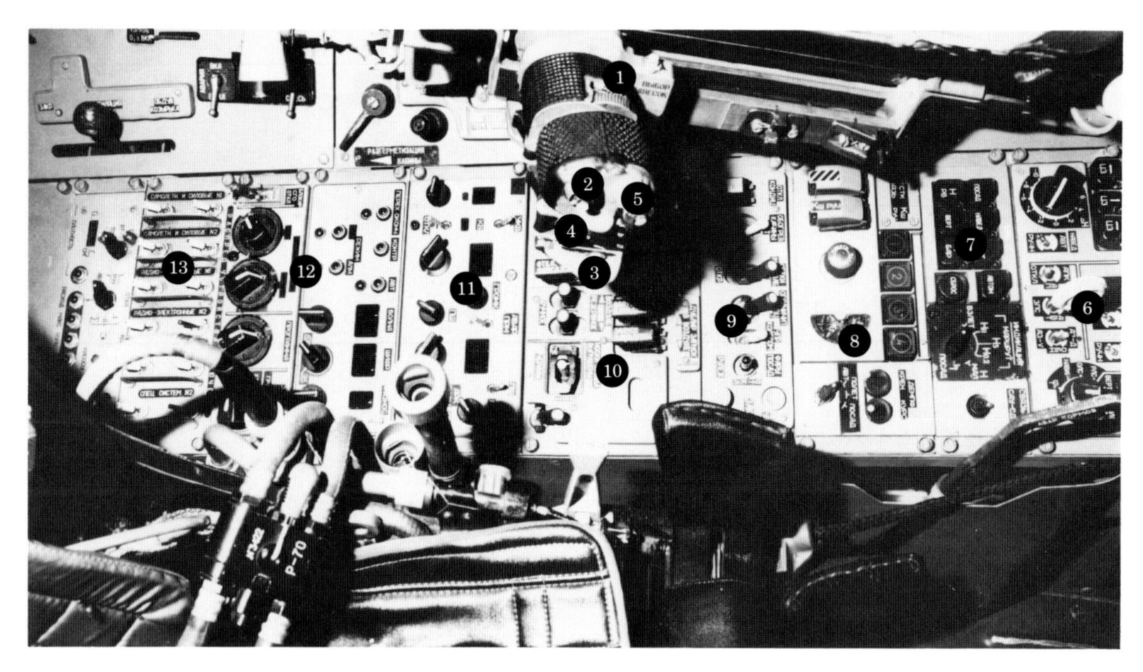

Shown in this view of the Su-27's left console are 1) target-range input switch, 2) radar-mode switch, 3) data input switch, 4) air brake control, 5) flare and chaff dispenser trigger, 6) weapon system control panel, 7) fly-by-wire panel, 8) autopilot panel, 9) equipment control panel, 10) radio communications panel, 11) secure voice communications panel, 12) weapon system control panel, and 13) electrical system panels.

sight works with the rest of the systems to provide general guidance in locating the pilot's choice of threats, and cueing the seeker heads, radar, and IRST. The radar is still available for situations the IRST can't handle (for example, long ranges or cloudy weather encounters) and it will turn on and off automatically, as needed.

The laser rangefinder projects its beam forward, bouncing off the mirror. This allows the fire control system to track and process a target well before it gets aligned with the cannon, and—based on a lot of hints from Russian designers—there is probably a system that automates much of the gun's use and allows the cannon to fire only if a high hit probability is indicated by the fire control computer. Mikhail Waldenberg says he guarantees a five round kill with the same system in the MiG-29, and the only likely way of doing that is with an automated fire control system.

Chapter Four

Weapons

The Su-27 has ten stations for weapons: two on the centerline, between the engines, one station on each intake, two on the wing and one on each wing tip.

The basic weapons are the radar-guided, long-range AA-10, the infrared-guided, short-range AA-11, and the 30mm gun. This mix offers the pilot something for every situation, from extreme long to extreme close range. All are linked to a very creative system for acquiring and engaging targets, a system that includes the radar, a passive infrared search and track system, a laser rangefinder, and helmet sight; these are integrated through a fire control system that can automate some of the process of shifting from one sensor to another. While some of these individual technologies have been criticized for various deficiencies—the radar, for example, is reported by some observers to be less reliable or capable than its Western equivalents—the whole package is nonetheless quite formidable.

The basic system of any modern fighter is its radar. Radar technology, despite its limitations, is still the best way to find and engage an enemy at long range. Unfortunately, radar transmissions immediately advertise the presence and position of the transmitter—it's somewhat like jumping up

An AA-11 Archer short-range, heat-seeking missile with a radar proximity fuse. This is the genuine article, not the usual inert training round typically found on Western fighters. According to one source, the missile can pull 32g—about as tight as anything can turn without bending.

Two weapon stations are on the aircraft centerline, both are visible here. Soviet and Western aircraft reportedly use the same fourteen-inch spacing for the lugs on their expendables, which means that it might be possible to strap NATO ordnance on a Flanker, or maybe an AA-11 on an F-15 someday.

and yelling,"Here I am, shoot me!" But it is the only real alternative a fighter has (without AWACS) to identify a victim or adversary at beyond visual ranges, past five miles or so under the very best of conditions.

AA-10 Alamo Radar-Guided Missile

The Flanker's best shot in a fight is probably the Alamo missile. This is one of the weapons the former Soviet Union is alleged to have stolen from the West, and it certainly bears a superficial resemblance to the AIM-7 Sparrow. Both missiles are intended to engage targets at fairly long, roughly equivalent ranges. They are both launched at targets that have been illuminated by the aircraft's radar, but have a small radar of their own for terminal guidance and warhead detonation.

Predrag Pavlovic reports that the Flanker's missiles can be launched at higher angles of attack than can the missiles from many Western contemporary fighters—8g for the AA-11. The AA-10 uses a Doppler semi-active radar homing for missile guidance and fusing, a conical scan seeker, similar to the AIM-9F, unlike the monopulse

The seeker head on the AA-11 employs a translucent window; directly aft are the angle of attack sensors, followed by the forward set of control surfaces. It's a complicated weapon with more fins and flippers than usual. But when it arrives at its destination there is about 15kg of explosive inside the warhead section, enough to convert an expensive target to scrap metal.

system used in the AIM-7M. Maximum range is similar to the AIM-9F, about 40km. This range can be expanded under improved conditions, such as high speed converging courses. It can also be degraded; its range is only about 6km against a low-altitude target pulling 8g. Its speed is about Mach 3.5, and it can maneuver at about 32g. Its warhead is also detonated with a radar fuzing system.

AA-11 Archer Infrared-Guided Missile

The AA-11 infrared missile is an impressive little beast that uses the extensive Soviet experience in the development of the solid-fuel rockets. It's similar to the Sidewinder in the American arsenal, with a seeker that uses an infrared sensor and a radar proximity fuze to detonate its warhead. This missile uses four small

Five men can hang a missile on the wing station if they grunt and groan a bit; it weighs a bit under 300 pounds. The officer crew chief pitches in to help with the project. Once launched the missile is supposed to be good out to about five miles—but that data has been debated.

A Flanker with its tools of the trade. The Su-27 can carry ten missiles in any mix; the big ones are the beyond-visual-range, semi-active radar AA-10 Alamo (as NATO calls them), and they go on the inboard stations. The small ones are heat seeking AA-11 Archer missiles, which are for shorter ranges, up to a few kilometers.

The nozzle of the AA-11 shows the thrust-vectoring vanes that contribute to the missile's agility. These devices help the rocket turn tighter by directing the thrust of the exhaust under command of the missiles' seeker and, combined with the effect of the fins, this makes for a very squirmy little rocket. As Jon Lake suggests, Western estimates of its performance may be below its actual ability.

paddlelike devices to vector the thrust of the rocket, in addition to fore and aft control fins, to make the missile turn on a kopeck.

GSh 301 30mm Cannon

The GSh 301 30mm cannon is stowed in the starboard leading edge extension with just the snout poking out of the fuselage. Its muzzle blast is a huge fireball, so the airframe is protected by a blast shield made of titanium. This is the same cannon that serves aboard the MiG-29 Fulcrum, a gun that seems to be one of the most effective and accurate in service. The cannon's fire control system includes a laser rangefinder. The GSh 301 sacrifices durability for light weight, and barrel life is quite short, around 2,000 rounds.

Predrag Pavlovic has probably had better access to the Soviet weapons data than most Western observers (or at least the ones who write for public consumption). Following are his comments on these systems:

"How would the Su-27 do against a modern Western fighter? Well, in a hypothetical gun fight, where one must out-turn and out-run the other, the Su-27 would win. However, such engagements just don't happen anymore and the advantage is not meaningful in the real world. Previous air combat experience proves the decisive importance of missile fire control system capability and realistic pilot training. Israeli doctrine, for example, avoids getting into twisting dogfights in favor of slashing attacks at high speed.

"There seem to be many aspects of the Flanker and its associated weapons that are not known or misunderstood in the Western reports I've seen on the aircraft. For example, the AA-8 can't be uncooled, and is not an all-aspect missile. Its engagement range is 400 to 4,000 meters (from about 1,300 feet to about 2.5 miles). It flies at about 2 Mach faster than launch speed and can turn at 35g—in other words, virtually instantaneously. A radar proximity fuse detonates the warhead. The missile is essentially similar to the Magic 1 and AIM-9E, but with only about half the range.

"The AA-11 is an all-aspect missile (which means you can fire it at a target head on, tail on, or crossing) based on the AA-8 but much improved. Its minimum range is a little better than the -8 but its maximum range is doubled. It can be launched in an 8g turn.

"The GSh 301 30mm cannon is known to be highly accurate, but it seems that its weight is only about 110 pounds (50kg)—the Vulcan is more than twice as heavy at about 250 pounds (120kg)—which is perhaps

The GSh 301 30mm cannon is housed in the right leading edge extension. It is faired by a titanium shield to protect against the fireball produced by the firing of each huge round.

The missile slides into slots on the rack, then an electrical umbilical is connected to a fitting inside the clamshell doors at the forward end of the station. Protective covers for the fins and seeker come off after the missile is safely latched to the aircraft.

AA-11s are stowed eight to a cart, normally enough to arm two Flankers with dogfight missiles; the other stations would accept AA-10s for longer range engagements.

why the barrel of the GSh 301 is worn out after only 2,000 rounds while the Vulcan is good for ten times that. The cannon has a probable rate of fire of 1,800 rounds per minute, with muzzle velocity of about 2,400 feet per second."

A lot of the data on Soviet weapons published is highly dubious speculation; the range figures offered by Western observers are probably far lower than the weapons can actually achieve, but nobody who's actually tested these things is talking.

As Jon Lake, editor of *World Air Power Journal* observed, Western attitudes toward Russian/Soviet weapons technology have traditionally been somewhat self-serving. If the performance figures published by NATO force observers for Russian weapons are taken at face value, the Warsaw Pact systems appear to be grossly inferior, but this data—and that conclusion—are suspect. Says Lake:

"You've got to ask yourself, when you've got a missile about the size of a Sparrow [the AA-10 Alamo], why is it going to have a range very much smaller when the Russians are very good at rocket fuel technology. The warhead or the fusing may be poor—and the guidance almost certainly is—but that's a missile who's performance figures are unduly pessimistic. And then, when the Russians introduce a brand new missile to replace it, the Western figures don't show much of an improvement. Is that really likely?

"It's interesting that the Indians have always been very impressed with Soviet missiles—they take them out of the crate, strap them on the aircraft and they work well. The French missiles they use, on the other hand, are very temperamental, have to be kept in special conditions."

Chapter Five

How to Fly the Su-27

Takeoff is frequently in "maximal," or what we call military power: full throttle without afterburner. Getting any jet airplane airborne is the easy part—airplanes want to fly and will leave the ground if given a reasonable push. This is particularly true of lightly loaded high-performance fighters. Those are Il-76 transports in the background, part of the highly diversified stable of aircraft that come and go from Kubinka.

Although many airplane books will tell you a many intimate details about the aircraft's design and genesis—some of which seem utterly unimportant—the essence of any airplane is how it flies, and for a combat airplane how it flies and fights. If you're a pilot you know that airplanes have individual characteristics and traits that make each one a bit unique, and all the more interesting. Since this is a book about an airplane, the most

Captain Sergi Samko mounts up after dutifully cleaning his boots on the little brush at the base of the ladder.

important thing to know about it is how to get it in the air, and what to do with it once you're there.

You normally begin by pulling on a good Russian g-suit, similar to Western "speed jeans" used by pilots of all high performance aircraft. These inflate automatically in high-g maneuvers, helping to prevent blood pooling in your extremities at a time when you really want to keep it in your head. Although the practice in the past has been to wear the g-suit under the flight suit, some pilots now reverse the sequence to wear them like American pilots, with the pressure suit on top.

On top of the g-suit is the flight suit—nearly identical to those worn by pilots everywhere, and the same sage green color as every American pilot wears. The zippers on the Russian suits are bright blue, though, and there is a little map pocket on the right knee with a plastic window to help the flight suit enthusiasts tell the difference. The Russian pilots don't particularly like the little window by the way—it's too small to see much of the map—and the pocket is inconvenient for turning the map over when the time comes.

Many Russian pilots put on their helmets long before they get to the aircraft, unlike Americans who wait until the last possible moment. The Russian models are much lighter and more comfortable than American helmets, but perhaps offer less protection. The oxygen mask that attaches to the helmet has a comfortable fabric liner, another little creature comfort to help offset the hard seat in the airplane. Pull on your genuine Russian flight gloves (thin, smooth black leather, similar to the excellent British style) and you're all dressed up with someplace to go.

The crew chief will have thoroughly prepared the assigned aircraft for the flight, and a Russian pilot doesn't normally do a preflight inspection. The crew chief would be a young sergeant in the US Air Force, but he's an officer in the Russian air force, a sharp, energetic, well-trained professional military man with much in common with his Western counterparts, except that he outranks them. He is assisted by a small crowd of enlisted conscripts, but they are not allowed to do much except guard the aircraft and perform other menial work. Since their training (and motivation) are quite minimal, this is probably a good thing.

Although the flight line is a long one, the combat aircraft are not parked on it. Instead, they are kept in dispersal areas and revetments away from the runways, just like in wartime. When scheduled to fly, they are towed to the flight line early in the morning. Electrical power outlets adjoin each parking spot, with long cables to attach to the aircraft. By the time you get to the airplane it will be—as American pilots say—good to go.

You mount up with the assistance of a specially designed boarding ladder. Some brilliant person has added to this ladder a brush for cleaning the mud and snow off your boots, keeping the cockpit far more presentable than would otherwise be the case.

When you sit down in the K-36D, seat the aircraft will be virtually ready to start. The crew chief assists you with seat arming, and with the buckles that link your harness to the seat. Normal Russian procedure includes a call to the tower for permission for engine start, something not required of US pilots. The engine start panel is a simple affair on the right console, with two buttons. Since the aircraft is already powered up from a twenty-six-volt supply adjacent to each parking spot and the switches

Strapping in is done under the watchful eye of the crew chief who will assist if asked and who will ensure that the K-36D ejection seat is fully armed before the canopy goes down.

have been preset by the crew chief, you can push the button for engine one even before you strap in. By the time you're tucked into the cockpit and lashed securely to the seat, the engines can be run up and the aircraft nearly ready to taxi. This procedure is much, much faster than that used by American pilots. The complete procedure for engine start is: advance throttle for selected engine from STOP to IDLE; press engine start button, and monitor start procedure, which is now automatic.

Electrical power spins up the engine; the AL-31F makes a quiet rising pitch as it winds up. Light off is sudden and dramatic: a whoosh, a jolt of power that surges the airplane forward against the brakes, compressing the nose gear. Now the sound rises faster, louder. Turbine inlet temperature (TIT) rises quickly, along with the rpm indicator needle. TIT will stabilize about 400 degrees Celsius. There

Over the threshold at about 125 knots, airbrake extended, a Flanker sinks back to Kubinka's long runway. Normal approach for the Flankers is straight in, although occasionally a flight will "break" at midfield for right traffic and an abbreviated pattern. Kubinka, probably more than other bases, gets a lot of aerial displays from the demonstration teams practicing six ship formations.

is a standard checklist to verify the aircraft is ready for flight, the most important part of which is verifying that the fly-by-wire system is functioning correctly. The most time-consuming part of the pretaxi procedure is initializing the inertial navigation system. The whole process takes about six minutes from engine start to brakes off and taxi out of the blocks.

Taxiing the Flanker is about as tough as in any other fighter—kiddie-car simple. It's done with the rudder pedals and toe brakes. Idle thrust is normally sufficient to cruise along the taxiway about 20mph. Just before turning onto the runway, the aircraft will get a quick inspection to make sure none of the major components are about to fall off or that anything is leaking excessively. A call to the tower will get permission to slither out onto the runway; line up on the centerline, run up to 100 percent power and hold with the toe brakes. If everything looks good on the gauges, release the brakes and hang on tight.

Most airplanes want to fly if you give them half a chance, and this is particularly true of contemporary fighters. Even without afterburner, the acceleration is spectacular; the fighter roars down the runway like a shot. Tracking the centerline is easy as long as the aircraft was set up properly; tiny corrections are all that are required to keep off the grass. Compared to the old prop fighters of a generation or two ago that had so much torque you needed to stand on a rudder pedal to keep them centered, a jet takeoff is trauma free. At 115 knots you apply a little back pressure on the stick and the wheels will almost immediately become unglued from the concrete—by which time the airspeed will be up to about 135 knots. With full afterburner (avoided in most training to avoid wear on the engine), the process is extremely fast. The pilot must be careful to avoid excessive control movement. The Su-27 and MiG-29 are both restricted from very nose-high attitudes when the gear is on the runway by tail components that easily drag. Takeoff roll is about 1,100 feet and takes about ten seconds. You've just completed the easy part of the flight.

If you want to use afterburner, lift a small latch on each throttle before advancing the control to the single augmented power position. This feature is not present in comparable Western aircraft, like the F-15, in which the transition from military power to burner is seamless.

Well, fighters aren't made for straight-and-level, so let's see what the Su-27 will do. Deflect the stick to the left, about halfway, and the Flanker rolls rapidly about its lateral axis at about 150 degrees per second; full deflection will give you about 250 degrees per second—don't bang your head on the canopy, please.

Okay, now try a loop. Begin at about 270 knots, and apply back pressure steadily until you're pulling 4g. Hold it and you'll come across the top about 4,000 feet higher and about 120 knots before starting down again to complete the maneuver back where you started (more or less) and at about 200 knots.

Since slow speed controlled flight is important to a fighter, try raising the nose to about twenty-five degrees pitch attitude from level flight, chopping power to maintain altitude. The Flanker can be prodded through the air at under 100 knots with its nose pointed up awkwardly—but still under control and still able to orient on an adversary.

The Cobra is the Flanker's star performance; let's try one. Start with 220 knots, 85 percent power, straight and level. Pull back hard on the stick—you have to override the angle-of-attack limiter with about thirty-five pounds of pressure. The aircraft pushes its bulk through the sky in a way no airplane is supposed to do, flat side first. It is still, somehow, controllable, and the engines still respond when you finally push forward and apply power to begin acting normal again.

If you ball up a maneuver, press the small button on the right top of the control column. That system automatically brings you straight and level, no matter what you did to the airplane previously—if you have enough altitude.

Time's up—you've used up 6,000 gallons of kerosene and that's enough for your familiarization ride. We'll enter the pattern at 300 meters, break left to the downwind at 300 knots, then, as the speed bleeds off, drop the gear and flaps at 260 knots. Line up on short final with 140 knots indicated, maintaining airspeed with throttle corrections rather than pitch. Angle of attack will indicate about twelve degrees, the airspeed will continue to slow to about 125 knots, and the wheels will kiss the concrete. Pop the braking chute and stand on the brakes—the anti-skid system brings the aircraft to a rapid halt. Jettison the chute at the taxiway junction and a crewman will retrieve it. Taxi in, back to the same spot where our faithful crew chief is ready to take custody of the airplane again.

Russian Pilots

The training program for Flanker pilots is rather different than for Western pilots. A newly qualified, low-time pilot arrives at the squadron and learns his trade under the guidance of his mates. There are four levels of proficiency, and the new pilot begins at the lowest.

The crew chief will be waiting for his wayward charge, and will direct the pilot into the slot, much like crew chiefs anywhere. Russian crew chiefs, however, are much more relaxed about the whole thing than Americans, who perform these little maneuvers as if they were formal ceremonies, with considerable starch.

His first training missions involve intercepting single aircraft, one-on-one. Initially the adversary is a ground attack plane--an Su-24 or Su-25, perhaps. When able to deal with such threats with reasonable skill, the pilot fights against fighters until he has become acceptably proficient with more capable targets. At that point, he is trained as part of a team, flying as wingman for a more experienced member of the squadron—often the commander.

Although the primary formation in the Russian air force is the two-ship team, the new pilot also must become integrated into four aircraft formations at an early stage of his professional development. Training formations may involve twelve or more aircraft, but always in multiples of two. During the early stages of training, the novice Flanker driver will be told what to do and when to do it, normally by the simple technique of having him stick to his flight leader. Two-ship for-

Taxi back off the runway is normally done at a rapid clip, faster than F-15 drivers usually go. The air base at Kubinka dates back to well before World War II, and over the years has acquired many bunkers, revetments, and berms suitable for a genuine combat airfield, like the one adjacent to this taxiway.

mations are typically staggered rather than line-abreast. When the young Flanker driver demonstrates that he can play follow-the-leader, he is authorized to loosen up the rules of the game considerably, although he is expected to keep his leader advised of where he'll be. Russian pilots are rated at four levels of expertise, from 3rd Class (novice) to 2nd, 1st, and the best, Sniper Class.

Index